Peter P. Talkenberger · Bernd Conradi

TOP TRAINING

Verkauf · Vertrieb · Management

Peter P. Talkenberger · Bernd Conradi

TOP TRAINING

Verkauf · Vertrieb · Management

mowe

Die Deutsche Bibliothek – CIP-Einheitsaufnahme

Talkenberger, Peter P.:
Top Training : Verkauf, Vertrieb, Management /
Peter P. Talkenberger ; Bernd Conradi. – Idstein : Möwe-Verl., 1992
ISBN 3-925127-31-3
NE: Conradi, Bernd:

1. Auflage 1992

Satz: Möwe-Verlag
Druck: oiro-concept, Berner Straße 91-95, 6000 Frankfurt am Main 56
Redaktionelle Mitarbeit: Martina Weiss, Dorothe Holz, Sabine Lehmann
Layout: Jürgen Schreiter
Cover: Horst Dubiel

ISBN: 3-925127-32-1

Möwe-Verlag, 6270 Idstein, In der Ritzbach 13
Telefon: 0 61 26 / 5 10 38, Telefax: 0 61 26 / 13 25

INHALT

Training heute – Top Training morgen 8

Hans-Peter Zimmermann: „Verkaufen ist 95 Prozent Persönlichkeit und fünf Prozent Technik." 11

Gerard Peissl: „Training darf sich nicht an Symptomen ausrichten, sondern muß Ursachen beheben." 29

Martina und Klaus-J. Fink: „Es reicht nicht aus, gute Seminare durchzuführen; der Trainer ist auch mitverantwortlich für die Umsetzung in die Praxis." ... 43

Dirk Braun und Martin Kolb: „Die Verfeinerung der Kommunikation ist der zentrale Faktor, um den sich Verkaufstraining dreht." 57

Holger Münter: „Training bedeutet heute: vor allem Flexibilität im Denken zu erzeugen." 73

Winfried Volz: „Erfolgreich ist der, der als Persönlichkeit authentisch ist." 87

Ernst-Richard Peters-Kiehn: „Verkaufen zu trainieren kann nur auf individueller Basis stattfinden." 103

Advanced Management: „Der Unterschied zwischen der richtigen Trainingsmaßnahme und der beinahe richtigen entspricht einem Vergleich zwischen einem Blitz und einem Glühwürmchen." 115

Dr. Heinz Joachim Bless: „Der immer mehr zunehmende Einsatz von Laptops und Notebooks als Instrument der Verkaufsförderung erfordert eine ganz besondere Art von Training." 129

Elke Conradi: „Erfolg ist die beste Motivation.“ 137

Prof. Renate Doering: „Aufgabe von Ausbildung und Training heute ist die Begleitung des *Individuums*.“ 151

Philip Kreindler: „Verkaufen setzt Fähigkeit und die richtige Strategie voraus.“ 167

Top Training – Zwölf Thesen 193

Alles Denkbare ist auch machbar.

Albert Einstein

Training heute – Top Training morgen

Fallen wir ausnahmsweise einmal gleich mit der Tür ins Haus: Dieses Buch erhebt nicht den Anspruch, einen vollständigen und umfassenden Überblick über den Markt des Trainings zu bieten. Es möchte nicht einmal einen Bruchteil davon abdecken. Wenn wir Ihnen auf den folgenden 200 Seiten zwölf Trainer oder Trainings-Unternehmen vorstellen, dann geschieht das allein in dem Bestreben, Ihnen auf kurzweilige und leicht verständliche Weise einige Profi-Tips an die Hand zu geben, an die Sie möglicherweise nicht jeden Tag kommen.

Betrachten wir einmal die gegenwärtige Situation auf dem Trainingssektor: Da es hier keinerlei gesetzlich geschützten Berufsstand gibt, finden Sie auf diesem Markt beinahe alles, was an Buntheit und Vielfalt möglich ist. Natürlich hat dies seine Vorteile: Nur so ist es überhaupt möglich, daß sich Kreativität entfaltet, ohne von vornherein durch Normen und Vorschriften amputiert zu sein; und daß Impulse ausgelöst werden, die nicht in steifen und starren Systemen schon im Keim erstickt werden. Zweifellos hat dieser Vorteil den Markt des Trainings belebt.

Zugleich jedoch liegt darin auch sein größter Nachteil: Einem Außenstehenden wird es dadurch beinahe unmöglich gemacht, zu entscheiden, wer wirklich Training der Meisterklasse anbietet und wer – mit Verlaub gesagt – ein Scharlatan ist.

Wir, die Autoren, haben uns über ein Jahr lang in diesem Markt umgeschaut und zahlreiche Gespräche geführt. Haben uns mit bekannten und völlig unbekannten Trainern und Trainerinnen unterhalten, haben Zeitschriften und Bücher gelesen, um in Erfahrung zu bringen, ob es so etwas wie einen roten Faden gibt. Anhaltspunkte, die man als Wegmarken durch die Welt des Trainings bezeichnen könnte. Offen gestanden: Es war nicht einfach, solche Wegmarken zu entdecken. Wie im wirklichen Leben verbergen sie sich oft hinter einem Gestrüpp von Meinungen und Theorien, einem Wirrwarr von Thesen und Antithesen, in dem wir selbst nicht selten ins Stolpern kamen.

Welche Werkzeuge standen uns bei der Beurteilung von Training konkret zur Verfügung? Allein diese Frage weist auf ein gravierendes Problem bei der Recherchenarbeit hin: Sobald Sie die Kriterien und Maßstäbe von „Schule A" nehmen, um damit „Schule B" zu beurteilen, fällt Ihr Urteil nicht mehr objektiv aus. „Schule B" wird im Lichte von „Schule A" praktisch immer schlecht abschneiden.

Von daher konnten wir uns an Schulen überhaupt nicht orientieren. Hinzu kommt als erschwerender Umstand, daß unter den zahlreichen Schulen nicht selten die eine aus der anderen hervorging, daß frank und frei „abgekupfert" wurde, um einmal im Slang der Journalisten zu sprechen. Letztlich blieb also nur der Versuch, mit dem Maßstab des gesunden Menschenverstandes an die Sache heranzugehen.

Möglicherweise bleibt unser Ansatz dadurch unvollständig; andererseits ermöglichte uns dieser „approach", diese Herangehensweise an das Problem, viele Thesen und Behauptungen sehr unvoreingenommen und damit in einem recht nüchternen Licht unter die Lupe zu nehmen.

Doch werden wir einmal konkret. Stellen wir die Frage: Worauf gibt dieses Buch eine Antwort? Ohne den einzelnen Beiträgen vorzugreifen, möchten wir dennoch einige Schlüsselprobleme moderner Unternehmensführung zitieren, die in den folgenden Kapiteln behandelt – und beantwortet werden. Dabei geht es um Training in den Bereichen Verkauf, Vertrieb, Management – wie Ihnen der Titel des Buches bereits verriet. Unter anderem erfahren Sie also in diesem Buch:

- Welches Training zeigt Verkäufern, wie sie den Entscheidungsprozeß ihres Kunden beschleunigen können?
- Welches Training gibt Verkäufern Werkzeuge an die Hand, wie sie schlecht gelaunte Kunden in eine gute Stimmung bringen können?
- Welches Training vermittelt Ihrem Vertrieb, wie man schnell und effektiv die entscheidenden Termine am Telefon bekommt?
- Welches Training zeigt Ihren Führungskräften, wie sie bei ihren Mitarbeitern höhere Effizienz und „compliance" erreichen?
- Welches Training zeigt ohne Umschweife, wie eine Führungskraft mehr Zeit für das Wesentliche gewinnen kann?
- Welches Training lehrt, wie Sie die fehlende Risikobereitschaft bei Kunden oder Mitarbeitern abbauen können?
- Welches Training vermittelt Ihnen, wie man den Verkaufsprozeß so gestaltet, daß Kunden dem eigenen Unternehmen langfristig treu bleiben?
- Welches Training zeigt, wie man Verkäufer, Vertriebskräfte und Mitarbeiter auch anders motivieren kann als durch Geld oder materielle Anreize?
- Welches Training löst die Kommunikationsprobleme Ihrer Verkäufer oder Mitarbeiter auf Dauer?
- Welches Training gibt Ihren Verkäufern leicht anwendbare, praxiserprobte Methoden statt zweifelhafter Tricks an die Hand?
- Welches Training hilft konkret dabei, im Akquisitionsprozeß Geld einzusparen?
- Welches Training erhöht die Selbstsicherheit und Eigeninitiative Ihrer Mitarbeiter?

- Welches Training bewirkt, daß Ihre Mannschaft zu einem echten Team wird, das mit Ihnen „durch dick und dünn geht"?
- Welches Training vermittelt die effektivste Art und Weise der Verwendung von Lap-Tops im Verkaufsgespräch?
- Welches Training bringt wirklich dauerhafte und meßbarer Ergebnisse in den Bereichen Vertrieb und Management – und wie können Sie dies nachprüfen?
- Welches Training hilft, Preisargumente bei Kunden und Preiskomplexe bei den eigenen Verkäufern abzubauen?
- Welches Training zeigt Ihnen den Weg, um Ihre unternehmerischen Visionen auch in die Tat umzusetzen?

Dies sind nur einige der behandelten Themen. So viel sei vorab verraten: Die Trainer, die in diesem Buch zu Wort kommen, sprechen aus jahrelanger praktischer Erfahrung. Sie entstammen nicht den Höhen entrückter Ideen und Theorien; oft sind ihre Ansichten sogar völlig gegenläufig zu dem, was gemeinhin als wissenschaftliche oder betriebswirtschaftliche Doktrin gelehrt wird. Darauf jedoch kam es uns nicht an. Maßstab sollten nur Anwendbarkeit und Effizienz eines Trainings sein.

Freuen Sie sich auf einige ganz spezielle Beiträge auf den folgenden Seiten. Wir beginnen unsere Reise in Bern, mit einem Trainer aus der Schweiz, und wir beenden das Buch schließlich in Zürich, ebenfalls mit einem Schweizer Trainer. Mehr der Zufall bestimmte diese Konstellation, als irgendeine tiefgründige Überlegung. Der erste ist dabei ebenso international tätig wie unser letzter und übrigens auch andere der Gesprächspartner, und in beiden Interviews wartet eine besondere Überraschung auf Sie. Doch die zehn Gespräche, die zwischen Bern und Zürich lagen und uns unter anderem nach Wien, Düsseldorf, Bad Honnef, Aachen, Wiesbaden und an einige weniger bekannte, aber sehr reizvolle Orte führte, bieten jedes für sich wertvolle Informationen, die möglicherweise in dieser Offenheit nie ausgesprochen wurden. Sie werden ganz nebenbei von unseren Gesprächspartnern auch erfahren, woran man wirkliches Top-Training erkennt, oder besser gesagt: Wie man gute Trainer von weniger guten unterscheiden kann.

Das Buch wird Sie aber auch dann hilfreich begleiten, wenn Sie selbst ein Verkäufer sind. Damit beginnen wir gleich mit dem ersten Beitrag, der unmittelbar mit dem Vorgang wirkungsvollen und abschlußsicheren Verkaufens zu tun hat. Und im letzten Kapitel werden Sie schließlich in allen Einzelheiten erfahren, wie Sie auch äußerst komplexe und langwierige Akquisitionsvorgänge um Monate beschleunigen und dabei sehr viel Geld einsparen können.

Nun aber viel Spaß bei der Lektüre, die hoffentlich sehr kurzweilig für Sie sein wird. Denn auch der Faktor Unterhaltung soll bei aller gebotenen Sachinformation keinesfalls zu kurz kommen!

Hans-Peter Zimmermann

„Verkaufen ist 95 Prozent Persönlichkeit und fünf Prozent Technik.“

Stellen wir als erstes einen Verkaufstrainer, Buch- und Kassetten-Autor sowie Werbe- und Marketingfachmann vor. Hans-Peter Zimmermann,Jahrgang 1957, studierter Sprachwissenschaftler und Werbespezialist, für einige Jahre in der Filmbranche tätig, eröffnete nach einigen USA-Aufenthalten mit privaten Fortbildungsmaßnahmen sein eigenes Werbe- und Marketingbüro. Sein spezielles Ziel dabei war, die Methodik der Direct-Response-Werbung in der Schweiz und in Deutschland bekannt zu machen.

Die ersten Erfolge waren durchschlagend. Doch damit nicht genug. Wie er uns später in unserem Interview selbst mitteilt, war mit der Methodik der *Direct-Response*-Werbung bei den betreuten Unternehmen zwar schlagartig eine große Nachfrage geschaffen, aber nun wurden die Schwachstellen in diesen Firmen erst richtig sichtbar.

Hans-Peter Zimmermann wurde von seinen Geschäftspartnern buchstäblich gedrängt, auch Erfolgsmethoden der erfolgreichsten amerikanischen Verkäufer zu vermitteln, so unter anderem Ron Willinghams „Sechs-Stufen-Gespräch zum Verkaufserfolg".

Mit seinem Bestseller „Groß-Erfolg im Kleinbetrieb", 1991 erschienen im mvg-Verlag, will Hans-Peter Zimmermann dem Leser in gebündelter Form all jenes Know-how an die Hand geben, das dieser (als Führungskraft eines Unternehmens von einem bis 40 Mitarbeitern) benötigt, um den Betrieb „am schnellsten und einfachsten zum Erfolg" zu führen, wie er selbst sagt. Das Buch war sofort ein Insider-Tip. Hans-Peter Zimmermann steckte seine gesamte Erfahrung, sein Know-how und sein Insider-Wissen in dieses Buch, das, mit Verlaub gesagt, mehr als lesenswert ist. Für uns Autoren dieses Buches über Top-Trainer jedoch war Hans-Peter Zimmermann in erster Linie interessant als Verkaufstrainer; schon seit unserer ersten Begegnung wußten wir: Das ist Know-how vom Feinsten, ist Verkaufen à la carte, ist weit mehr als das Standard-Menü oft schon abgedroschener Floskeln und Phrasen.

Wir trafen uns mit dem Autor in seiner Heimatstadt Bern, wo er uns Rede und Antwort zum Thema Verkaufstraining stand, darüber hinaus aber, wie nicht anders zu erwarten war, weiteren hochinteressanten Gesprächsstoff bot.

„Herr Zimmermann, erklären wir als Einstieg zunächst einmal, was *Direct-Response*-Werbung eigentlich bedeutet! Was versteht man allgemein unter diesem Begriff?"

Hans-Peter Zimmermann: „In wenigen kurzen Worten gesagt, bedeutet *Direct-Response*-Werbung nichts anderes, als daß diese Werbung eine *sofortige Reaktion* hervorrufen soll. Ein Beispiel: Der Leser einer Zeitung sieht eine Anzeige. Sein Blick fällt auf eine Werbung. Nun dauert es höchstens zehn bis zwanzig Sekunden, bis er sich entschieden hat, der Werbung weitere Beachtung zu schenken oder auch nicht. Diese maximal zwanzig Sekunden sind also die *einzige Chance*, die derjenige hat, der eine Anzeige konzipiert. Das gleiche gilt auch für einen mit der Post verschickten Werbebrief. Zehn bis zwanzig Sekunden, und Sie sind entweder mit Ihrer Werbung unbemerkt im Nichts verschwunden, und mit Ihnen oftmals viel Geld, oder Sie haben eine Reaktion beim Leser bewirkt! Jeder aber möchte mit einer Werbung den Leser auch *erreichen*! Das heißt, je besser es Ihnen gelingt, mit einer Schlagzeile, einem Foto, Bild oder Logo den Leser interessiert zu machen, umso größer ist die Chance, daß er den Rest der Werbung auch liest und dann auf Sie zukommt."

„Hört sich in der Theorie ja einfach an. Wie sieht das in der Praxis aus?"

Hans-Peter Zimmermann: „Das bedeutet in der Praxis, daß man einen Werbetext schreibt, der *sofort* und *direkt* Nachfrage erzeugt. Also keine Image-Werbung im klassischen Sinne, die sich ohnehin nur sehr große Unternehmen leisten können, sondern Werbung, die *unmittelbar* zu einer *Steigerung* der *Nachfrage* nach dem Produkt führt. Meine Erfahrungen stammen nicht nur aus einer früheren Tätigkeit als Projektleiter in einem Versandhaus, wo die Werbung die eigentliche Lebensader ist, sondern vor allem auch aus mehreren Jahren als Berater von Kleinbetrieben. Ein großes Kaufhaus mit einem Werbebudget von mehreren hundert Millionen Mark und ein Handwerksbetrieb mit einem Budget von vielleicht 30.000 Mark sind nun einmal zwei völlig verschiedene Paar Schuhe.

In der Praxis habe ich beispielsweise einmal eine Werbeaktion für einen Fliesenleger durchgeführt. Sie sollte möglichst wenig kosten und möglichst viel bringen, wie üblich. Ich rief einige Architekten in der Umgebung an und fragte sie, was sie am dringendsten von einem Fliesenleger benötigten. Die einhellige Antwort: *Er soll da sein, wenn man ihn braucht.* Die Schlagzeile der Werbung lautete folgerichtig: *‚Suchen Sie einen Fliesenleger, der zur Stelle ist, wenn man ihn braucht?‘* Ich gebe zu, mit diesem Slogan ist kein Kreativ-Wettbewerb zu gewinnen, aber dieser Fliesenleger konnte sich vor Aufträgen nicht mehr retten. Und das ist doch entscheidend, nicht die Anzahl gewonnener Kreativ- oder Art-Competitions. Genau das aber ist *Direct-Response*-Werbung!

Man könnte auch sagen: Diese Art Werbung spricht direkt und ohne Umschweife eines der vier Grundbedürfnisse des Menschen an: *pride, pleasure, profit and peace* – Stolz, Vergnügen, Gewinn und Frieden. Das ist Werbung, die den *hot button* trifft, wie der Amerikaner sagt, den ganz heißen Knopf!“

„Warum sind Sie, da Sie mit Ihrem Werbebüro doch so erfolgreich waren, dann auf Verkaufstraining umgeschwenkt?“

Hans-Peter Zimmermann: „Wir haben sehr schnell erfahren müssen, daß gute Werbung zwar die Nachfrage enorm in die Höhe treibt, aber daß es damit für ein Unternehmen in aller Regel nicht getan ist. Es ging mir ja auch nicht nur darum, mit einigen pfiffigen Werbetexten mein Geld zu verdienen. Ich wollte, daß die Unternehmer zufrieden sind. Das war aber durch Werbung allein nicht gewährleistet.

So war zu beobachten, daß es in vielen Unternehmen am Telefonservice haperte. Beispiel: Der Kunde meldet sich telefonisch und erhält fast eine rüde Abfuhr dafür, daß er es gewagt hat, anzurufen! Zugegeben, das mag etwas überzeichnet sein, aber es ist in der Tat erstaunlich, wie sich Mitarbeiter manchmal am Telefon den Kunden gegenüber verhalten! Meine Kunden, nicht selten Unternehmer mit kleinen und mittleren Betrieben, mußten diese Beobachtung ebenfalls machen und fragten mich, ob ich ihnen nicht weiterhelfen könne. Sie wußten, daß ich durch meine USA-Aufenthalte ständig mit neuen Ideen befruchtet wurde und baten mich, doch ihren Mitarbeitern einiges davon in einem Training zu vermitteln. So schulte ich dann auch richtiges Verhalten am Telefon: Lächeln, bevor man den Hörer abnimmt, denn dieses

Lächeln überträgt sich auf den Gesprächspartner; Anfragen und Reklamationen richtig behandeln, Kundenname und Anschrift erfragen und so weiter.

Auf diese Weise ergab eigentlich ein Schritt den nächsten: Was geschieht, wenn der Kunde in den Laden spaziert? Wenn eine Schaufenster-Werbung ihn davon überzeugt, einmal hereinzuschauen? Wenn er also am *Verkaufspunkt* eintrifft, wie wir sagen. Wie muß dieser Verkaufspunkt gestaltet sein? Kunden möchten etwas erleben, möchten überrascht werden und nicht überall die gleichen langweiligen Regale vorfinden! Und dann: Wie verwickelt man ihn am besten in ein Verkaufsgespräch? Aus welchen Stufen besteht ein solcher Dialog? Aus diesen sehr praktischen Gründen liefert mein Unternehmen *apm* heute also ein recht umfassendes Programm für den Kleinbetrieb."

„Auf welcher Grundlage? Wo haben Sie dies gelernt?"

Hans-Peter Zimmermann: „Ich besuchte selbst zahlreiche Fortbildungskurse und Verkaufsschulen in den USA, machte mich vor allem auch mit der Methode des *Superlearning* vertraut und setzte die gewonnenen Erkenntnisse in meinen Seminaren um. Die Praxis zeigte sehr schnell, daß diese Dinge gute Ergebnisse brachten."

„Superlearning, was heißt das?"

Hans-Peter Zimmermann: „In kurzen, einfachen Worten handelt es sich dabei um eine *ganzheitliche* Methode des Lernens, die *Körper, Geist und Seele* mit in den Lernprozeß einbezieht. Es beruht auf der Erkenntnis, daß wir immer mit allen Sinnesorganen lernen, auch wenn wir uns mit einer sehr theoretischen Materie befassen. Nicht nur der logische Verstand wird in diesem Lernprozeß angesprochen, sondern auch die Gefühlswelt, die Emotionen, das, was sich in unserem Bauch abspielt, wie man landläufig sagt."

Wie oben, so unten!

„Hat das etwas mit Hypnose zu tun?“

Hans-Peter Zimmermann: „Überhaupt nicht! Das wird leider manchmal in einen Topf geworfen. Hypnose-Verfahren oder davon abgeleitete Methoden versuchen ja, das eigene Bewußtsein herabzusetzen und gewissermaßen Knopfdruck-Mechanismen zu installieren. Also: Der Hypnotiseur verankert einen Befehl, während sich das Opfer in Trance befindet. Dieser Befehl wird später wirksam, nachdem das Opfer längst aus der Trance erwacht ist. Diese Methoden verwende ich nicht, ich lehne sie sogar strikt ab. Unsere Lernmethode geschieht bei vollem Bewußtsein. Alles, was der Mensch erfährt oder sich selbst beibringt, geschieht in wachem und bewußtem Erleben.“

„Noch eine letzte Frage, bevor wir sozusagen ins Allerheiligste der Verkaufsgeheimnisse vorstoßen: Wo ist apm heute niedergelassen? Wo kann man Ihre Seminare besuchen?“

Hans-Peter Zimmermann: Die Firma apm besitzt Niederlassungen in Moosseedorf bei Bern, in Los Angeles und Nürnberg. In der Schweiz und in Deutschland finden in jedem Jahr insgesamt 24 offene Seminare statt.“

„Führen Sie überhaupt keine firmeninternen Schulungen durch?“

Hans-Peter Zimmermann: „Doch, aber ich ziehe die offenen Seminare vor. Meine Philosophie lautet: Die aus verschiedensten Branchen stammenden Teilnehmer sollen sich gegenseitig befruchten, sollen voneinander wirklich profitieren. Dabei handelt es sich jeweils um kleine Gruppen von acht bis zwölf Seminarbesuchern, so daß ein sehr intensiver Erfahrungsaustausch möglich ist. Man kann auf die Verkaufsprobleme jedes einzelnen eingehen und *branchenübergreifende Erfolgsformeln* vermitteln.

Ich halte mich dabei strikt an die Richtlinie, daß ich mir keine Vorgaben seitens irgendeines Auftraggebers vorschreiben lasse, wie das manchmal bei betriebsinternen Seminaren geschieht, sondern den Stoff so vermittle, daß er die Menschen glücklicher und erfolgreicher macht, daß sie in allen Bereichen ihres Lebens besser zurecht kommen. Mein Ziel ist nicht in erster Linie, daß der Umsatz betreuter Unternehmen in die Höhe geht. Das wird eine Folge der Seminare sein, wenn es in diesem Unternehmen zugelassen wird, daß die vermittelten Inhalte auch zum Tragen kommen.“

„Dann kann es aber doch auch einmal vorkommen, daß ein Teilnehmer seinem Unternehmen den Rücken kehrt, weil er zu ganz persönlichen Einsichten in Ihrem Seminar gelangte, die mit seiner derzeitigen Tätigkeit nicht in Einklang stehen?“

Hans-Peter Zimmermann: „Das passiert nur zu einem sehr geringen Prozentsatz; vielleicht fünf von hundert Teilnehmern reagieren so. Aber wenn es geschieht, halte ich es immer noch für beide Seiten für vorteilhaft. Was nützt einem Unternehmen auf

Dauer ein unzufriedener Mitarbeiter, der in einer anderen Firma, oft mit einer ganz anderen Tätigkeit, viel glücklicher wäre?

In den allermeisten Fällen jedoch wird der Mitarbeiter auch weiterhin seinem Unternehmen treu bleiben, wird aber vielleicht dafür sorgen, daß er in seiner Freizeit mehr Dinge unternimmt, die ihm Spaß machen, die ihn positiv ‚auftanken'. Das wiederum wird sich günstig auf die berufliche Tätigkeit auswirken.

Kurzum: Mein Ziel ist es, daß der Funke des Erfolgs überspringt und von da an dieses innere Feuer von Begeisterung und Lebensfreude nie mehr erlischt."

„Sie haben uns nun schon eine recht gute Vorstellung über den geistigen Rahmen Ihres Seminares, und damit über die *ganzheitliche* Methodik des Lernens, vermittelt. Der Mensch wird also als Ganzes in den Lernprozeß miteinbezogen. Heißt das aber nicht, daß er eine Art Seelenstriptease über sich ergehen lassen muß? Daß er sich und seine Probleme vor der Gruppe ausbreiten oder sein Schwächen entblößen muß?"

Hans-Peter Zimmermann: „Ganz und gar nicht! Im Gegenteil: Die Privatsphäre einer Person ist mir heilig, und das gilt insbesondere in den Seminaren! Kein Seelenstrip, wie Sie sagen, und auch keine entblößenden Trainings, nicht einmal Videotraining. Wenn Teile des Seminares auf sehr persönliche Dinge eingehen, dann nur für den Teilnehmer selbst; er ist es, der sich die entsprechenden Fragen in seinen Unterlagen beantwortet und darüber reflektiert. Aber niemand anderer mischt sich in seine Privatsphäre ein! Solche gruppenpsychologischen Machenschaften lehne ich rundherum ab."

„Werden wir nun einmal konkret und sprechen über das Verkaufen. Immerhin geht es uns ja darum, was Sie als Verkaufstrainer anders machen, womit Sie erfolgreicher sind. Wie würden Sie das umschreiben?"

Hans-Peter Zimmermann: „Verkaufen geschieht zu 95 Prozent aus dem Bauch heraus. Vornehm ausgedrückt: *Verkaufen ist 95 Prozent Persönlichkeit und fünf Prozent Technik*. Entsprechend lege ich in den Seminaren sehr viel Wert darauf, daß sich die Teilnehmer mit sich selbst befassen und mit sich ins Reine zu kommen versuchen. Daß sie sich als Persönlichkeit akzeptieren, so wie sie sind. Daß sie für sich selbst gute Gefühle entwickeln. Erst dann werden sie imstande sein, diese guten Gefühle auch an andere Menschen weiterzugeben.

Wenn es einem Verkäufer gelingt, wirklich am anderen Menschen interessiert zu sein und ihn auf der *Gefühlsebene* zu erreichen, dann hat er 95 Prozent seiner Arbeit schon so gut wie erledigt! Das wird Ihnen jeder, wirklich jeder Spitzenverkäufer bestätigen!

Doch viele Verkäufer wollen es nicht wahrhaben und suchen nach immer besseren Techniken oder feilen an ihrer Rhetorik oder Körpersprache, ohne jedoch in der Tiefe zu ergründen, *warum* sie eigentlich beim anderen Menschen gefühlsmäßig nicht ankommen. Solche oberflächlichen Technik-Trainings bezeichnet man in der Fachsprache als reine Fassadenpolitur. Sie mag kurzfristig erfolgreich sein, wird jedoch nie anhaltende Ergebnisse zeitigen."

„Lehnen Sie also jede Verkaufstechnik und jegliches Training derselben ab?"

Hans-Peter Zimmermann: „Nein, ganz und gar nicht. Ich verwende in meinen Trainings folgende Formel (sie stammt übrigens vom amerikanischen Verkaufstrainer Ron Willingham, der sie in seinem Buch ‚The Best Seller' vorstellt):

> Verkaufen ist Produktkenntnis plus Verkaufstechnik plus Überzeugungskraft mal Wille zum Erfolg.

Man beachte: Es heißt nicht plus, sondern mal der Wille zum Erfolg. Man könnte auch sagen: mal die positive Einstellung.

Der Wille zum Erfolg, der *achievement drive*, wie ihn Willingham nennt, ist also ein Multiplikator der anderen Bestandteile.

Der Seminarteilnehmer lernt den mathematischen Umgang mit dieser Formel! Und er lernt, tagtäglich damit zu operieren, sie tagtäglich aufs neue zu verwenden. Das beinhaltet, daß er jeden Tag an seiner eigenen positiven Einstellung oder seinem

Die geheime Formel für den Verkaufserfolg:

Produkt-Kenntnis
\+ Verkaufs-Technik
\+ Überzeugungs-Kraft
x Die positive Einstellung

Erfolgswillen arbeitet, daß er ihn verbessert und mit diesem Multiplikator seine *Abschlußquote steigert.*"

„Sie zäumen also das Pferd von hinten auf?"

Hans-Peter Zimmermann: „So könnte es für einen Außenstehenden aussehen! In Wirklichkeit steckt in dieser Formel ein kleines Geheimnis, das schon sehr sehr alt ist: Die erfolgreichsten Verkäufer sind nicht die, die ihre Theorie am besten beherrschen, sondern *die, die den Erfolg wollen.*

Es klingt wieder einmal ungeheuer banal, aber ich habe noch keinen Verkäufer getroffen, der mit dieser Formel in der Tasche in mein Seminar spazierte und mir sagte: Das und nichts anderes ist der Grund für meinen Erfolg. So gesehen wird das Pferd nicht von hinten aufgezäumt, sondern wir begeben uns sofort in medias res."

„Was kann man machen, wenn der Wille zum Erfolg nun einmal von Geburt an oder aus welchen Gründen auch immer, schwach ausgeprägt ist?"

Diese Noten gebe ich mir **heute:**

Produkt-Kenntnis

1	2	3	4	5	6	7	8	9	10

Verkaufs-Technik

1	2	3	4	5	6	7	8	9	10

Überzeugungs-Kraft

1	2	3	4	5	6	7	8	9	10

Positive Einstellung

1	2	3	4	5	6	7	8	9	10

Verkaufs-Erfolg = __________

Hans-Peter Zimmermann: „Hier hilft nur *intensives Persönlichkeitstraining*, hier hilft allein, daß man hart an sich arbeitet. Niemand kann dies für den Verkäufer tun! In dem Maße, wie er erwartet, daß er den Erfolg auf passive Weise herbeiführen kann, hat er auch schon verloren. Nicht umsonst sind die erfolgreichsten Verkäufer in unserem und anderen Ländern meist auch auf irgendeinem anderen Gebiet stark, ja trainieren buchstäblich die Fähigkeit zu einem starken Willen. Lebenskraft, Optimismus, positive Einstellung sind Synonyme für den gleichen Begriff, den Willingham als *achievement drive* bezeichnet."

„Hochinteressant! Daraus wird deutlich, warum der Schwerpunkt Ihres Trainings nicht auf der Technik liegt. Dennoch: Sezieren wir einmal das Verkaufsgespräch an sich. Wie verwenden Sie beispielsweise diese Aufteilung von Willingham in sechs Stufen?"

Hans-Peter Zimmermann: „Zunächst einmal möchte ich vorausschicken, daß jede Einteilung eines Verkaufsgespräches nach bestimmten Kriterien nur ein *Behelf* ist. Es gibt so viele unterschiedliche Gespräche, wie es Verkäufer und Kunden gibt. Jeder Mensch ist anders, fühlt anders, reagiert anders, denkt anders. Daher können wir dem Verkäufer allenfalls Hilfsmittel zur Orientierung an die Hand geben, Stützen, die ihm das Leben leichter machen. Das untenstehendeSechs-Stufen-Verkaufsgespräch ist eine solche Stütze. Über jede einzelne Stufe könnte man nun einen stundenlangen Vortrag halten, aber ich will es auf den Punkt bringen. Ganz einfach gesprochen, sollte man jede einzelne Stufe auf zwei Ebenen verankern: der *vernunftsmäßigen,* logischen Ebene (umgangssprachlich von mir *Käpt'n* genannt), und der *gefühlsmäßigen* Ebene (umgangssprachlich kurz *Schorsch* genannt)."

Die 6 Schritte des erfolgreichen Verkaufs-Gesprächs

1. Annähern
2. Befragen
3. Vorführen
4. Festigen
5. Verhandeln
6. Abschließen

„Das müssen Sie erläutern! Verwenden wir ruhig diese sympathischen Begriffe: Käpt'n für den logischen Verstand, Schorsch für das Gefühl."

Hans-Peter Zimmermann: „Lassen Sie mich also jede einzelne Stufe in einigen Stichworten erklären. *Annähern* bedeutet, sich auf den Kunden einstimmen. Man könnte es auch so ausdrücken: *Blenden Sie die Welt aus und den Kunden ein!* Zeigen

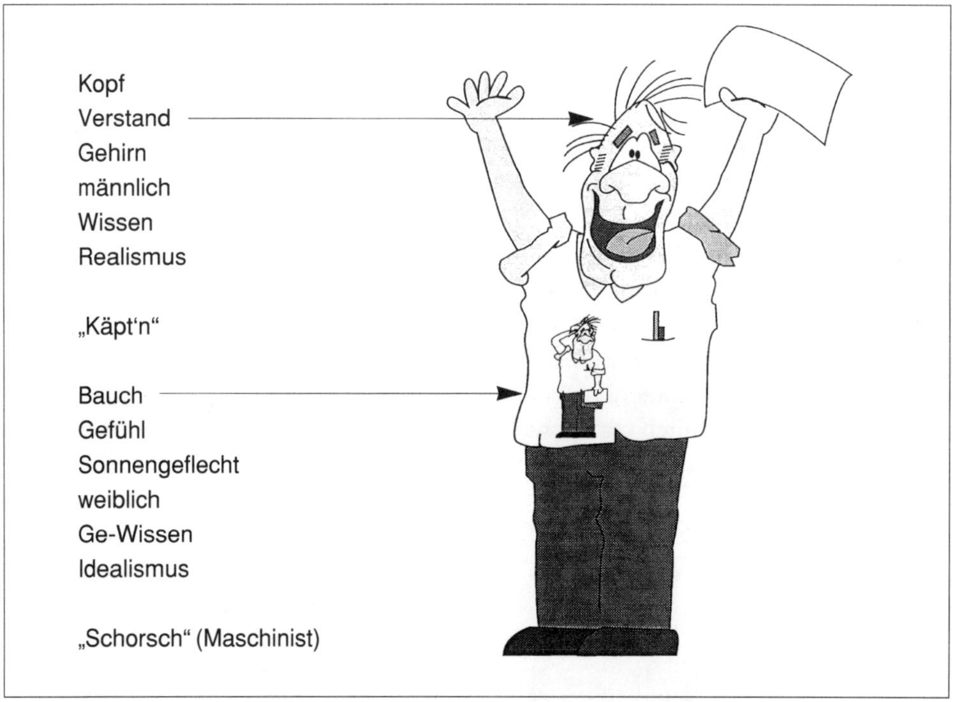

Sie dem Kunden, daß er für Sie wichtig ist! Vermitteln Sie ihm das Gefühl, daß Sie sich echt für ihn interessieren. Das zu üben, ist eine Aufgabe! Annähern auf der Ebene des Schorsch (der Gefühlsebene des Kunden) bedeutet in groben Zügen: Ich möchte unheimlich viel über dich erfahren, möchte herausfinden, welche Art Mensch du bist und möchte erreichen, daß du dich über mich freust.

Befragen heißt: Bedürfnisse abklären. Bevor Sie dem Kunden irgendetwas anbieten können, müssen Sie herausfinden, was seine genauen Bedürfnisse sind. So banal es klingt, so sträflich wird dieses Prinzip doch Tag für Tag von Tausenden von Verkäufern vernachlässigt, obwohl gerade dieser Punkt immer und immer wieder in Verkaufsseminaren gepredigt wird. Das kann und darf aber nicht oberflächlich geschehen! Ich habe es mir zur Gewohnheit gemacht, meine Seminarteilnehmer Checklisten von Fragen erstellen zu lassen. Mit Hilfe dieser Checklisten überlegen sie sich, was sie von ihrem Kunden wissen müssen, damit sie ihm helfen können, das auch zu bekommen, was er wirklich braucht."

„Das haben Verkäufer doch meistens im Kopf!"

Hans-Peter Zimmermann: „Sagen Sie das nicht! Aus der Erfahrung heraus kann ich garantieren, daß allein die schriftliche Ausarbeitung einer sorgfältigen Checkliste nach diesem Strickmuster den Umsatz verdoppeln hilft. Ich selbst habe einmal eine solche Liste für den Verkauf von Betten zusammengestellt. Sie wurde sage und schreibe fünf Seiten lang!"

„Erstaunlich! Doch fahren Sie fort mit der Analyse der sechs Stufen des Verkaufsgesprächs!"

Hans-Peter Zimmermann: „Auf der Schorsch-Ebene bedeutet dieser Schritt des *Befragens* ungefähr: Lieber Schorsch meines Kunden, wir sitzen zusammen, weil du meine Hilfe brauchst. Laß uns gemeinsam herausfinden, was deine Bedürfnisse sind. Mit welchen Problemen du dich herumschlägst und wie du sie bisher gelöst hast.

Vorführen heißt, dem Kunden das Produkt oder die Dienstleistung vor Augen zu führen, welches seinen Bedarf abdeckt. Dieser Schritt muß vor allem mit einer Fülle von *Begeisterung* durchgeführt werden! Wer hier stockkonservativ oder gelangweilt vorgeht, der wird mit seinem Produkt niemanden hinter dem Ofen hervorlocken! Aber wie viele Unternehmen leiden gerade unter der mangelnden Begeisterungsfähigkeit ihrer Verkaufsmannschaft! Dabei ist es längst erwiesen: Enthusiasmus steckt an. Auf der Schorsch-Ebene heißt Vorführen: Lieber Kunde, jetzt werde ich dir das zeigen, was genau dein Problem löst. Und zwar so löst, daß es dich glücklich und zufrieden macht, daß es dir Freude bereitet. Denn ich will, daß du dich unheimlich wohl fühlst.

Festigen bedeutet, daß der Wert des Produktes in den Augen des Kunden *während des gesamten Verkaufsgesprächs* wachsen muß. Dieser Schritt findet nicht getrennt statt, er ist in die anderen Stufen integriert. Er beinhaltet sowohl das *Behandeln von Einwänden* als auch, dem Kunden die *Kauf-Angst* zu nehmen. Dazu gehört, daß der Verkäufer ‚Dolmetscher' spielen kann, indem er *Produkt-Eigenschaften* in *Kundenvorteile* zu *übersetzen* vermag. Auch dieser Schritt bedarf einiger Übung!

Das Wichtigste bei diesem Schritt in der Trainingsphase ist, daß man eine Checkliste der möglichen Einwände erstellt. Man schreibt alle Einwände, die der Kunde vorbringen könnte, in die linke Spalte und notiert in der rechten Spalte dazu jeweils drei Antworten oder Gegenfragen. Auch das wird im Seminar geübt, kann dann tagtäglich ausgebaut und verbessert werden. Auf der Schorsch-Ebene bedeutet dieser Schritt natürlich, daß das gefühlsmäßig verankerte Vertrauen des Kunden zu Verkäufer und Produkt vergrößert wird, daß es stabilisiert wird, daß der Kunde dahingehend beruhigt wird, eine richtige Entscheidung zu treffen."

„Festigen, mit anderen Worten, heißt nichts anderes als die Kaufentscheidung im Bauch verankern?"

Hans-Peter Zimmermann: „Kann man so sagen! Dann folgt der wichtige Schritt des *Verhandelns*, die heiße Phase vor dem endgültigen Abschluß, die mit einigen guten Fragen gespickt sein muß! Was wir im Training besonders üben, ist der Einwand: *Das ist mir zu teuer!* Die meisten Verkäufer fürchten sich vor dieser Reaktion wie der Teufel vor dem Weihwasser, somit schenken wir diesem Punkt einige Beachtung. Interessant dabei ist, daß der Einwand ‚zu teuer' mehr im Kopf des Verkäufers als in dem des Kunden verankert ist."

„Sie wollen damit sagen, daß der Verkäufer diesen Einwand geradezu heraufbeschwört, indem er sich unbewußt davor fürchtet?"

Hans-Peter Zimmermann: „Es scheint fast so! Wichtig ist, daß der Verkäufer *jegliche Zweifel* bei sich *beseitigen* muß, die den Preis seines Produktes betreffen.

Verhandeln beinhaltet daneben auch Gespräche über Rabatt, Leasing, Kauf auf Raten und so weiter. Auf der Schorsch-Ebene wollen wir in dieser Phase erreichen, daß der Kunde sein Gesicht wahrt, daß er in seinen Fragen bekräftigt, nicht widerlegt wird. Es bedeutet, daß es am Ende dieses Gespräches zwei Gewinner geben wird.

Der Abschluß von Schorsch zu Schorsch
(oder was Sie sich dabei denken sollten)

Lieber Schorsch meines Kunden, jetzt wissen wir beide, daß Du kaufen willst. Und Du bist auch mit unseren Konditionen einverstanden. Nun gibt es verschiedene Möglichkeiten, die Sache zum Abschluß zu bringen. Entweder ich lasse Dich das Bestellformular oder den Vertrag unterschreiben, oder ich schicke Dir eine Auftragsbestätigung, oder Du bezahlst bar und nimmst die Ware gleich mit. Falls Du zuerst noch Deine Frau, Deinen Chef oder jemand anderen überzeugen mußt, gebe ich Dir die nötigen Überzeugungshilfen mit und vereinbare mit Dir einen nächsten Verhandlungstermin.

Endlich kommen wir dann zum *Abschluß,* der in meinen Augen jedoch reine Formsache ist, wenn bis zu diesem Punkt nach allen Regeln der Verkaufskunst verfahren wurde. Ein Abschluß kann in einem mündlichen oder schriftlichen Vertrag bestehen, er kann förmlich oder informell geschehen, je nachdem, was juristisch gefordert ist. In jedem Falle aber bedeutet der Abschluß: Wir sind uns einig, also bringen wir es über die Bühne, und zwar hier und jetzt. Kein Zögern mehr, kein Aufschub, denn alle Fragen wurden beantwortet. Falls hier wider Erwarten Widerstände auftauchen, gehen wir selbstsicher und gelassen zurück in die Festigungs- oder Verhandlungsphase. Es könnte ja sein, daß der Kunde noch seinen Chef oder seinen Ehepartner überzeugen muß. In diesem Falle haben Sie einen Verbündeten gewonnen, indem er nämlich zum Mitverkäufer Ihrer Produkte wird. Abschließen bedeutet für den Schorsch des Kunden: Es ist vollbracht, du bist mit unseren Konditionen einverstanden, oder wir haben einen Kompromiß erzielt.

Das ist, in sehr groben Umrissen, das Verkaufsgespräch in sechs Stufen, wie es in meinem Seminar vermittelt wird. In meinem Buch *Groß-Erfolg im Kleinbetrieb* werden diese Stufen in aller Ausführlichkeit beschrieben und nebenbei auch der größte Feind des Verkäufers, auf den wir hier nicht näher eingehen können, erlegt."

„Interessant! Wird dieses Training der eigentlichen Verkaufstechnik nach einem übergeordneten Prinzip geführt? Oder handelt es sich hierbei um mehr oder weniger mechanisch ablaufende Stufen?"

Hans-Peter Zimmermann: „Letzteres ganz und gar nicht! Der Leitgedanke ist meine eigene *Definition* von Verkaufen:

> Verkaufen heißt, dem Kunden zu helfen, das zu bekommen, was er braucht,und ihm dabei ein gutes Gefühl zu vermitteln, und zwar vor, *während* und *nach* dem Kauf.

Das beinhaltet automatisch, daß ich diese Stufen des Verkaufsgespräches niemals mißbrauchen darf, denn würde ich es tun, hätte der Kunde spätestens nach dem Kauf kein gutes Gefühl mehr."

„Erläutern Sie den Begriff des *hot button* noch ein wenig näher. Sie sprachen im Zusammenhang mit der Werbung davon. Was bedeutet er für den Verkäufer? Verbirgt sich dahinter so eine Art Knopfdruck, auf den hin der Käufer unterschreibt?"

Hans-Peter Zimmermann: „Das würde ja bedeuten, daß man dem anderen gegen seine Überzeugung etwas verkauft! So ist es nicht gemeint. Ich erwähnte die vier menschlichen Grundbedürfnisse: *pride, pleasure, profit and peace.* In der einen oder anderen Form streben wir alle nach der Befriedigung dieser vier Grundbedürfnisse. Während beispielsweise der Profit, der finanzielle Vorteil, bei einem Verkäufer in der

Verkaufen heißt,
dem Kunden zu helfen,
das zu bekommen,
was er braucht ...

...und ihm dabei
ein gutes Gefühl
zu vermitteln ...

...vor, während und
nach dem Kauf

guten Provision zu finden und er damit zu motivieren ist, ist es beim Einkäufer genau umgekehrt: Sein Profit ist das eingesparte Geld. Peace, Seelenfrieden, einfaches, bequemeres, schöneres Leben, das sind Begriffe, mit welchen Sie die Träume eines jeden Menschen erreichen können. Für den Verkäufer heißt das einfach nur: Sein Verkaufsgespräch sollte diese vier P berücksichtigen und ansprechen. Der Schorsch, der Bauch, die Gefühlswelt wird darauf reagieren. Wenn man dann zusätzlich dem Käpt'n, dem Verstand, einen *logischen Grund* liefern kann, warum der Kauf über die Bühne gehen sollte, hat man den *hot button* getroffen! Nehmen wir beispielsweise einen Autoverkäufer: Zunächst einmal vermittelt er dem Kunden das Gefühl des Wohlbehagens, er läßt ihn probefahren, läßt ihn Musik hören während der Fahrt oder die weichen Ledersitze genießen. Schorsch wird angesprochen. Dann meldet sich der Käpt'n: Das ist ja ein tolles Auto, aber kannst du es dir wirklich leisten? Jetzt muß der Verkäufer auch der Vernunftsebene ein Kaufargument bieten: Wie wäre es mit unserem Leasing-Angebot? Top-Konditionen, speziell für Sie als Geschäftsmann, lieber Kunde!

Auch wird ein guter, ethischer Verkäufer natürlich niemals einen Verkauf tätigen, von dem er genau weiß, daß der Kunde ihn sich nicht leisten kann. Das würde der oben angeführten Definition vom Verkaufen widersprechen.

Wenn beide, Käpt'n und Schorsch, ja sagen, dann kauft der Kunde. Das muß man einem Verkäufer vermitteln, darauf kommt es mir im Training an."

„Sie begegnen mit Sicherheit auch dem Einwand: ‚Das ist mir zu teuer!', wenn Sie Ihre Dienstleistungen anbieten. Wie gehen Sie persönlich damit um? Was macht der Verkäufer Zimmermann mit diesem Argument?"

Hans-Peter Zimmermann: „Nun, ich werde beispielsweise diesem Menschen erklären, daß der, der sich ausschließlich aufs Sparen konzentriert, auch immer nur Leute treffen wird, die ihrerseits auf's Sparen fixiert sind. Somit kommt der Geldfluß nie ins Rollen.

Oder ich komme mit dem einfachen, aber treffenden Argument, daß es keinem Bauern einfallen wird, zu ernten, bevor er gesät hat. Jeder Landwirt kauft sich guten Samen ein und bearbeitet den Boden, damit er nach einigen Monaten reichlich ernten kann. Wer aber die einfachsten Wahrheiten nicht zu akzeptieren bereit ist, der kommt, offen gestanden, als Kunde gar nicht in Frage. Ich würde den Service nie mit Druckmethoden verkaufen. Auf diese Weise geriet das *hard selling* in Verruf. Es wurde zu sehr mit Drückermethoden gearbeitet. Persönlich ist mir mehr gelegen an *langfristigen, guten Kundenbeziehungen*, die beiden Seiten Spaß und Freude machen."

„Was aber, wenn ein Unternehmer seinen Betrieb für zu klein hält, als daß er sich einen solchen Service leisten könnte?"

Hans-Peter Zimmermann: „Dann wird er immer klein bleiben! Es spielt doch keine Rolle, ob Sie das, was Sie investieren, in zwei oder in zweihundert Mitarbeiter investieren! In jedem Falle wird es reichlich Früchte tragen!"

„Man hört immer wieder von Verkaufsleitern und Führungskräften, daß das eigentliche Problem der Verkäufer nicht die Kunden sind, sondern die Verkäufer selbst. Was glauben Sie, ist der Grund dafür?"

Hans-Peter Zimmermann: „Ich würde auch sagen, daß viele Probleme in der Persönlichkeitsstruktur des Verkäufers verankert sind. Lassen Sie mich einige Grundsätze nennen.

Eines meiner Prinzipien ist, daß man sich ein Verkaufsgespräch *kreativ visualisieren* soll. Daß man, mit anderen Worten, den Verlauf des Gespräches im Kopf vorwegnehmen sollte. Man weiß heute, daß Gedanken den tatsächlichen Verlauf der Ereignisse beeinflussen. Wenn ein Verkäufer mit der Befürchtung oder Angst in das nächste Gespräch geht, daß er ohnehin keinen Abschluß tätigt, dann wird das auch so sein!

Wenn er sich also umgekehrt dahingehend erzieht, den Gesprächsverlauf mit einem positiven Ende gedanklich zu visualisieren, dann hat er tatsächlich die viel besseren Karten! Auch das bestätigen Spitzenverkäufer immer wieder: Sie nehmen sich vor einem Gespräch zehn Minuten Zeit, und stellen sich in aller Ruhe den Gesprächsverlauf mit dem positiven Abschluß vor."

„Damit haben viele Menschen aber große Schwierigkeiten!"

Hans-Peter Zimmermann: „Zugegeben, das mag auf Anhieb nicht leicht fallen. Wir verwenden in unserem Seminar einige kleine Techniken, die ich hier nicht verraten werde. Wesentlich ist, daß man sich darüber im klaren ist, daß man nur mit *posi-*

tiven Zielsetzungen überhaupt Erfolg haben kann. Und diese Zielsetzungen müssen *klar definiert* sein, nicht vage formuliert.

Am besten arbeitet man sich diese Ziele schriftlich aus: Was will ich in der nächsten Woche erreichen? Was in einem Monat? Einem halben Jahr? Einem Jahr?

Klaus Kobjoll, Hotelier des Jahres 1990 und geistiger und ökonomischer Vater eines völlig neuartigen Hotelkonzeptes (Schindlerhof Nürnberg, wo wir auch Seminare durchführen), hat einmal gesagt, die meisten Menschen erkennen nicht, daß sie ihre Ziele meist schon in der halben Zeit erreichen.

Auch gehört dazu, daß man sowohl den Weg zu diesem Ziel als auch das Erreichen des Zieles selbst genießt. Oder, wie es einmal ein Zeitgenosse ausdrückte: Erfolg ist die Balance zwischen Begehren und Zufriedenheit. Wer immer nur begehrt, ist ebenso wenig glücklich wie der, der sich immer mit dem Erreichten zufrieden gibt.

Mir ist dabei auch wichtig, daß der einzelne nicht aus einer Unzufriedenheit oder dem Gefühl einer Unvollkommenheit heraus handelt. Also aus dem Gefühl: Ich bin jetzt noch unzulänglich und erst dann zufrieden, wenn ich das und jenes erreicht habe. Es sollte so sein, daß wir als Mensch uns zu jeder Zeit als vollständig akzeptieren, und das Leben eigentlich als einen ständigen Prozeß des *seelischen und geistigen Wachsens und Lernens* verstehen. Und daß wir verstehen, daß wir sind, was wir sind, aufgrund dessen, *was wir bis jetzt gedacht, gefühlt und getan* haben. Es ist mein Anliegen, diese Selbstverantwortung zu vermitteln und so dem Verkäufer die Erkenntnis zu geben, daß niemand anderer als er selbst sein Leben lebt und darüber entscheidet, wie erfolgreich oder glücklich er ist."

„Eine ganz persönliche Frage: Was ist für Sie privat am wichtigsten?"

Hans-Peter Zimmermann: „Zu lernen! Von allem, was lebt, etwas zu lernen! Wir tendieren allzu leicht dazu, Menschen umzupolen, damit sie uns besser ‚passen'. Mit welchem Recht eigentlich? Ist es nicht vielmehr so, daß der andere Mensch, gerade weil er so ist wie er ist, uns viel mehr vermitteln und lehren kann, als wenn wir ihn immer nur so zu polen versuchen, wie wir ihn gerne hätten?

Ich möchte dies abschließend auch als Rat für den Umgang mit Verkäufern in den Raum stellen. Ich weiß, daß Führungskräften manchmal zum Verzweifeln zumute ist, denn sie haben nicht nur Primadonnas in ihren Teams. Auf der anderen Seite kann man von jedem Verkäufer und von seiner Art, an Menschen heranzutreten, sehr viel lernen. Und oft ist es gerade dieser unscheinbare, unauffällige und unterschätzte Verkäufer, der eine völlig neue Zielgruppe erschließt! Vorausgesetzt, man gewährt ihm die Freiheit und den Raum zur Kreativität!"

„Zum Abschluß eine Prognose: Was wird sich in Zukunft ändern? Werden in den kommenden Jahren auch kleine und mittelgroße Unternehmen mehr und mehr Gebrauch machen von den Angeboten des Trainermarktes?"

Hans-Peter Zimmermann: „Ich hoffe und wünsche es! Der Trend geht eindeutig weg vom großen Konzern mit seinen oft trägen oder verkrusteten Strukturen hin zum kleinen, flexiblen, kundenorientierten Unternehmen. Das aber setzt eine hohe Qualifikation voraus, die nur durch Training und immer wieder Training zu erreichen und zu halten ist.

Kleine, aber sehr effiziente Teams, die Top-Service zu einem vernünftigen Preis liefern, darin sehe ich das unternehmerische Erfolgskonzept der Zukunft und zugleich eine große Chance! Mein Buchtitel bringt es immerhin zum Ausdruck: Groß-Erfolg im Kleinbetrieb!"

Gerard Peissl

„Training darf sich nicht an Symptomen ausrichten, sondern muß Ursachen beheben.“

Stellen wir unseren nächsten Gesprächspartner in aller Kürze vor: die Business Success Verkaufs- und Managementtraining GmbH mit Sitz in Wien, drei Filialen in Österreich sowie Niederlassungen in Ungarn und der CSFR. Zusammenarbeit mit Partnerfirmen besteht in Deutschland und der Schweiz. Vor knapp einem Jahrzehnt gegründet, wird das Unternehmen heute von Gerard Peissl und einem Stab von zwölf Trainern geführt. Die Spezialität: Ein am Bedarf des Kunden ausgerichtetes Führungskräfte-, Kommunikations- und Verkaufstraining, das in der Praxis durch umfassende Beratung und anwendungsfördernde Maßnahmen wie Workshops unterstützt wird.

Wir haben Gerard Peissl, selbst erfolgreicher Management- und Verkaufstrainer, in Wien besucht. Dabei fiel uns auf, daß jeder, der das Unternehmen Business Success Verkaufs- und Managementtraining GmbH kennenlernt, zugleich die dort vermittelten Methoden erlebt. Gerard Peissl persönlich zeigt, wie Theorie in die eigene Praxis umgesetzt wird: „Längst ist bekannt, daß praxisfremde Theorien für genügend Frust in Unternehmen gesorgt haben, so daß die Suche nach umsetzbaren Konzepten heute stark im Vordergrund steht. Man ist, wie es scheint, all der theoretischen Psychologie, Psychometrie, Psychodramaturgie und Psychomanie müde geworden. Man möchte zurückkehren zum Einfachen, zum Praktischen, zu einem Know-how, das jeder an seinem Arbeitsplatz verwenden kann. Zu Werkzeugen, mit denen eine Führungskraft, ein Manager, ebenso umgehen kann wie der Verkäufer, der Produktionsleiter, der Meister, der Service-Beauftragte."

„Herr Peissl, bekannt wurden Sie im deutschsprachigen Raum vor allem durch Ihre Verkaufsseminare; damit fanden Sie ausgezeichnete Akzeptanz. Was ist Ihr Konzept, wie lauten Ihre Erfolgsformeln?"

Gerard Peissl: „An Training stellt man heute eigentlich sehr detaillierte Anforderungen. Experten haben erkannt, daß der Verkäufer niemals losgelöst von den Gesamtstrukturen im Unternehmen trainiert werden darf. Nicht nur, daß ein solches Training in vielen Fällen gar nichts nützt; es kann sogar kontraproduktiv wirken. Wir haben uns aus genau diesem Grunde sehr lange mit erfolgreichem Busineß-Management beschäftigt, haben unter anderem amerikanische und europäische Vorbilder studiert, haben uns gefragt, was erfolgreiche Führungskräfte in unserem Lande richtig machen und ob es Möglichkeiten gibt, diese Erfolgsprinzipien zu standardisieren. Das Ergebnis ist ein von uns seit mehr als sieben Jahren praktiziertes, in jedem einzelnen Punkt überprüfbares Know-how."

„Was hat sich dadurch an Ihrem Training geändert?"

Gerard Peissl: „Es genügt nicht, Prinzipien zu lehren und dann Mitarbeiter oder Manager damit alleine zu lassen. Die Umsetzung in die Welt des Alltags ist schwierig, viel Geld wird dafür aufgewendet, oft mit Ergebnissen, die den Einsatz nicht rechtfertigen. Wir bieten daher ein mehrgleisiges Programm an: Führungskräfte-Training, Kommunikationstraining, Verkaufstraining sowie spezifische Seminare, Workshops und Unterstützung in der Praxis durch individuelle Beratung. Wenn man Know-how weitergibt, trägt man auch die Verantwortung dafür, daß dieses Know-how tatsächlich umgesetzt werden kann."

„Uns interessiert Ihre Vorgehensweise."

Gerard Peissl: „Wir beginnen in vielen Unternehmen zunächst einmal damit, das bestehende Organigramm neu zu gestalten. Die herkömmlichen Organigramme (soweit vorhanden) zeigen meist nur Hierarchien und welche Abteilungen es gibt. Die Funktion eines jeden Mitarbeiters, seine Aufgabe, das Ergebnis seiner Tätigkeit, sein Produkt, wie wir es nennen, werden weder klar definiert noch quantitativ festgehalten. Alleine diese Unklarheiten sind Gegenstand permanenter interner Auseinandersetzungen. Die Unternehmensstruktur, Kommunikationsflüsse, Abläufe und Kompetenzen müssen durch das Organigramm transparent gemacht werden, jedoch nicht als ein wirklichkeitsfremdes modernes Wandgemälde, sondern als ein organisches Gefüge, das jedem Mitarbeiter und der Öffentlichkeit auf einen Blick Aufgaben und Rollenverteilung sowie die gemeinsame Zielsetzung zeigt. Auch das, was jeder einzelne in seinem Bereich herstellt, seine individuelle Funktion und Aufgabe – wie auch sein Produkt – wird ersichtlich gemacht. Daraus erkennt man dann auch, auf welchen Wegen Informationen und Kommunikationen ‚fließen', welchen Weg die Produkte oder Dienstleistungen der Organisation zurücklegen, bis sie beim Kunden landen. Es war eine hochinteressante Beobachtung, als wir feststellen konnten, daß Verkaufstraining um 100 Prozent effektiver ist, nachdem wir nur ein solches Organigramm erstellt hatten."

„Das ist erstaunlich, wenn man bedenkt, daß Sie keine Unternehmensberater sind, sondern Trainer!"

Gerard Peissl: „Ich möchte das erläutern. Unsere Spezialität sind all jene Bereiche, in die Menschen involviert sind. Mit Finanzen, Logistik und dem eigentlichen technischen Produktionsablauf haben wir nichts zu tun. Wir betrachten uns als Spezialisten dafür, daß die bestehenden Hindernisse in der Umgebung von Führungskräften und Mitarbeitern weggeräumt werden. Das ist eine unbedingte Voraussetzung, damit Training von dauerhaftem Nutzen sein kann."

„Hindernisse, die in der Organisationsstruktur des Unternehmens begründet sind?"

Gerard Peissl: „Ja; denken Sie beispielsweise an einen Manager, der einen großen Teil seiner Zeit damit verbringt, ‚troubleshooter' zu spielen und seine Mitarbeiter von Problemen zu befreien. Denken Sie an die ewige ‚Letzte-Minute-Seilakrobatik', die auf der Tagesordnung steht. Wie oft werden Aktionen wegen mangelhafter Absprache doppelt gemacht oder andere dafür unterlassen? Wieviel Zeit wird aufgewendet, ‚Schuldige' zu finden? Wieviele Pläne und Strategien werden nie umgesetzt? Beispiele dafür gibt es genug."

„Wenn die organisatorischen Hindernisse gelöst sind, beginnen Sie also mit der eigentlichen Trainingsarbeit. Wo setzen Sie dabei an?"

Gerard Peissl: „Beim Menschen, bei der zwischenmenschlichen Beziehung, beim sozialen Gefüge in der Organisation. Bei allem, was ‚menschlich' ist: der Kommunikation, den Emotionen, den Reaktionen. Bei motivierenden und demotivierenden Faktoren; dort, wo Streß herrscht, weil Menschen ‚aufeinanderprallen', weil Interessenkonflikte bestehen, weil sich Menschen untereinander nicht verstehen."

„Mit dem Ziel, daß die Menschen am Arbeitsplatz besser miteinander auskommen und dadurch die Leistungsbereitschaft und Produktivität gesteigert wird?"

Gerard Peissl: „Das eine bedingt das andere. Ich möchte jedoch betonen, daß wir den Menschen und seine individuellen Ansprüche, Wünsche, Probleme und Fähigkeiten nicht als das alleinige Maß aller Dinge sehen. In einer Organisation müssen bestimmte, übergeordnete Ziele festgelegt und erreicht werden."

„Das klingt wie ein Widerspruch: Zum einen erheben Sie den Anspruch, auf den Menschen, seine Probleme einzugehen; zum anderen heben Sie hervor, daß Ziele und Vorgaben wichtig sind. Wie kann man beides auf einen Nenner bringen? Besitzen Sie dafür ein Patentrezept?"

Gerard Peissl: „Wir gehen von folgender Überlegung aus: Eine Organisation sollte so organisiert sein, daß jeder seinen Job erledigen kann, und zwar in geordneten Bahnen. Um das zu beurteilen, betrachten wir uns zunächst einmal den Zustand, in dem wir ein Unternehmen vorfinden. Wenn der ‚Ist'-Zustand klar feststeht, wird mit dem Management die sogenannte ‚Ideale Szene' unter Berücksichtigung der realistischen Möglichkeiten des Unternehmens definiert. Um vom ‚Ist'-Zustand ausgehend diesen ‚Soll'-Zustand zu erreichen, entwickeln wir ein ganzheitlich ausgerichtetes Programm, das aus einer Reihe von Seminaren für Führungskräfte und Mitarbeiter sowie aus Beratungen und Workshops besteht. Im Verlaufe dieses ganzheitlichen Programmes werden menschliche und organisatorische Probleme gelöst. Eines geht einfach nicht ohne das andere. Dafür gibt es jedoch kein Patentrezept, da in jeder Organisation andere Maßnahmen zu ergreifen sind. Folglich wird sich eine solche Arbeit auch meist über ein bis zwei Jahre erstrecken."

„Sie versuchen also, einen Kunden für möglichst lange Zeit an sich zu binden?"

Gerard Peissl: „Im Gegenteil. Das Ziel unserer Tätigkeit wird vorher genau festgelegt, und zwar schriftlich. Wichtig und wohl einmalig ist das Endziel unserer Beratungen und Seminare: Wir arbeiten gezielt darauf hin, daß uns das Unternehmen nicht mehr braucht. Beratung ist für uns dann erfolgreich abgeschlossen, wenn uns die Menschen im Unternehmen nicht mehr brauchen."

„Das klingt ungewöhnlich; normalerweise freut man sich doch über jeden Kunden, den man langfristig betreuen kann."

Gerard Peissl: „Unser Ziel ist es nicht, daß Kunden von uns und unserer Tätigkeit abhängig werden. Wir möchten nur das Know-how in Theorie und Praxis vermitteln, das dann in der Firma von den Mitarbeitern und Führungskräften eigenständig umgesetzt wird. Ziel ist, daß Menschen selbst mit ihren Problemen zurechtkommen, daß sie selbst die richtigen Lösungen finden, daß sie eigenverantwortlich handeln. Dazu können wir sie anleiten, darauf schulen wir sie; aber ab einem bestimmten Punkt entwickelt sich eine Eigendynamik, und das System wird von den Mitarbeitern selbst getragen. Sie können uns durchaus mit einem Fahrlehrer vergleichen, der irgendwann seinen Schüler alleine in den Verkehr entläßt."

„Wie sieht bei Ihrer Vorgehensweise nun also der konkrete Ablauf aus?"

Gerard Peissl: „Wir beginnen mit einem Vorgespräch mit der Firmenleitung oder dem Vorgesetzten für den Bereich, in dem das Training stattfinden soll. Dabei stellen wir zunächst einmal fest, wo die konkreten Probleme des Unternehmens liegen. Wir begnügen uns damit jedoch nicht, sondern führen anschließend Gespräche mit jedem einzelnen Mitarbeiter, der an dem geplanten Seminar teilnehmen soll."

„Das ist sehr aufwendig!"

Gerard Peissl: „Ist aber unentbehrlich. Ohne diesen Schritt wissen Sie als Trainerunternehmen doch überhaupt nicht, ob Sie nicht völlig am Bedarf vorbeitrainieren. Nach diesem umfangreichen ersten Schritt laden wir die Führungskraft auf ein spezielles Seminar ein. Dabei wird ein grundlegendes Paket von Know-how vermittelt, beginnend bei Fragen zur Arbeitsplatzorganisation, Time Management, Organigramm, über Motivations- und Kommunikationstechniken, Funktions- und Arbeitsplatzbeschreibungen, Systeme zur Leistungs- und Erfolgskontrolle, den Ablauf von Führungsgesprächen, Meetings und vieles mehr. So manche Führungskraft kommt zum Seminar mit der Idee ‚alter Hut' und weiß am Abend nicht mehr wohin vor Tatkraft. Wir stellen buchstäblich alles auf den Kopf, was ihm Probleme bereitet, und zwar so gründlich, daß jeder sich betroffen fühlt."

„Wie machen Sie das? Werden Sie konkret!"

Gerard Peissl: „Im Grunde ist es einfach: Sie zeigen einem Chef, warum das Personal seit Jahr und Tag bestimmte Anweisungen nicht durchführt oder warum sich Firmenziele nicht durchsetzen lassen. Er erkennt, daß es nicht an Boshaftigkeit liegt, an Dummheit, Meuterei, Borniertheit oder der Gewerkschaft, sondern ganz einfach daran, daß bestimmte organisatorische Abläufe und zwischenmenschliche Probleme den Zielen des Unternehmens diametral entgegenwirken, daß praxisfremde Richtlinien herausgegeben werden und daß der Kommunikations- und Informationsfluß unter den Mitarbeitern schlecht ist. Oder daß Ziele überhaupt nicht definiert wurden! Ständig fühlt er sich bedroht und torpediert – nun erfährt er endlich, warum!"

„Dieser Anspruch könnte sehr leicht als zu hochgegriffen interpretiert werden."

Gerard Peissl: „Aus diesem Grunde betonen wir, daß Nägel mit Köpfen gemacht werden müssen. An Symptomkorrekturen sind wir nicht interessiert. Ein Trainer muß wirklich jeden Teilnehmer individuell behandeln; wir wollen ihn kennenlernen, bevor wir das Seminar veranstalten, möchten Vertrauen aufbauen und ihm nicht das Gefühl geben, daß er ausgehorcht oder daß auf seinen Fehlern herumgeritten wird. Er soll wissen, worum es auf dem Seminar geht, was ihn erwartet und daß seine Probleme durch das Seminar gelöst werden können. Nur dann ist der Teilnehmer wirklich für ein Training motiviert und will auch etwas verändern. Unter vielen Führungskräften herrscht ja die Einstellung: ,Training bringt immer irgendwas. Schaden kann es ja nie. Man muß ja etwas tun.' – Dann wird irgendein Trainer eingeladen, ein teures Hotel gemietet, und man hat wieder einmal das Gewissen beruhigt, denn ,man hat ja etwas getan'. Wer mir mit dieser Einstellung begegnet, dem rate ich, für das Geld lieber ein Vergnügungswochenende zu machen. Solches Training bringt nichts, wir lehnen es strikt ab.

Training muß wirklichkeitsnahe Lösungen bieten. Aber es ist unseriös, wenn man verspricht, daß diese in einem oder zwei Tagen zu verwirklichen seien. Ich sage es immer wieder: Wer wirklich etwas verändern möchte, benötigt in aller Regel dazu zwischen einem halben und zwei Jahren."

„Nennen Sie Beispiele aus der Erfahrung, mit welchen Problemen Sie konfrontiert werden!"

Gerard Peissl: „Viele Firmenchefs kommen auf uns zu mit der Bitte, ihre Mitarbeiter zu motivieren. Sie beklagen sich darüber, daß Richtlinien nicht eingehalten werden, daß Neukontakte zurückgehen und daß alle angebotenen Incentives nichts gefruchtet haben. Irgendwie sei ,die Luft draußen'. Wir fragen, wie die Stimmung im Unternehmen ist – er sagt, sie ist gut, dennoch gibt es Probleme, die einfach nicht in den Griff zu bekommen sind. – Wir schauen uns an, wie die Organisation aufgebaut ist, wie Abläufe funktionieren, welche motivierenden und demotivierenden Faktoren auf die Mitarbeiter einwirken. Bei einer Befragung der Mitarbeiter durch uns stellt sich heraus, daß viele von ihnen das Gefühl haben, nicht gehört zu werden. Ihre Meinung ist unwichtig. Das Management trifft über ihre Köpfe hinweg Entscheidungen am grünen Tisch. Sie haben nicht das Gefühl, beitragen zu können. Ihre Leistung wird nicht geschätzt. Der Umsatzdruck lastet schwer auf ihnen, und so weiter.

Dann führen wir ein offenes Gespräch mit dem Chef, bei dem wir die bestehenden Mißstände klar aufzeigen. Es nützt keiner Seite etwas, hier ein Blatt vor den Mund zu nehmen. Meist wird er nachdenklich, aber er weiß ja auch um die Situation. Dann erklären wir ihm, daß man dies nicht in drei Tagen ungeschehen machen kann, und laden ihn zu besagtem Seminar für Führungskräfte ein. Ich erwähnte es bereits: Dort lernt er die Mechanismen kennen, wie es zu einer solch verfahrenen Situation kommen kann – trotz aller gegenteiligen, gutgemeinten Bemühungen, trotz allen guten Willens; wie man die Reibungsfaktoren abbauen kann, wie man reinen Tisch machen und Unstimmigkeiten beseitigen kann; wie man die Voraussetzungen schafft, um das Unternehmen auf Erfolgskurs zu lenken. Erst wenn diese Voraussetzungen geschaffen sind, führen wir eine Schulung für die Mitarbeiter oder speziell die Verkäufer durch.

Anderer häufig erlebter Fall: Ein Verkäufer möchte ein Verkaufsseminar besuchen. Wir merken im Verlauf des Gesprächs, daß er starke Schwierigkeiten damit hat, einer anderen Person in die Augen zu schauen; daß das, was er sagt, beim anderen nicht ankommt, daß er seine Position nicht wirklich hält. Wir sagen ihm, wo seine Schwierigkeiten wirklich liegen: nicht im Verkauf, sondern in der Kommunikation. Er hat Schwierigkeiten mit Kunden oder mit Einwänden im Verkaufsgespräch, weil die Kommunikation zwischen ihm und seinen Kunden schlecht ist und gar kein Vertrauen aufgebaut wird. Verkaufstechniken helfen diesem Verkäufer nicht! Er sollte zuerst ein Kommunikations-Seminar besuchen.

Noch ein letztes Beispiel, um unsere Vorgehensweise zu veranschaulichen: Eine Firma möchte ihre Verkäufer auf ein Seminar schicken, damit sie mehr Umsatz schreiben. Bei näherer Befragung stellt sich heraus, daß im Unternehmen ein sehr großes Marketing-Problem herrscht. Es existiert keine Marketing-Strategie, es gibt keine Mailings, man ist sich nicht einmal im klaren darüber, welche Zielgruppen man konkret angehen muß. Also empfehlen wir zuerst einmal ein Marketingseminar sowie praktische Marketingmaßnahmen.

Grundsätzlich lautet die Vorgehensweise: Erstens, herausfinden was im Kundenunternehmen wirklich gelöst werden muß; zweitens, dies auch dem Chef oder der verantwortlichen Führungskraft begreiflich machen. Das, was wirklich gebraucht wird, ist nicht immer identisch mit dem, was nach Ansicht des Chefs nötig ist. Drittens: Dann mit Einverständnis der Unternehmensleitung die richtigen Schritte durchführen."

„Die ‚richtigen Schritte' – wie verbessern Sie denn beispielsweise die zwischenmenschliche Beziehung?"

Gerard Peissl: „Dabei ist folgendes wichtig: Jeder einzelne Mitarbeiter im Unternehmen hat seinen eigenen Gesichtspunkt, seine eigene Sicht der Dinge und sein Verständnis von seinen Aufgaben. Gemäß diesem individuellen Gesichtspunkt beurteilt er all das, was er um sich herum wahrnimmt. Das verleitet natürlich dazu, daß sich Menschen ständig in die Haare geraten, einfach deshalb, weil sie ihre unterschiedlichen Gesichtspunkte nicht verstehen. Ergebnis: Stundenlange Diskussionen, viel heiße Luft ohne ein Resultat – wir alle kennen das. Ziel unseres Trainings ist es, daß überhaupt erst einmal eine Basis für Verständnis etabliert wird. Dazu gehört, daß man in der Lage ist, auch andere Standpunkte einzunehmen, sie zu verstehen, sie zu tolerieren. Man tut sich nicht einmal weh dabei! Toleranz und menschliches Verstehen gehören zu jenen Schlagworten, die man allenthalben hört, leider aber nur selten wirklich praktiziert. Wir lassen die Teilnehmer ganz speziell diese Probleme üben, lassen sie in Zweier-Teams im Coaching-Verfahren so lange trainieren, bis sie die Aufgabe beherrschen, den Gesichtspunkt des anderen zu tolerieren, ohne sich aufzuregen, ohne die Geduld zu verlieren oder ihm über den Mund zu fahren. Und zwar so gut beherrschen, daß es nicht aufgesetzt wirkt, sondern in Fleisch und Blut übergegangen ist."

„Darüber müssen Firmenchefs ja begeistert sein!"

Gerard Peissl: „Stimmt. Ein weiterer wichtiger Punkt unseres Trainings ist das Etablieren von Zielen. Es gibt umfangreiches Know-how darüber, wie man auf richtige Weise Ziele etabliert. Das erstaunliche dabei ist: Wenn Sie Ziele für das Unternehmen festgelegt haben und dazu die Zustimmung der Mitarbeiter gewonnen haben, dann werden diese Mitarbeiter so hochmotiviert sein, daß es weiterer Motivationstechniken gar nicht mehr bedarf. Wenn jeder weiß, was die Gesamtziele sind und welchen Beitrag er dazu leisten kann, dann stimmt die Motivation im Unternehmen ganz von selbst!"

„Uns interessiert hier, was Sie unter motivierenden und demotivierenden Faktoren verstehen."

Gerard Peissl: „Motivation ist nicht Sache von Techniken oder besonderen Incentives; nichts, was man jemandem von außen einhaucht. Motivation ist das Maß an Eigendynamik, das eine Person aufgrund der Identifikation mit den Unternehmenszielen an den Tag legt. Diese grundlegende Eigenmotivation muß vorhanden sein, damit äußere Motivations-Impulse wirksam sein können. Motivierende Faktoren sind beispielsweise, daß Erfolge ehrlich und angemessen anerkannt und gewürdigt werden. Da ich selbst viele Jahre lang Profi-Sportler war, habe ich unterschiedliche Arten von Trainern kennengelernt. Es gab solche, für die eine gute Leistung selbstverständlich war; dann wiederum gab es jene, die jede Leistung mit Anerkennung zu beachten wußten. Letztere waren auch ehrlich in ihrer Kritik an Nicht-Erfolgen, sie verstanden es jedoch, niemals die Bemühungen der Person in ein falsches Licht zu setzen. Sie unterstützten die Eigenmotivation oder übten auch mal den nötigen Druck aus, um Phasen des Nachlassens zu überwinden. Demotivierend wirkt es, wenn Leistung nicht gewürdigt wird. Wenn nur Fehler kritisiert und gute Leistungen als selbstverständlich hingenommen werden, dann wird dies nicht sehr hilfreich sein.

Gute Mitarbeiter werden nicht selten dadurch demotiviert, daß sich Führungskräfte vorrangig um die weniger willigen kümmern und den guten Mitarbeitern kaum Beachtung schenken. So meint man dann also, man braucht besondere Stimuli zur Motivation. Das halte ich für fragwürdig: Menschen sind keine Tiere, die man mit einer Schmerz-Reiz-Matrize zu bestimmten Verhaltensweisen programmieren kann. Von Programmiertechniken aller Art, wie auch immer man diese benennen mag, halte ich schon aus jenem Grunde nichts, weil Menschen in meinen Augen keine geistlosen Roboter sind, die nur auf äußere Stimuli reagieren. Meiner eigenen Beobachtung nach besitzt jeder Mitarbeiter ein enormes Potential, mit dem nur richtig umgegangen werden muß."

„Das sind, zugegebenermaßen, hehre Ideale. Scheitern sie nicht, wie so vieles andere auch, an der Durchführung?“

Gerard Peissl: „Jetzt kommen wir wieder zurück zu dem, was ich eingangs gesagt habe: Damit sie nicht scheitern, muß man die Organisierungstafel, das Organigramm, auf die richtige Weise etablieren. Man muß auch ein einheitliches System zur Überprüfung persönlicher Leistung einführen und beibehalten. Man muß aufzeigen, wie die Funktionen und Aufgaben verteilt sind, und jeden Mitarbeiter dann auch für seinen Bereich in eigener Regie und Verantwortung handeln lassen. Man muß, mit anderen Worten, klare Spielregeln und Richtlinien schaffen, damit sich Menschen nicht gegenseitig aus der Arbeit reißen, damit ein geregelter Ablauf der Kommunikation stattfinden kann, damit es nicht mehr die berühmten Reibungsverluste gibt. In vielen, vor allem mittelständischen Organisationen wissen Mitarbeiter ja oft nicht einmal, wer für was zuständig ist; im Zweifelsfall laufen sie zum Chef, der irgendwann unter völliger Überlastung zusammenbricht. Ich vergleiche eine Organisation mit einem gut eingestellten und geschmierten Motor. Man braucht natürlich Kontrollinstrumente, so wie Sie als Fahrer wissen müssen, mit welcher Geschwindigkeit und Temperatur Sie fahren, wieviel Benzin im Tank ist und wann Öl nachgefüllt werden muß.“

„Während unserer Recherchen begegnete uns mehrfach die Aussage, daß nur wenige Mitarbeiter wirklich eigenverantwortlich handeln. Worauf ist das zurückzuführen?“

Gerard Peissl: „Meist handelt es sich dabei um ein anerzogenes Problem. Ich gehe sogar so weit zu behaupten, daß Führungskräfte selbst die Schuld an diesem Zustand tragen. Wenn sie nicht klar definieren, was das Ziel einer jeden einzelnen Tätigkeit ist, wenn sie meinen, sie könnten es ohnehin besser, oder wenn sie Probleme des Mitarbeiters übernehmen und für ihn in die Bresche springen, reißen sie die Verantwortung an sich und erziehen so die Mitarbeiter dazu, die Verantwortung nicht selbst zu tragen.

Zugegeben: Jede Form von organisatorischem und menschlichem Fehlverhalten in einem Unternehmen Stück für Stück zu beseitigen, bedeutet sehr viel Arbeit im Detail.“

„Da geben wir Ihnen recht. Kostet das nicht eine gewaltige Stange Geld?“

Gerard Peissl: „Es kostet weniger als das, was das Unternehmen Jahr für Jahr aufwendet, um mit den internen ‚Verlangsamern‘ fertig zu werden. Ihre Frage klingt ungefähr so, wie wenn vor vierzig Jahren jemand gefragt hätte: ‚kosten neue Straßen nicht viel zu viel Geld?‘ In unserer heutigen Zeit spielt Geschwindigkeit nicht nur auf den Straßen eine Rolle, sie ist für das Überleben der Organisationen, die im Wettbewerbskampf stehen, ein enorm wichtiger Faktor. Je stärker die Konkurrenz, desto wichtiger sind Zeit und Qualität. Geschwindigkeit kann man aber nicht predigen, man muß sie ermöglichen! So wie Sie eine Autobahn ja auch erst bauen müssen, bevor hunderttausende schneller Autos von einem Ort zum anderen fahren können, so müssen Sie die ‚innerorganisatorischen Straßen' ebnen und begradigen; das ist teils eine Sache von betrieblicher Umgestaltung, teils von Training. Der positive Effekt dabei ist: Je schneller und reibungsloser der Ablauf von Kommunikation innerhalb der Organisation ist, umso leichter werden neue Kunden, neue Aufträge, neue Märkte ‚angesaugt'. Hat man dies einmal verstanden, erübrigt sich jede Frage nach den Kosten."

„Sie sprachen von Kontrollinstrumenten. Wie meinen Sie das?"

Gerard Peissl: „Kontrolle ist gleichbedeutend mit der Fähigkeit, etwas zu managen. Das bedeutet wörtlich übersetzt ja nichts anderes als: mit der Hand betreiben. Jeder Mitarbeiter ist für uns ein Manager, mindestens sein eigener! Es ist nicht Aufgabe seines Chefs, ihn zu managen. Führungskräfte sind dazu da, langfristige Planung zu machen, Ziele zu setzen und zu kommunizieren sowie dafür zu sorgen, daß es dem Unternehmen finanziell gut geht.

Wenn ein Mitarbeiter seine Aufgabe erfüllt, egal ob er Autos lackiert, Kunden anruft oder die Buchhaltung macht, dann muß es für diesen Mitarbeiter ein Meßsystem geben, anhand dessen er feststellen kann, ob er dem von ihm selbst gesteckten Ziel näher kam oder nicht."

„Besteht da nicht die Gefahr des Abgleitens in eine reine Planwirtschaft?"

Gerard Peissl: „Nein. Dieses Unbehagen rührt daher, daß in bestimmten Systemen oder Organisationen zu starke Kontrolle ausgeübt wurde, zum Teil noch wird. In diesen Systemen herrscht jedoch auch ein hohes Maß an Mißtrauen, keine Übereinstimmung über Ziele, kein Verstehen untereinander, keine wirkliche Kommunikation. Mit viel Aufwand, mit Richtlinien, Verordnungen und allen möglichen nicht funktionierenden Hilfsmitteln versucht man, einen künstlichen Zustand der Kontrolle herbeizuführen, mit dem jedoch die Menschen im Unternehmen nicht übereinstimmen. Wo Menschen mit den Zielen einer Organisation oder eines Systems nicht übereinstimmen, wo sie gedrängt werden, quantitative Vorgaben zu erreichen, die nicht ihren eigenen Vorstellungen entsprechen oder mit denen sie persönlich eigentlich nichts zu tun haben, wird jede Art von Planung in der Praxis scheitern."

„Die Lösung...?"

Gerard Peissl: „...besteht ganz einfach darin, daß man übergeordnete qualitative Ziele formuliert und daß man quantitative Ziele davon klar trennt. So könnten es beispielsweise die formulierten Ziele einer Organisation sein, in neue Märkte vorzudringen oder: Marktanteile zu erobern oder: auf einem bestimmten Gebiet im Hinblick auf die Qualität und Geschwindigkeit der Dienstleistung die Nr. 1 zu sein, sich einen festen Kundenstamm aufzubauen, der durch ausgezeichnete Betreuung begeistert ist vom Unternehmen. All das sind qualitative Zielsetzungen; danach kann man Strategien formulieren, um diese Ziele zu erreichen. Aus den Strategien folgen quantitative Vorgaben. Das Fantastische daran ist: Wenn die Mitarbeiter begeistert von den organisatorischen Zielen sind, wenn sie stolz darauf sein können, werden sie von selbst bemüht sein, die quantitativen Ziele zu erreichen. Sie verstehen warum! Was sie brauchen, ist ein Meßsystem, das Woche für Woche, Tag für Tag, Auskunft darüber gibt, ob sie dem Ziel näher gekommen sind, ob die Geschwindigkeit ausreichend ist, wie sie im Vergleich mit anderen Mitarbeitern, vielleicht sogar mit Konkurrenten dastehen."

„Welche Methoden wenden Sie an, um all das Know-how zu vermitteln? Ist das eine spezielle Art Psychologie?"

Gerard Peissl: „Nein; es ist eigentlich sehr einfach, hat mit irgendwelchen psychologischen Tricks überhaupt nichts zu tun. Unser Prinzip lautet: Man muß mit einer relativen Richtigkeit operieren. Wenn für alle Beteiligten das Optimum herauskommt, dann ist der eingeschlagene Weg richtig."

„Was meinen Sie mit relativer Richtigkeit?"

Gerard Peissl: „Beispiel Verkäufer: Wenn ich dem Verkäufer irgendwelche Verkaufstricks beibringe, so daß er mehr Kunden besser über den Tisch ziehen kann, dann mag es für den Verkäufer richtig sein, es wird sicherlich nicht für den Kunden richtig sein. Insofern ist die Richtigkeit dessen, was ich ihm im Training vermittelt habe, äußerst fragwürdig. Wenn ich ihn dagegen trainiere, sein Handeln nicht nur an seinen eigenen Interessen auszurichten, sondern auch an denen seiner Umwelt, dann ist dieses Training (gemessen an der Richtigkeit für alle Betroffenen) ‚relativ' richtig."

„Was auffällt, sind Ihre einfachen, klaren Konzepte. Was wir vermissen, ist die Fachsprache, die moderne Terminologie!"

Gerard Peissl: „Wozu brauche ich die? Wichtig ist doch, daß ich verstanden werde. Hinzu kommt, daß wir seit sieben Jahren mit dem gleichen Know-how arbeiten und die Erfahrung uns recht gibt: Es sind nie hochtrabend-komplizierte Theorien, die etwas bewegen, sondern einfache, praktische, umsetzbare Hinweise."

„Was hat in Ihrem Training nicht funktioniert? Welche Methoden waren nicht durchsetzbar?"

Gerard Peissl: „Was überhaupt nicht funktioniert hat, war unser Versuch, die Probleme eines Unternehmens als Trainer lösen zu wollen."

„Aber ist das nicht die Aufgabe eines Trainers?"

Gerard Peissl: „Eben nicht! Viele Chefs hätten es wohl gerne so. Sie meinen, daß der Unternehmensberater oder der Trainer alles für sie erledigt: daß er die Leute irgendwie zur Vernunft und den Umsatz in die richtigen Ränge bringt. Wenn irgendetwas nicht funktioniert, dann ist es dieser Ansatz. Denn nur die Führungskräfte und

Mitarbeiter selbst können ihre Probleme lösen. Wir können lediglich einen Weg aufzeigen und unterstützend dazu beitragen, daß Lösungen gefunden und angewandt werden. Wir haben diesen Fehler anfangs gemacht, mit der Folge, daß die Lösungen, die wir uns ausdachten, nie zu irgendeiner Veränderung geführt haben. Meist wurden sie überhaupt nicht beachtet.

Wenn Sie Menschen dazu bewegen können, ihr Verhalten selbst in einem neuen Licht zu beurteilen, werden sie dieses Verhalten auch von sich aus verändern. Dann sind sie mit einem Male imstande, eigene Lösungen zu finden und in die Tat umzusetzen, während von außen diktierte Lösungen mißachtet oder nur unter Druck ausgeführt werden; damit macht man Mitarbeiter nur unmündiger."

„Ist das nicht ein äußerst langwieriger Erkenntnisprozeß?"

Gerard Peissl: „Nicht unbedingt. Aber wie ich schon sagte: Man kann nicht von einem Trainer erwarten, daß er in drei Tagen ungeschehen macht, was in zehn Jahren nicht richtig gelaufen ist."

„Auf welche Kriterien sollte eine Führungskraft bei der Auswahl eines Trainers besonders achten?"

Gerard Peissl: „Er sollte beobachten, ob der Trainer mehr an sich selbst oder am Unternehmen interessiert ist. Geht er auf die Probleme des Unternehmens ein; kann er sie überhaupt herausfinden? Geht er auf mich als Person zu 100 Prozent ein? Sagt er mir auch in aller Offenheit, was er kann und was nicht? Macht er mir nur Hoffnungen, oder kann er konkrete Ziele setzen? Weiß er Ursachen zu erkennen und zu benennen, die einleuchtend sind? Oder ergeht er sich in kaum verständlichen Theorien, fernab jeglicher Praxis? Klärt er mich über die Konsequenzen seiner Aktionen auf, legt er die Karten auf den Tisch und zeigt mir, was sein Training konkret für mich als Führungskraft bedeuten wird? Oder bleibt er im Allgemeinen, Vagen? Lebt er das vor, was er sagt? Bietet er eine Methode an, die die Trainingsteilnehmer extrovertiert? Mit anderen Worten, wird die Aufmerksamkeit der Teilnehmer durch das Training und die Übungen nach draußen, auf das Tun gerichtet, oder fangen sie an, über sich und ihre Fehler zu grübeln oder sich gegenseitig die Fehler an den Kopf zu werfen?

Akzeptieren Sie als nur Trainer, deren Methoden zu einem Tun hinführen, die auch anwendbar und überprüfbar sind. Natürlich spielt auch der persönliche Sympathiefaktor eine Rolle. Ich muß einen persönlichen Kontakt finden können zum Trainer und auch ein gutes Gefühl für meine Entscheidung haben. Und: Ich würde ihn in einem Seminar zunächst einmal kennenlernen und testen, ehe ich ihn für eine längerfristige Zusammenarbeit engagieren würde. Hier zeigt sich oft noch ein gravierender Unterschied zwischen dem, was er in seinem eigenen Verkaufsgespräch sagt, und dem, was er tatsächlich tut."

„Was waren Ihre größten Erfolge?"

Gerard Peissl: „Es ist unglaublich schwer, Leute für Seminare zu begeistern, wenn sie bereits einige Fehlversuche in dieser Richtung hinter sich haben. Wir haben da ein interessantes Beispiel erlebt: 200 Mitarbeiter eines großen Konzerns besuchten eine eintägige Veranstaltung mit dem Ziel, den Sinn und Zweck von Training zu erfahren. Sie waren praktisch einhellig der Meinung, Training bringe nichts. Wir erörterten in acht Workshop-Gruppen zu je 25 Personen wirklich bis in alle Details, was das Training für sie bedeuten würde. Am Ende waren alle dafür! Das war ein recht eindrucksvolles Erlebnis, ein Erfolg, aber auch ein hartes Stück Arbeit für zehn Trainer.

Der bei weitem größte Erfolg jedoch ist immer, wenn ein Seminarteilnehmer seinen Job und sein Leben in den Griff bekommt und uns begeisterte Briefe schreibt. Dann haben wir unser Ziel erreicht, daß er uns nicht mehr braucht."

„Wie beurteilen Teilnehmer Ihr Training?"

Gerard Peissl: „Ich möchte, ohne anmaßend zu sein, das wiedergeben, was ein Teilnehmer einmal darüber sagte: ‚Das ist die Hohe Schule der Kommunikation – kurzweilig, nicht anstrengend, befreiend. Jeder fühlt sich angesprochen. Und der Humor kommt dabei auch nicht zu kurz.'

Gerade letzteres scheint mir erwähnenswert; denn viele Menschen betrachten ihre Arbeit als eine sehr ernste Angelegenheit. Wir versuchen, sehr locker und offen zu sein, sprechen auch Fehler und Schwächen in aller Deutlichkeit an, jedoch ohne verletzend zu sein.

In unserem Training gehen wir davon aus, daß die Teilnehmer nicht da sitzen, weil sie nicht erfolgreich sind, sondern daß sie bereits gut sind und in bestimmten Aspekten noch besser werden möchten. Aber manchmal muß das Bewußtsein, daß echte Hilfe zur Selbsthilfe möglich ist, erst einmal geweckt werden; viele Menschen sind gegenüber angebotener Hilfe aufgrund negativer Erfahrungen zunächst mißtrauisch. Ich empfehle, unser Programm zunächst einmal auf einem Führungsseminar kennenzulernen, um dann zu entscheiden."

„Gestatten Sie zum Abschluß die Frage, welche verkäuferische Erfahrungen Sie selbst mitbringen?"

Gerard Peissl: „Abgesehen davon, daß ich seit sechs Jahren tausende von Seminaren verkauft und viele davon selbst geleitet habe, habe ich längere Zeit als Verkäufer in der Industrie gearbeitet. Unter anderem war ich mehrere Monate in Asien tätig und verkaufte dort Maschinen. Nachdem ich mich aus dem aktiven Profisport als Skiläufer zurückgezogen hatte, war ich einige Zeit auch in der Finanzdienstleistungs-Branche tätig. Dabei lernte ich eben jenes Verkaufsseminar kennen, das wir heute vermitteln."

„Eine allerletzte Frage: Wie alt sind Sie?"

Gerard Peissl: „Da möge sich der Leser, der mich kontaktiert, überraschen lassen!"

Martina und Klaus-J. Fink
BDVT

„Es reicht nicht aus, gute Seminare durchzuführen; der Trainer ist auch mitverantwortlich für die Umsetzung in die Praxis."

Experten aller Fachrichtungen sind sich einig: Das Telefon ist das Kommunikationsinstrument der Zukunft. Telefonmarketing spricht man ebenfalls eine große Zukunft allein schon aus ökologischen Erwägungen zu. Vorüber sind jene Zeiten, da der Außendienst teure Direktakquise durchführen konnte, vergangen auch die goldenen Jahre niedriger Benzinpreise und leerer Straßen. Wer mit dem Trend geht, nutzt heute vorrangig die Möglichkeiten moderner Kommunikationsmittel, wie sie uns durch Telefon, Fax, Datenaustausch über EDV und bald auch Bildtelefon an die Hand gegeben werden. Dies betonte mit Nachdruck der saarländische Umweltminister Jo Leinen in seinem Vortrag beim letzten Direktmarketing-Symposium. Statt mit großem Energie- und Zeitaufwand Verkäufer durchs Land zu schicken oder tonnenweise Werbebriefe zu verteilen, kann das Telefon für eine ökonomisch lohnende und ökologisch sinnvolle Kommunikation mit Kunden und Interessenten genutzt werden.

Daß hier bereits ein weites Feld für intensivste Schulungen von Fachkräften existiert, wurde bislang nur von wenigen wirklich erkannt. *Martina und Klaus-J. Fink*, BDVT, gehören zu den wenigen Profi-Trainern, die sich ausschließlich den Schulungen und der Erfolgsumsetzung im Telefonmarketing widmen.

Nachfolgend nur ein kleiner Einblick in ein Gebiet, über das mittlerweile beträchtliches Know-how existiert. Alte Telefonhasen sprechen sogar von der Revolution auf dem verbalen Kommunikationssektor.

Versetzen Sie sich geistig in die Lage eines Kunden, der am Kauf eines Autos interessiert ist. Er ruft einen Autohändler an (nehmen wir an, er kennt noch keinen persönlich). Was ist in den ersten Minuten dieses allerersten Kontaktes ausschlaggebend? Was wird ihn als möglichen Kunden veranlassen, genau zu diesem Autohaus zu gehen, um sich näher mit dem Anbieter zu befassen? Gesetzt den Fall, die Stimme am Empfang ist unfreundlich, mit dem Verbinden klappt's auch nicht recht, und als er schließlich den Verkäufer an der Strippe hat, wird er den Eindruck nicht los, daß dem Verkäufer die Fragen lästig sind – wie groß ist die Wahrscheinlichkeit, daß er bei diesem Autohaus Kunde wird?

Vor ihm liegt das Branchenbuch, mindestens zehn weitere Autohäuser in seiner Umgebung stehen zur Auswahl. Ja selbst für die gleiche Marke, von der er vielleicht träumt, gibt es in der Nähe einen oder zwei weitere Händler. Wie sensibel ist er wohl als Kunde, wenn es um die Auswahl des Händlers geht?

So einfach und selbstverständlich es klingen mag, so erschreckend oft findet man in der Praxis, daß Mitarbeiter überhaupt nicht für die Wertigkeit des Telefons als passives Verkaufsinstrument sensibilisiert sind.

„Verkaufen fängt beim ersten Kontakt mit dem Kunden an und hört nach Vertragsabschluß noch lange nicht auf!“ sagt hierzu Martina Fink, die als Verkaufstrainerin auf den Innendienst spezialisiert ist. „Der erste Eindruck ist fast immer der entscheidende; wie ein Kunde am Telefon behandelt wird, bestimmt den Unternehmenserfolg in einem sehr viel höheren Maße, als dies allgemein heute angenommen wird. In keiner Bilanz, in keinem Jahresabschluß erscheint eine Auskunft darüber, wieviel Umsatz nur dadurch verloren gegangen ist, daß potentielle Kunden am Telefon nicht in angemessener Weise behandelt wurden!“

Das Team Martina und Klaus-J. Fink spricht aus Erfahrung. Als selbständige Trainer sind sie seit 1984 aktiv. Schon während seines Studiums verdiente sich Klaus-J. Fink erste Sporen auf dem Parkett der Allfinanz, spezialisierte sich hier auf den Bereich Neukundengewinnung per Telefon. Seine außergewöhnlichen Erfolge veranlaßten seine Vorgesetzten, ihn als Trainer der Vertriebsmannschaft einzusetzen. Heute zählt er zu den Marktführern für den Bereich Telefonverkaufstraining. Einige der von ihm trainierten Unternehmen sind die Ruhrkohle AG, Wintershall AG, Rank Xerox und die Schweizer Rückversicherung mit ihren Tochterunternehmen „Sie-Finanz“ und „45 plus“. Viele Erfahrungen hat er speziell in der Mineralölbranche gesammelt, beim Verkauf von Heizöl. Einem Produkt, bei welchem die Mehrzahl der Käufer nach dem Branchenbuch greift und einfach den preisgünstigsten Händler auswählt. „Bei Heizöl heben sich die einzelnen Marken nicht voneinander ab. Das einzige, was ein Händler hier außer dem Kampf um den niedrigsten Preis machen kann, ist, sich einen *Service-Vorsprung* zu garantieren, und der beginnt am Telefon.“

Unser Fragenkatalog für das Gespräch mit Martina und Klaus-J. Fink umfaßt einige hochinteressante Stichpunkte. Vor allem möchten wir eines wissen: Kann der Umsatz eines Unternehmens, egal welcher Branche, durch gezieltes Telefontraining nachweislich gesteigert werden?

Klaus-J. Fink: „Zum Telefonmarketing zählen wir alle Aktionen, die den Umsatz eines Unternehmens, seinen Bekanntheitsgrad oder den bestimmter Produkte steigern sollen, und die mit dem Instrument Telefon durchgeführt werden. Dabei kann das Telefon ergänzend benutzt werden oder als alleiniges Werkzeug, um zum Kunden zu kommen. Allerdings ist es auch in Zukunft nicht möglich, den persönlichen Kontakt zum Kunden durch ein noch so qualifiziertes Telefonat zu ersetzen. Vor allem beim Erstabschluß mit einem Kunden ist ein persönliches Kennenlernen nach wie vor wichtig und nicht gänzlich durch das Telefon zu verdrängen. Das Telefon ist jedoch das hauptsächliche Hilfsmittel, um beispielsweise bei Direct-Mailing-Aktionen in Zukunft überhaupt noch Erfolge zu erzielen. Alles, was sich rund um das Telefon abspielt, vom Empfang des hereinkommenden Anrufes bis hin zur Bearbeitung von Reklamationen, ist Teil des umfassenden Begriffs Telefonmarketing. Nur wenn Marketing als *Gesamtstrategie* gesehen wird, wie sich ein Unternehmen als Ganzes im Markt präsentiert, kann auch die umfassende Bedeutung des Instrumentes Telefon erfaßt werden.“

„Grenzen wir im Unterschied dazu den Telefonverkauf ein. Was zeichnet einen guten Telefonverkäufer aus? Welche Eigenschaften muß er mitbringen? Ist es etwas, was jeder lernen kann?“

Klaus-J. Fink: „Sagen wir so: Ein Verkäufer, der telefonieren kann, kann auch draußen beim Kunden verkaufen. Ein Verkäufer, der beim Kunden verkaufen kann, wird deswegen jedoch nicht automatisch am Telefon erfolgreich sein.“

„Wie erklären Sie das?“

Klaus-J. Fink: „Am Telefon fehlen dem Verkäufer wichtige Signale der Mimik, Gestik, der Körpersprache im allgemeinen. Durch diese Visualisierungslücke wird der Umgang mit Kunden am Telefon bedeutend schwerer als im Verkaufsgespräch vor Ort. Was im persönlichen Kontakt dem Kunden gezeigt werden kann, muß am Telefon ausführlich erklärt werden und erzeugt Mißverständnisse. Es ist ungleich schwieriger, am Telefon die volle Aufmerksamkeit des Kunden zu gewinnen. Sie haben dazu viel weniger Zeit, als wenn er Sie zu einem Termin empfängt. Somit sind Sie auf das Instrument Sprache angewiesen, auf die Nuancen Ihrer Stimme, auf die Rhetorik. Das Lächeln, das Ihr Gegenüber nicht sehen kann, muß dennoch durch das Telefon zu ihm ausstrahlen; Ihre Persönlichkeit muß beim anderen ankommen."

„Sind Sie der Ansicht, daß man dem Instrument Telefon heute in Unternehmen zu geringe Bedeutung beimißt?"

Martina Fink: „Langjährige Erfahrung bestätigt, daß die meisten Menschen bis hin in die obersten Führungsetagen die Wertigkeit des Telefons viel zu gering einstufen. Viele denken, zum Telefonieren braucht man lediglich etwas Kleingeld. Hier kommt es darauf an, Seminarteilnehmern bewußt zu machen, daß die Sprache unser wichtigstes und am Telefon unser einziges Kommunikationsmittel ist. Anstelle von konzeptlosem Drauflosplaudern gilt es zukünftig bewußter und strukturierter zu kommunizieren. Jeder in einem Unternehmen ist davon betroffen, der in irgendeiner Weise mit dem Telefon zu tun hat. Von der Empfangsdame in der Telefonzentrale über den Vertrieb bis hin zum Kundendienst; ja sogar der Techniker, der seinem Kunden Auskunft geben soll, ist Teil dieses Räderwerks, das ein Unternehmen am Laufen hält. Marktuntersuchungen haben ergeben, daß in vielen Unternehmen der Erfolg in sehr viel stärkerem Maße vom richtigen Umgang mit dem Telefon abhängt als beispielsweise von der Werbung! Beispiel Mailing: Es werden für viele tausend Mark Werbesendungen verschickt. Die Erfolgsquote bei solchen Aktionen hängt im wesentlichen von der Nachverfolgung per Telefon ab. Dies wird in den nächsten Jahren zunehmend an Bedeutung gewinnen."

„Das heißt konkret, daß beispielsweise das Kapitel *Direct-Mailing* völlig neu geschrieben werden muß?"

Klaus-J. Fink: „So ist es. Während es in den siebziger Jahren ausreichte, regelmäßig Mailings in großer Anzahl zu verschicken, locken Sie heute damit keinen mehr hinter dem Ofen hervor. Untersuchungen haben gezeigt, daß die ‚Mailingbelästigungsquote' hier in Deutschland bei etwa 80 Briefen pro Jahr und Einwohner liegt. Das heißt für die Zukunft, wenn man die Aufmerksamkeit des Kunden gewinnen möchte, dann muß zum einen das Mailing selbst so gut sein, daß eine Bewußtseinseindringung erreicht wird (dreidimensionale-Beilage), zum anderen aber ist eine telefonische Nachfaßaktion erforderlich. Das wiederum bedeutet, die Stückzahlen werden drastisch reduziert, das Motto lautet ‚mäßig aber regelmäßig', in kleinen Mengen, gerichtet an hochspezifische, gut selektierte und qualifizierte Zielgruppen. An diese kann man sich dann in Telefonaktionen wiederum ganz individuell wenden, kann sie betreuen und somit als Kunden gewinnen. Das können Sie nicht mit breitgestreuten, sehr umfangreichen Mailings."

„Kann man daraus folgern, daß die Einsatzbereiche des Telefons sich schon wesentlich verändert haben und noch in einem weiteren Wandel begriffen sind?"

Klaus-J. Fink: „Außer als Nachfaßinstrument beim Direct-Marketing wird es auch in zunehmendem Maße zur *Qualifikation des Kunden* eingesetzt. Bedenken Sie, daß beispielsweise im Invenstionsgüterbereich noch vor wenigen Jahren die Kosten für einen Außendienst-Besuch beim Kunden bei etwa 250 Mark angesetzt wurden, so liegt man heute bereits bei 400 bis 500 Mark. Da unsere Straßen immer voller und Benzin und Autos teurer werden, wird dieser Faktor noch mehr steigen. Also muß bereits vor Vereinbarung eines Termins mit einem Kunden sichergestellt werden, ob es sich überhaupt lohnt, dorthin zu fahren. Das erfordert die richtige Fragetechnik und das wirklich gut geschulte Verhalten des Verkäufers. Darüber hinaus wird der telefonische Kontakt nach Kauf (After-Sales-Bereich) zukünftig an Bedeutung gewinnen. Es reicht nicht mehr aus, eine gute Ware zum vereinbarten Zeitpunkt zu liefern, sondern es ist auch erforderlich, nach Lieferung oder Dienstleistung den Kontakt zum Kunden zu wahren, ihn zu pflegen. Hierzu eignet sich das Telefon hervorragend. Ein solches Servicegespräch nach Kauf ist die einzige Möglichkeit, Reklamationen vorzubeugen und die Kundenzufriedenheit im schnellen kostengünstigen Dialog zu überprüfen."

„Nun hört sich das, was Sie so umfassend als Telefonmarketing bezeichnen, ja fast schon wie Telefonbelästigung an. Werden wir mit einer ähnlichen Schwemme wie in anderen Ländern rechnen müssen?"

Klaus-J. Fink: „Hier hat glücklicherweise der Gesetzgeber gewisse Riegel vorgeschoben. So ist in unserem Lande die Privatsphäre glücklicherweise vor Eingriffen auch mit dem Telefon geschützt. Erlaubt sind also nur Anrufe dort, wo das Telefon zur geschäftlichen Ausstattung gehört. Was übrigens gewissen Branchen Schwierigkeiten bereitet, die den Kunden nur privat erreichen können. Einige Assekuranzunternehmen haben einen Passus in ihre Verträge aufgenommen, daß es dem Unternehmen gestattet ist, den Kunden über Neuerungen, Ergänzungen etc. telefonisch auch unter seiner Privatnummer zu informieren. Hier wird die Zukunft zeigen, ob es Lockerungen seitens des Gesetzgebers gibt oder ob die Verbraucher sich gegen eine Erweiterung der Telefonaktionen in privaten Bereichen wehren. Wichtig im Bereich Neukundengewinnung ist, daß diese Kunden nicht privat kontaktiert werden dürfen, wenn sie nicht ausdrücklich darum gebeten haben. Stammkunden, die mit dem Unternehmen oder seinem Außendienstmitarbeiter persönlich bekannt sind und eine entsprechende Vereinbarung getroffen haben, werden daraus kaum je ein Problem machen."

„Welche Trends zeichnen sich hier in der Zukunft ab? Worauf sollen sich Unternehmen und Verkäufer besonders stützen?“

Klaus-J. Fink: „Neben dem schon erwähnten After-Sales-Bereich wird die Neukundengewinnung über die Empfehlungsschiene an Bedeutung gewinnen. Nicht einmal 10 Prozent aller Verkäufer fragen konsequent nach *Empfehlungen*. Hier wird sehr viel Umsatz verschenkt, weil zu wenig bestehende zufriedene Kunden auf neue Empfehlungsadressen angesprochen werden. Dies ist an erster Stelle von Bedeutung bei Endverbrauchern, weniger bei Wiederverkäufern/Händlern. Aus dieser Erkenntnis heraus bieten wir ein Spezialseminar an mit dem Titel ‚*Professionell Empfehlungen ziehen bei zufriedenen Kunden*'. Aus der Frage nach Empfehlungen resultieren spezielle Kundeneinwände und somit spezielle Einwandbehandlungen, die im Seminar berücksichtigt werden. Jeder Verkäufer weiß, daß eine Empfehlungsadresse einen vielfachen Wert gegenüber einer Kaltadresse darstellt.“

„Wie sieht die Wirtschaftlichkeitsberechnung beim Telefonmarketing aus? Können Sie hier auf konkrete Zahlen verweisen?“

Klaus-J. Fink: „Es lassen sich nur wenige branchenübergreifende Aussagen hierzu treffen. *Erstens*: An einem Mailing ohne nachfolgende Telefonaktion verdient heute beinahe nur noch die Bundespost. Mit einer darauffolgenden Telefonaktion kann die Rücklaufquote verfünffacht bis verzehntfacht werden, je nach Branche. *Zweitens*: Ist das Produkt für den Telefonverkauf geeignet, dann kann man davon ausgehen, daß die Außendienstverkaufsminute etwa vier- bis fünfmal teurer ist. Nehmen Sie als Vergleich die Anzahl der geführten Gespräche pro Tag: ein Außendienstler, der in einem abgegrenzten Gebiet unterwegs ist, kann vielleicht fünf bis sechs Termine pro Tag wirklich wahrnehmen. Ein Telefonverkäufer kann zwischen dreißig und fünfzig Kontakte herstellen an jedem einzelnen Tag. Er muß etwa drei Nummern eingeben, bis er den gewünschten Gesprächspartner an der Strippe hat. Das heißt, er muß pro Tag etwa 120 bis 150 Nummern wählen.

„Herr Fink, das waren schon einige wichtige Anmerkungen zum Telefonmarketing im allgemeinen. Lassen Sie uns nun über Telefontraining im speziellen sprechen. Welche Bereiche decken Sie gemeinsam mit Ihrer Ehefrau ab?“

Martina Fink: „Unser Angebot umfaßt Telefontraining sowohl für Innendienst- als auch für Außendienstmitarbeiter von Unternehmen unterschiedlicher Branchen.

Zum Beispiel:
- Telefonische Neukundengewinnung
- Telefonische Terminvereinbarung
- Erfolgreiche Nachfaßgespräche per Telefon
- Reaktivierung von ‚Karteileichen‘

– Die Telefonzentrale als Visitenkarte des Unternehmens
– Reklamationen umsatzsteigernd entgegennehmen,
um nur die wichtigsten Seminartypen zu nennen."

„Also die gesamte Palette, wie es scheint?"

Martina Fink: „Ja, wir decken jeden Sektor rund ums Telefonieren ab, der für das Unternehmen von Bedeutung ist. Vor allem: wir stellen gemeinsam mit dem jeweiligen Unternehmen fest, in welchen Bereichen das Training vorrangig durchgeführt werden sollte."

„Sie führen also nur unternehmensinterne Seminare durch?"

Martina Fink: „Der Schwerpunkt unserer Tätigkeit liegt in unternehmensinternen Seminaren, weil es hier möglich ist, auf die speziellen Erfordernisse der jeweiligen Branche und der einzelnen Mitarbeiter besser einzugehen. Diese führen wir nicht nur in Deutschland, sondern auch in der Schweiz, Österreich und Holland durch. Darüber hinaus werden etwa 10 bis 12 offene Seminare pro Jahr veranstaltet, die für Teilnehmer unterschiedlicher Bereiche zugänglich sind. Tagungsort ist hier jeweils ein Hotel im Köln-Bonner Raum mit guter Verkehrsanbindung, um die Anreise für die Teilnehmer aus einem großen Einzugsgebiet zu erleichtern."

„Welche Stufen muß nun ein ‚Trainee' in Ihren Seminaren konkret durchlaufen?"

Martina Fink: „Nun, wir setzen mit der Schulung dort an, wo die meisten Menschen schon Schwierigkeiten haben. Nehmen wir einmal die psychologische Komponente, wenn es darum geht, aktive Telefonate zu führen, also potentielle Kunden oder Stammkunden anzurufen: die Hemmung, den Hörer überhaupt von der Gabel zu heben.

Es ist frappierend, wieviele Menschen das nicht oder nur mit großem Widerwillen zustande bringen. Also muß man zunächst einmal Aufklärungsarbeit betreiben: Warum Telefonieren? Warum ist es nichts Anstößiges, wie manche vielleicht unbewußt meinen? Welche wirtschaftliche Rolle spielt es? Ängste müssen abgebaut werden. Die Angst davor, was geschieht, wenn sich der Telefonierende in die Höhle des Bären wagt. Wie wird der Bär (sein unsichtbares Gegenüber) wohl reagieren? Hier helfen humorvolle Vergleiche, beim Verkäufer oder Anrufenden die innere Spannung zu lösen."

„Wie verfahren Sie weiter?"

Klaus-J. Fink: „Ein weiterer wichtiger Punkt ist das Gesetz der großen Zahl: Je nach Gesprächsziel und Branche bedarf es unterschiedlich vieler Anrufe, um zu dem erstrebten Abschluß am Telefon zu gelangen. Hier ist es wichtig, Teilnehmern bewußt zu machen, daß einige ‚Nein' von Seiten des Kunden dazu gehören, um einmal ein ‚Ja' zu erhalten. Jedes ‚Nein' ist ein Baustein auf dem Weg zum Erfolg. Wer keine ‚Neins' kassiert, wird auch keine ‚Jas' erhalten. All das fällt unter die psychologische

Ebene, die in den kommenden Jahren mehr und mehr an Bedeutung gewinnen wird. Denn je niedriger die Frustschwelle des Verkäufers liegt, umso geringer ist seine Abschlußquote. Je größer seine Frusttoleranz am Telefon, umso größer auch die Erfolgsquote.

Als nächstes erlernt der Teilnehmer die einfachen Grundregeln der Kommunikation. Wie melde ich mich am Telefon? Nenne ich meinen Namen oder den des Unternehmens zuerst? Welche Form der Begrüßung kommt am besten an? Das Telefonat wird buchstäblich in verschiedene Phasen seziert:

Phasen eines aktiven Telefonates

- Kompetenzauslotung
- Vorstellen der eigenen Person
- Gesprächseröffnung
- Kundenqualifikation
- Kundenreaktion, Einwandbehandlung
- Abschluß (Termin, Bestellung, Angebot, Wiederanruf)
- Zusammenfassung, Verabschiedung

Natürlich ist die schwierigste Phase die der *Einwandbehandlung*. Sowohl vom zeitlichen Umfang als auch vom intellektuellen Anspruch ist diese Phase von größter Bedeutung. Hier findet der eigentliche Dialog mit dem Kunden statt. Gleichzeitig ist immer wieder festzustellen, daß viele Verkäufer bei der aktiven Gesprächsführung mit den wichtigsten Standardeinwänden von Kunden nicht umgehen können, wie z.B.:

'Wir haben da schon einen Lieferanten!'
'Wir sind bestens versorgt!'
'Schicken Sie mir lieber erst mal Prospekte!'
'Ich muß es mir noch mal überlegen!'.

Hierzu werden in den Seminaren zu den Standardeinwänden, als auch zu den branchenspezifischen Kundenreaktionen, individuelle Einwandbehandlungen entwikkelt und zwar in der Art, daß jeder Teilnehmer seine Individualität, seine Persönlichkeit einbringen kann und nicht anschließend alle Mitarbeiter eines Unternehmens denselben Text runterplappern, wie es früher in vielen Bereichen der aktiven Gesprächsführung am Telefon zu finden war.“

„Es würde den Rahmen dieses Beitrages sprengen, auf alle Details einzugehen. Könnten Sie dennoch neben der Einwandbehandlung ein weiteres Beispiel nennen?“

Klaus-J. Fink: „Nehmen Sie einmal die *Fragetechnik* – den Einsatz von *offenen und geschlossenen Fragen* in der Gesprächsführung am Telefon. Offene Fragen sind Fragen, auf die man eine Information erhält. Beispiel: ‚Was haben Sie heute abend vor?‘ Bei einer geschlossenen Frage besteht zu 50 Prozent die Chance, ein Nein zu erhalten: ‚Haben Sie heute abend schon etwas vor?‘

Viele Gesprächseröffnungen enden mit einer geschlossenen Frage. Wenn der Ansprechpartner jetzt mit Nein antwortet, wird die Distanz zwischen beiden Partnern größer. Hier kann man das Nein als Abwehrhaltung werten. Wie soll ein Verkäufer sein Ziel erreichen, das entscheidende Ja eines Kunden erhalten, wenn schon am Anfang ein Nein zwingend in Kauf genommen wird.“

„Neben der Fragetechnik, welche weiteren Details machen ein professionelles Telefonat aus?“

Klaus-J. Fink: „Verwenden Sie keine Worte, die negative Assoziationen beim Kunden auslösen; wir nennen es *Mülleimerworte*. Gleiches gilt auch für komplette Formulierungen, in unserem Sprachgebrauch als *Killerbemerkungen* definiert. Darüber hinaus gilt es, Konjunktivformulierungen zu vermeiden, denn dies klingt oft zu unverbindlich, zu devot. Ziel ist es, eine freundliche und bestimmte Gesprächführung zu erreichen. Weiterhin spricht ein Profi immer positiv vom Wettbewerb. Er lobt ihn und stellt anschließend Unterschiede hervor, nämlich Stärken des eigenen Produktes, des eigenen Unternehmens. Ebenso ist die Formulierung im SIE-Standpunkt, sogenannte *kundenorientierte Gesprächsführung*, von großer Bedeutung. SIE-Botschaften im Telefonat schaffen Sympathie und Vertrauen. Beispiel: Der untrainierte Mitarbeiter sagt. „Ich rufe Sie wieder an“, hingegen ist es besser zu sagen: „Wann sind Sie telefonisch am besten zu erreichen?“. Ziel ist es, hier die eigene Person etwas zurücknehmen und den Kunden mehr in den Vordergrund zu stellen. Jede dieser ICH-Botschaften, die wir in unserem Sprachgebrauch drin haben, läßt sich in SIE-Botschaften übersetzen. Dies jedoch erfordert ein hohes Maß an Training.“

„Diese und andere Grundregeln der Kommunikation umfassen also einen großen Teil des Trainings. Wie geht es dann weiter?“

Klaus-J. Fink: „Nun, dann folgt das eigentliche Kürprogramm, wie z. B. das *Preisgespräch am Telefon*. Wann nennt man einen Preis, und wie nennt man einem Kunden den Kaufpreis? Außerdem entsprechende *Abschlußtechniken*, um das Ziel zu erreichen. Sei es ein Wiederanruf, sei es eine Terminvereinbarung oder die telefonische Zusage zum Auftrag. Die letzte Stufe schließlich ist das ‚training-on-the-job', wie man in der Fachsprache sagt. Die Ausbildung in der Praxis also. Hier hat sich bewährt, daß verschiedene unserer Trainings-Hotels eigens zu diesem Zwecke mehrere Telefonleitungen in den Seminarraum haben legen lassen, so daß den Teilnehmern Gelegenheit geboten wird, den Kunden während des Seminars anzurufen und sofort vom Coach korrigiert zu werden."

„Wird das alles in einem Seminar vermittelt?"

Klaus-J. Fink: „Nein, das wäre zu umfangreich. Es würde die Teilnehmer erschlagen. Hier gilt der Grundsatz ‚Weniger ist mehr'. Die klassische Abfolge für ein konzentriertes Telefontraining im Bereich aktiver Gesprächsführung, Neukundengewinnung und Terminvereinbarung sieht wie folgt aus:

Zuerst wird meist ein sogenanntes Schnupperseminar durchgeführt, welches einen Tag dauert. Ziel des Seminares ist es, die Darstellungsweise eines FINK-Trainings kennenzulernen. Hier sollen Teilnehmer Vertrauen zum Trainer bekommen, hier soll eine Identifikation mit der gesamten Trainingsmaßnahme erreicht und das Bewußtsein geschärft werden, was durch strukturierte Gesprächsführung am Telefon möglich ist. Meist wird erst nach diesem Schnupperseminar ein *unternehmensspezifisches Trainingskonzept* ausgearbeitet. So werden in einem Basisseminar Grundregeln der telefonischen Kommunikation erarbeitet, diese in einem darauffolgenden Aufbauseminar vertieft und ergänzt. Bei einem Intensivseminar werden Spezialthemen integriert und die Anzahl der Rollenspiele mit Teilnehmern erhöht. Hier wird nicht trocken geübt, sondern schon mit einer entsprechenden Telefon-Simultananlage, die es ermöglicht, Gespräche aufzuzeichnen und gemeinsam zu diskutieren. Erst dann folgt das ‚training-on-the-job', Telefonate mit authentischen Gesprächspartnern entweder am Arbeitsplatz der Teilnehmer oder entsprechend im Seminarhotel – so, wie eben kurz erwähnt. Abschluß der gesamten Maßnahme bildet ein sogenanntes Erfolgssicherungsseminar."

„Welchem Zwecke dient letzteres?"

Klaus-J. Fink: „Bei diesem Erfolgssicherungsseminar, das meist drei Monate nach dem Intensivseminar stattfindet, geht es nicht darum, noch mehr neue Inhalte zu vermitteln, sondern die bereits gelehrten Informationen zu vertiefen, einen Austausch stattfinden zu lassen über die Erfahrungen in der Praxis und das aufzufrischen, was in den früheren Seminaren behandelt wurde."

„Herr Fink, ist es tatsächlich so, daß solche Seminare nachweisliche Ergebnisse bringen? Kritiker von Verkaufstrainings bringen oft vor, daß Ergebnisse nur vorübergehend, wenn überhaupt, zu beobachten sind. Wie sieht das in Ihrer Erfahrung aus?"

Klaus-J. Fink: „Es reicht nicht aus, ein Seminar durchzuführen, sondern ein erfolgreicher Trainer muß die Verhaltensänderung der Teilnehmer auch nachweisen können. In Zukunft wird der Nutzenbeweis eines Trainings eine immer größere Rolle spielen, da viele Unternehmen den Glauben an verkäuferische Ausbildung verloren haben. Langfristig werden sich nur Trainer, die den Erfolg ihrer Auftraggeber nachweisen können, im Markt halten. Deshalb gehört es auch zu unserer Philosophie, nicht mal eben ein Seminar durchzuführen, sondern einen Kunden langfristig über Monate, meist Jahre hinweg zu begleiten.

Im Telefonmarketingbereich ist der Nachweis für ein gutes Training besser zu führen als vergleichsweise für ein Verkaufstraining der Außendienstmitarbeiter. Deshalb ist die Bedeutung von ‚training-on-the-job' so hoch einzustufen. Nur wenige Trainer bieten diesen Service bisher an. Viele fürchten diese Meßlatte. Es gibt eine weitere Möglichkeit, den Erfolg meßbar zu machen und zwar durch Vergleichsgruppen. Eine Gruppe des Unternehmens wird ausgebildet, eine zweite Gruppe arbeitet weiter wie bisher. Dann kann man nach wenigen Wochen und Monaten sehr leicht feststellen, ob es einen Unterschied gibt."

„Inwieweit hängt der Erfolg von Trainingsmaßnahmen auch von den verantwortlichen Führungskräften im Unternehmen ab?"

Martina Fink: „Dieser Faktor spielt ebenfalls eine sehr entscheidende Rolle. Ausschlaggebend ist auch hier, ob Führungskräfte ihre Mitarbeiter zu solch einem Seminar einladen, ihnen auch die Bedeutung einer solchen Investition in die Mitarbeiter erläutern oder ob sie ähnlich einem Stellungsbefehl zum Seminar beordert werden. Vollkommen klar, daß viele Elemente noch vor dem Betreten des Seminarraumes für die Motivation der Teilnehmer und auch für die Nachbereitung der Trainingseinheiten wesentlich sind. Ideal ist es, wenn nach den einzelnen Seminarbausteinen verantwortliche Führungskräfte mit den Teilnehmern eine regelmäßige Workshop-Runde festlegen. Hierbei werden die Trainingselemente nochmals unternehmensspezifisch diskutiert und Erfahrungen ausgetauscht. Es gibt Führungskräfte, die einem Training ausgesprochen skeptisch gegenüber stehen, da jedoch der Vorstand das Training verordnet und das Budget bereitgestellt hat, wird es eben durchgeführt. Wenn dann die Teilnehmer ins Unternehmen zurückkehren, wird das Erreichte manchmal durch Kritik, Spott, Ignoranz und Besserwisserei zunichte gemacht.

Hin und wieder gibt es Umsetzungsprobleme, so daß ein Gespräch mit dem Trainer notwendig ist. In diesem Falle dient die Führungskraft als eine Art Coach, der dafür Sorge trägt, daß die vermittelten Trainingsinhalte auch in die Praxis umgesetzt werden."

„Setzt dies voraus, daß auch die Führungskraft das Seminar besucht hat?"

Martina Fink: „Da ist auf jeden Fall wünschenswert, damit Mitarbeiter und Führungskraft sich in selbiger Sprache unterhalten können."

„Kann es auch vorkommen, daß man mit der Führungsschicht über den Führungsstil des Unternehmens debattieren muß?"

Martina Fink: „Darauf muß ein Trainer immer vorbereitet sein. Man erhält sehr viel Einblick in ein Unternehmen und kann als Außenstehender oft feststellen, woran es hapert. Wenn wir erkennen, daß es mit einem Training alleine nicht getan ist, setzen wir uns mit der Unternehmensleitung zusammen und sprechen dies an. Dies ist sicher mit das heikelste Thema. Es besteht hier die Gefahr, sich zwischen zwei Stühle zu setzen, d. h., es muß sehr vorsichtig und individuell gehandhabt werden."

„Beobachten Sie unterschiedliches Engagement unter den Teilnehmern, wenn ja, worin liegen die Unterschiede, und was haben sie mit dem Erfolg des einzelnen zu tun?"

Martina Fink: „Der gravierendste Unterschied ist der, daß erfolgreiche Mitarbeiter meist die ersten sind, die zum Seminar erscheinen. Sie sind immer pünktlich zur Stelle, sitzen meist in der ersten Reihe und nehmen die Inhalte sehr, sehr ernst. Sie sind lern- und wißbegierig und ständig bestrebt, ihren Erfolg noch zu steigern. Sie wissen, daß sie immer hinzu lernen können. Ein anderer Teil kommt zu spät, sitzt in den hinteren Bänken und läßt oft auch noch dumme Bemerkungen los. Sie wissen ohnehin alles besser und sind nicht bereit, auch nur eine Kleinigkeit hinzuzulernen. Der Grundstein für verkäuferischen Erfolg ist Ausbildung, Ausbildung und nochmals Ausbildung. Wahre Profis sind bereit, bei jeder sich bietenden Gelegenheit etwas Neues mitzunehmen, um die Spitze zu erreichen, die nur von wenigen Verkäufern erreicht wird. Die besten sind tatsächlich die, die nicht aufhören, sich weiterzubilden."

„Wie sieht es mit der eigenen Fortbildung aus?"

Klaus-J. Fink: „Meine Frau und ich investieren sowohl zeitlich als auch finanziell sehr viel in unsere eigene Fortbildung. Wir besuchen regelmäßig Seminare im In- und Ausland, um auch durch die Erkenntnisse von Kollegen die eigenen Trainings noch weiter zu optimieren. Auch für den Trainer gilt ‚Stillstand ist Rückschritt'.

„Worin sehen Sie die entscheidende Stärke Ihres Telefontrainings im Vergleich zu anderen Anbietern?"

Klaus-J. Fink: „Es gibt viele Kollegen mit ‚erstklassiger psychologischer Ausbildung', die in ihren Seminaren hervorragende Kommunikationsmodelle vorstellen und für bestimmte Gesprächsphasen ‚erstklassige psychologische Erläuterungen parat haben, selbst allerdings nie vor Ort Vertriebserfahrung gesammelt haben, selbst nie Kunden akquiriert oder per Telefon betreut haben. Teilnehmer unserer Seminare bestätigen immer wieder, daß unsere Trainings praxisorientiert durchgeführt werden, daß es viele pragmatische, schnell umsetzbare Elemente für den Arbeitsalltag gibt.

Oft hören wir die Aussagen: Man merkt, daß Sie selbst einmal im Verkauf tätig waren; daß Sie wissen, was sich im Bauch eines Verkäufers abspielt, bevor er zum Telefonhörer greift. Auf einen Punkt gebracht, wir sprechen die Sprache unserer Teilnehmer.

Darüber hinaus ist das schon diskutierte ‚training-on-the-job' ein wesentliches Unterscheidungsmerkmal zu anderen Trainern. Nach einer Marktuntersuchung aus dem vergangenen Jahr wird es von keinem anderen Trainingsinstitut mit dieser umfangreichen Palette und Intensität angeboten wie von uns.

Durch die absolute Spezialisierung auf den Bereich Telefonmarketing arbeiten unsere Auftraggeber mit Spezialisten zusammen und partizipieren an jahrelangem Know-how auf diesem Gebiet. Nahezu alle anderen Trainer bieten Telefontraining als Ergänzung zum klassischen Verkaufstraining oder auch Führungskräftetraining an – diese tanzen auf zu vielen Hochzeiten. Nach unserer Auffassung kann man nur in *einem* Gebiet absoluter Profi sein und damit einen höheren Nutzen für den Kunden sicherstellen, weil man sich nicht verzettelt. Jedes Training soll schließlich den Erfolg eines Unternehmens steigern, soll den Umsatz erhöhen und soll zu mehr Spaß und Freude bei der Arbeit führen. Weil der Beruf des Verkaufstrainers nicht gesetzlich geschützt ist, kommt es natürlich vor, daß sich schwarze Schafe im Markt engagieren, die das Image dieser Branche verderben. langfristig wird sich jedoch nur der Trainer behaupten können, der echte Erfolge vorzuweisen hat. Nebenbei, der Erfolg von FINK-Trainings kann durch umfangreiche Referenzadressen belegt werden."

„Wie beurteilen Sie den Stellenwert des Bereiches *Telefontraining* in der Zukunft?"

Klaus-J. Fink: „Der Bereich Training wird in den nächsten Jahren ganz allgemein zunehmend an Bedeutung gewinnen. Die Produkte und Dienstleistungen der Anbieter ähneln sich immer mehr, deshalb werden diese zukünftig nicht mehr so sehr in den Wettbewerb treten, sondern vielmehr die Fähigkeiten einzelner Mitarbeiter der Unternehmen. Der Anbieter, der kundenorientierter kommuniziert, dem Kunden das Gefühl gibt, daß er für ihn da ist, ihn durch regelmäßige Ansprache pflegt und auf seine Wünsche eingeht, wird das Rennen machen. Wenn wir in diesem Zusammenhang die technische Entwicklung des Instrumentes Telefon berücksichtigen, so wird der Bereich Telefontraining in nächster Zeit immer mehr an Stellenwert gewinnen. Untersuchungen haben gezeigt, daß die Investition in qualifiziertes Training sich besser verzinst als vergleichsweise in die Werbung. Werbung wird sich in Zukunft verändern zugunsten eines ganzheitlichen Marketing, das den Menschen nicht mehr überflutet mit Informationen, sondern das gezielt mit hochqualifizierten Informationen an den Kunden herantritt, der sorgfältig ausgewählt wurde.

Bei vergleichbaren Produkten wird nicht die Werbung, sondern die Person, die mit dem Kunden Kontakt hat, im Vordergrund stehen. Kunden werden auch nicht in erster Linie auf den Preis schauen, sondern auf das, was sich hinter dem Unternehmen und seinem Angebot tatsächlich verbirgt. Damit wird es zur Aufgabe, jeden einzelnen Mitarbeiter so auszubilden, daß er sich authentisch gibt, daß er ehrlich ist dem Kunden gegenüber. Menschen sind keine Marionetten und dürfen nicht zu solchen in Seminaren erzogen werden. Die Zeiten, da ein Verkäufer einen bestimmten Spruch herunterbetete, sind endgültig Mittelalter. Heute zählt professionelle, qualifizierte Information, kommunikationsbewußtes Verhalten dem Kunden gegenüber, das Vermitteln von Werten im Auftreten als Unternehmen wie als einzelner. Training muß diesem Wertewandel gerecht werden, muß auf diese Entwicklung heute schon eingehen. Image und Vertrauen sind die grundlegenden Säulen für den künftigen Erfolg von Unternehmen, das Telefon muß dabei als wichtiges Instrument gesehen werden, um beides zu steigern."

Dirk Braun und Martin Kolb

„Die Verfeinerung der Kommunikation ist der zentrale Faktor, um den sich Verkaufstraining dreht."

Aus dem Buch „Spitzenverkäufer"[1] sind sie bereits bekannt: Dirk Braun und Martin Kolb. Ihr Unternehmen: die private Akademie für Management und Kommunikation, kurz AMK genannt. Ihre Spezialität: die Bereiche KOMMUNIKATION, ORGANISATION und MANAGEMENT. Ihr Grundsatz: Man darf den Verkäufern nichts ANTRAINIEREN, muß ihnen eher etwas WEGTRAINIEREN.

Beginnen wir mit dem, was Dirk Braun und Martin Kolb nach unserer Ansicht und nach mehreren Gesprächen, die hier auszugsweise wiedergegeben werden, auszeichnet: Da ist zum einen die absolut innovative Art und Weise, Kommunikation

1) Conradi u.a.: Spitzenverkäufer, Idstein 1992.

nicht als einstudierte Redemuster, sondern als Ausdruck von echter Mensch-zu-Mensch-Beziehung zu schulen. Zum anderen verblüfft der rigorose und selbstkritische Blick auf Resultate. Was zählt, sind bessere Ergebnisse, und diese werden in regelmäßiger Folge überprüft. Wer's (noch) nicht gepackt hat, kann die Schulung jederzeit wiederholen – kostenlos, versteht sich. Ein Extra-Service, den sich die beiden leisten können, weil ihn die wenigsten tatsächlich in Anspruch nehmen müssen.

Dirk Braun, Jahrgang 58, ist gelernter Betriebswirt und seit seinem 11. Lebensjahr als Verkäufer tätig. Zunächst als Balljunge für Taschengeld, später als Tennistrainer, dann als Verkäufer von Versicherungen. Mit einer eigenen Unfallversicherungs-GmbH landete er schließlich den großen Coup, als er sein monatliches Einkommen auf 85.000 Mark steigerte.

Martin Kolb strebte nicht nach akademischen Graden. Er, der vier Jahre jüngere, hängte sein Jurastudium an den Nagel, weil er sein Leben schon mit 25, nicht erst mit 50 genießen wollte. Mit einem eigenen Verlag für Erfolgsliteratur und Kassetten verdiente er schließlich genug, um ein ruhiges Leben führen zu können, verkaufte sein Geschäft jedoch, als er gemeinsam mit Dirk Braun die Segel zu neuen Ufern setzte. Beide verband, als sie sich kennenlernten, eine große Gemeinsamkeit: Der Wille, andere Menschen erfolgreich zu machen. Aus dieser Idee heraus entstand die AMK und damit eine der schnellstexpandierenden Trainings- und Managementschulen in unserer Republik. Wer heute AMK buchen möchte, sollte sich besser beeilen. Werbung für AMK wird man vergeblich suchen. Die beste Art, Reklame zu machen, ist für die beiden Unternehmer ausnahmslos die Empfehlung zufriedener Kunden. Ihre Kalender sind ausgebucht auf viele Monate im voraus. Ein kleines, hochqualifiziertes Team von 10 Trainern nimmt sich der gestellten Aufgaben an.

Genug der einführenden Worte. Werden wir nun konkret und stellen die wichtigsten Arbeitsthesen der AMK vor, wobei wir uns nicht scheuen, ihre Prinzipien auf einen kritischen Prüfstand zu heben. Auch den eigentlichen Clou wollen wir Ihnen nicht vorenthalten. Beginnen wir mit dem, was Top-Insider längst als Geheimtip handeln.

DIE GESETZE DER KOMMUNIKATION KÖNNEN FÜR AUSBILDUNG VON VERKÄUFERN IN GRUNDLEGENDE WERKZEUGE UMGEWANDELT WERDEN.

„Erklären Sie uns, auf welchen Stufen Ihre Schulung aufgebaut ist!“

Dirk Braun: „Der erste Schritt, den wir mit einer Person unternehmen, ist eine genaue Beobachtung ihrer Kommunikationsfähigkeit. Dabei richten wir uns weniger nach dem, was die Person sagt, als vielmehr nach dem, was sie tut. Mit anderen Worten, wir schauen uns an, wie sie mit anderen Menschen umgeht, wie sie mit ihren Mitmenschen verfährt, und schließen daraus, wie gut sie im Verkauf mit Menschen zurechtkommt."

„Gut, aber wie wollen Sie die Kommunikationsfähigkeit messen?"

Martin Kolb: „Es gibt tatsächlich so etwas wie grundlegende Gesetze und somit auch Maßstäbe der Kommunikation. Für die meisten Verkäufer und Manager bedeutet Kommunikation entweder Rhetorik oder irgend etwas Esoterisches oder Psychologisches. Kommunikation ist jedoch nach völlig anderen Gesetzmäßigkeiten zu beurteilen, die weder hochtrabend noch esoterisch sind. Kommunikation ist tatsächlich so einfach, daß die meisten Verkäufer sich damit anfangs ungeheuer schwer tun, besonders wenn sie rhetorisch geschult sind und auf das WIE ihrer Rede mehr achten als auf den anderen Menschen."

„Können Sie diese Gesetze etwas konkreter beschreiben?"

Dirk Braun: „Fassen wir es einmal so zusammen. Kommunikation bedeutet, die Welt der Gedanken auf den anderen Menschen zu richten, an ihm interessiert zu sein und mit ihm ganz natürlich, ohne sich irgend etwas aufzusetzen, ins Gespräch zu kommen."

„Sagen Sie das einem gestandenen Verkäufer, und er wird glatt behaupten: ‚Mach ich doch!'"

Dirk Braun: „Setzen Sie ihn eine halbe Stunde in unser Seminar, und er erkennt selbst, daß es hier etwas Neues zu lernen gibt! Das Fantastische daran ist: Er strahlt, weil er es vorher nicht wußte! Er dachte, er beherrsche die Kommunikation, und hatte überhaupt keine Vorstellung davon, welcher geistige und gefühlsmäßige Abstand ihn in Wirklichkeit von der anderen Person trennte!"

„Das leuchtet ein. Wie schafft man es, einen Verkäufer voll und ganz auf die Wellenlänge des anderen Menschen einzustimmen? Ist das überhaupt möglich?"

Martin Kolb: „Es ist möglich! Darin verbirgt sich tatsächlich so etwas wie ein kleines Geheimnis. Verkäufer, die diese winzig scheinende Hürde geschafft haben, steigern ihre Erfolgsquote um mehrere Hundert Prozent. Das Traurige an der Sache ist allerdings: Wir können darüber reden und reden, aber verstehen kann es nur, wer es GESEHEN hat, ERLEBT hat, GETAN hat. Bloße blanke Theorien sind so nutzlos wie die Relativitätstheorie für einen Postkutscher."

Dirk Braun: „Und genau darin liegt ein großes Manko vieler Verkaufstrainings: Sie basieren auf Theorien, die für den Praktiker jedoch nutzlos sind. Er lernt, wie er seine Hände halten soll, er soll darauf schauen, ob sein Gegenüber mit gekreuzten Füßen oder Armen sitzt, er muß sich darauf konzentrieren, wie oft der andere mit der rechten Hälfte seiner Stirn wackelt (wir übertreiben jetzt einmal), und soll so viele Äußerlichkeiten auf einmal beherrschen, daß er das Wichtigste, den Menschen nämlich, vergißt. Zu guter Letzt ist er so verwirrt, daß er gar nicht mehr weiß, was er dem Kunden eigentlich sagen wollte. Und das Schlimmste ist: Er hört dem Kunden im Gespräch gar nicht mehr zu! Die Folge: Eine echte, natürliche Kommunikation zwischen Verkäufer und Kunde kommt überhaupt nie zustande, egal wieviele Worte sie austauschen."

„Das ist wiederum eine sehr extrem anmutende Behauptung!"

Martin Kolb: „Einverstanden! Prüfen Sie es nach. Kommunikation bedeutet auch, daß der Verkäufer in der Lage ist, leicht und ohne Anstrengung neue Kontakte zu knüpfen, daß er neue Verbindungen auftut, daß er imstande ist, aus einer Liste von Namen neue und hervorragende Bekanntschaften zu schaffen, daß er seine Arbeit mit Freude und Engagement macht und dabei auch noch gut verdient."

DAS WICHTIGSTE BEIM VERKAUFSTRAINING IST, DASS DIE FÄHIGKEIT DER PERSON REHABILITIERT WIRD.

„Sie haben einmal die Behauptung aufgestellt, wer verkaufen wirklich lernen will, muß an seiner Persönlichkeit arbeiten. Wie ist das konkret zu verstehen?"

Dirk Braun: „Wir möchten erreichen, daß der Mensch als Verkäufer wieder so ist, wie er einmal war. Denken wir doch einmal zurück: Als Kind waren wir fast ausnahmslos hervorragende Verkäufer! Wie oft haben wir unseren Willen gegen den der (eigentlich viel stärkeren Eltern) durchgesetzt! Wie oft haben wir anderen Leuten unsere Ideen, unsere Spiele, unsere Wünsche ‚verkauft'! Man braucht einem Verkäufer nicht anzutrainieren, wie er verkaufen soll. Jeder Mensch ist von Geburt an Verkäufer! Verkaufen bedeutet nichts anderes als die Fähigkeit, einen anderen Menschen für etwas zu gewinnen, ihn in Begeisterung zu versetzen."

„Wie macht man das?"

Martin Kolb: „Diese wird in erster Linie bestimmt vom Maß an Zuneigung, Affinität oder Nähe. Nur wer einem anderen Menschen nahe zu sein vermag, kann diesen für etwas auch begeistern. Damit ist weniger die räumliche Nähe als die geistige gemeint.

Daher gilt in diesem Zusammenhang: Die wichtigste Fähigkeit, die man bei einem Verkäufer rehabilitieren sollte, ist die, andere zu mögen."

„Dennoch unsere Frage noch einmal: Wie erreicht man dies? Das klingt wie leichter gesagt als getan, um ehrlich zu sein!"

Dirk Braun: „Wir werden und können an dieser Stelle die Methoden nicht genauer beschreiben, was Sie uns hoffentlich nachsehen werden. Dennoch sei so viel verraten: Es ist einfacher, als viele meinen! Wir erleben folgendes Phänomen immer wieder in der Praxis: Ein Verkäufer trifft auf einen Kunden, der zunächst überhaupt nichts mit ihm zu tun haben möchte. Der Verkäufer baut zunächst einmal Affinität auf, führt ein gutes Gespräch, und am Ende ist der Kunde froh, daß er bei diesem anderen Menschen etwas gekauft hat, obwohl er doch eigentlich nicht wollte!"

„Sie sind also Meister der Verkaufspsychologie?"

Dirk Braun: „Das hat mit hochtrabender Rhetorik oder Verkaufspsychologie überhaupt nichts zu tun! In jedem Verkäufer steckt noch immer jenes kleine Kind, dessen Wünschen niemand zu widerstehen vermochte, denn das Kind trat mit einer bedingungslosen Zuneigung an den anderen Menschen heran. So bekam es fast immer, was es wollte. Der Verkäufer aber, alt und weise, wie er mit seinen 25 Jahren nun einmal geworden ist, hat mittlerweile so viele Enttäuschungen erlebt, seine Zuneigung wurde so oft ausgenutzt, daß er es gewöhnlich überhaupt nicht mehr wagt, diese Affinität als Verkaufswerkzeug oder überhaupt in seinen zwischenmenschlichen Beziehungen einzusetzen! Er ackert und schuftet wie ein Schwerstarbeiter und macht sich dennoch das Leben unnötig schwer. Folglich muß man seine Fähigkeit wiederherstellen, zum anderen Menschen eine natürliche, echte und ehrliche Zuneigung zu entwickeln, und mit einem Male gelingt es ihm, sein Produkt mühelos an den Mann zu bringen. Wenn wir unbedingt ein Wort dafür brauchen, dann nennen wir es einfach die Kunst des natürlichen Verkaufens."

„Sie versuchen also zu erreichen, daß der Verkäufer wieder mehr Mensch ist, lockerer ist?"

Martin Kolb: „Man könnte es so formulieren: Wir bringen dem Verkäufer nicht noch etwas bei, zusätzlich zu all dem, was er schon in zahlreichen Seminaren lernte, sondern wir nehmen ihm all das weg, was eigentlich gar nicht zu seiner Persönlichkeit gehört. Er findet zu seiner eigenen, persönlichen Natur zurück, denn auf diese Art und Weise kann er am leichtesten verkaufen. Alles andere ist aufgesetzt, ist Fremdmaterial. Der erfolgreichste Verkäufer ist der, der einfach so ist wie er ist. Egal bei welchem Kunden, egal mit welchem Produkt. Er führt ein angenehmes Gespräch wie mit einem guten Freund. Er braucht sich dabei keine Maske aufzusetzen, denn er verkauft einfach sich selbst, so wie er ist."

„Aber gerade damit haben viele Verkäufer, Menschen überhaupt, sehr große Schwierigkeiten!"

Dirk Braun: „Stimmt! Und in diesem Zusammenhang ist folgendes erwähnenswert: Viele Verkäufer leiden unter Imageproblemen. Sie versuchen, sich hinter irgendeiner anderen Identität zu verstecken, weil sie nach außen hin kein Verkäufer sein wollen. So nennen sie sich Berater, Vertriebsbeauftragter, Repräsentant, Finanzdienstleistungsberater und erfinden alle möglichen Bezeichnungen. Sie sprechen nicht von Kunden, sondern von Klienten oder Mandanten. All das mag seine Berechtigung besitzen. Viel wesentlicher aber ist: Wer verstanden hat, daß jedes menschliche Wesen auf der Erde im Grunde ein Verkäufer ist, der hat auch mit der Identität des Verkäufers keine Probleme! Ein Teil der Schulung eines Verkäufers besteht also darin, sein Problem, sich mit seinem Beruf zu identifizieren, aus der Welt zu räumen."

„Eine Art Schaffung neuen Selbstbewußtseins also?"

Martin Kolb: „Der Verkäufer soll verstehen, daß Verkaufen für ihn zum Schönsten und Wichtigsten gehört, was es auf dieser Welt gibt. Verkäufer haben ständig mit anderen Menschen zu tun, sie lernen jeden Tag neue Persönlichkeiten kennen und erobern sich immer wieder neue Welten. Was kann es Schöneres geben? Für mich persönlich bedeutet jedes Verkaufsgespräch eine riesengroße Bereicherung! Der Verkäufer besitzt derart viele Freiheiten, wenn er seinen Beruf richtig zu nutzen versteht: freie Zeiteinteilung, freie Kundenauswahl, sogar freie Wahl der Produkte, die er an den Mann bringen möchte. Gute Verkäufer haben Spaß an ihrem Beruf und Freude an den Produkten, die sie verkaufen."

THEORIE ALLEIN GENÜGT NICHT.

„Welche konkrete Rolle spielt das simulierte Verkaufsgespräch bei Ihren Schulungen?"

Martin Kolb: „Wer zur AMK ins Training kommt, der wird mit Praxis konfrontiert. Er wird im Hinblick auf seine konkreten individuellen Schwierigkeiten trainiert. Und zwar vorrangig genau auf den Punkt hin, über den er als Verkäufer am meisten stolpert. Vielfach wird im Verkaufstraining so verfahren, daß er von morgens 10 Uhr bis nachmittags 17 Uhr mit Theorien berieselt wird, ohne daß jemals die Praxis an der Reihe ist. Dazu kommt: Ob seine Verkaufszahlen danach steigen oder nicht, interessiert viele Trainer kaum."

„Da geben wir Ihnen recht. Aber wie will man das überprüfen?"

Dirk Braun: „Aus diesem Grunde legen wir sehr viel Wert auf eine Kontrolle der Ergebnisse. Zeigen die Zahlen, daß die Verkaufserfolge eindeutig nach oben gehen, sind wir zufrieden. Bleibt dies aus, muß man herausfinden, was der Verkäufer tatsächlich MACHT. Wieviele Kontakte hat er geknüpft? Wieviele Empfehlungen erhalten? Wieviele Kundengespräche geführt? Und vor allen Dingen: Wo war er mit seinen Gedanken wirklich, als er beim Kunden saß?"

„Womit wir wieder bei den bereits angesprochenen Problemen sind! Woran liegt es denn nun?"

Martin Kolb: „Oft mangelt es auch daran, daß Verkäufer an ihre eigenen Fähigkeiten gar nicht so recht glauben und allein aus diesem Grunde wieder in ihren alten Trott verfallen. Daher mag es sehr nützlich sein, wenn der Verkäufer seine Schulung auffrischt, und zwar so oft, bis er seine Fähigkeiten tatsächlich einsetzen kann. Erfolgreiche Menschen nutzen ihr Potential, weniger erfolgreiche kennen es meist nicht einmal."

WER LEHRT, SOLLTE AUS ERFAHRUNG SPRECHEN.

„Viele Verkaufstrainer lehren aus der bloßen, blanken Theorie heraus. Wie sieht es damit bei Ihnen aus?"

Dirk Braun: „Alles, was wir in unseren Seminaren vermitteln, haben wir selbst in der Praxis getestet. Wir verlangen nicht Dinge vom grünen Tisch aus. Wer bei uns neue Informationen über den Verkauf erfährt, kann sicher sein, daß wir alles selbst getestet haben."

Martin Kolb: „Leider ist der Berufsstand des Verkaufstrainers in den Augen zahlreicher Unternehmer dadurch etwas in Mißkredit geraten, daß sich auf diesem Feld schwarze Schafe tummeln, die gar nicht wissen, wovon sie reden, die nie oder kaum selbst verkauft haben. Diese unerfahrenen sogenannten ‚Trainer' richten mangels Kenntnis der Praxis tatsächlich viel Schaden bei Verkäufern an. Verkaufen ist TUN, doch darüber kann nur sprechen, wer selbst aus der Praxis kommt! Die besten Verkaufstrainer sind ungeheuer erfolgreiche Verkäufer, die im Verkauf Millionen verdienen könnten, sich aber auf das Training spezialisieren, weil sie eine noch größere Befriedigung darin finden, anderen zum Erfolg zu verhelfen."

DAS EINZIGE, WAS ZÄHLT, SIND RESULTATE.

„Worauf legen Sie wirklich am meisten Wert?"

Dirk Braun: „Ein Verkaufstrainer sollte allein nach Ergebnissen beurteilt werden und vielleicht sogar im angemessenen Verhältnis zu seinen Resultaten bezahlt werden. Es mag etwas praxisfern klingen, doch für den, der den Trainer engagiert, gibt es ein einfaches Instrument, um die Qualität des Trainers zu überprüfen: Steigen die Verkaufszahlen, oder steigen sie nicht? Wenn sie gar fallen, dann hat das Training den Verkäufern Dinge vermittelt, die für sie eine Barriere beim Verkauf bedeuten! Man sollte sich nicht scheuen, dies mit dem Verkäufer durchzusprechen. Wir haben es schon erlebt, daß ein Verkäufer nach einem angeblichen Rhetorik-Training sechs Wochen lang keinen einzigen Abschluß mehr tätigte – eigentlich ein Unding! Der Grund: Er war so sehr auf seine ART und WEISE zu sprechen introvertiert, daß er den Kunden überhaupt nicht mehr ansprach! Als er dies im Gespräch herausfand, war er enorm erleichtert!"

„Sie meinen doch nicht im Ernst, daß das Training ihn schlechter verkaufen ließ als vorher?"

Martin Kolb: „Doch! Wir haben den Fall selbst erlebt. Mit anderen Worten: Training kann mitunter auch FALSCHE DATEN übermitteln. Das einzige Kriterium für ein gutes Training ist die Antwort auf die Frage: Steigen die Umsatzzahlen des Verkäufers oder nicht?"

„Aber wie will man das sicherstellen? Wie will man es objektiv kontrollieren?"

Martin Kolb:„Das mag im Einzelfalle etwas Erfindungsgabe erfordern, aber die Ausrede ‚Es ging halt nicht!' zählt nicht! Im übrigen gilt das chinesische Sprichwort, das da lautet: ‚Sage es mir, und ich werde es vergessen; zeige es mir, und ich werde es vielleicht behalten; laß es mich tun, und ich werde es können.' Nach diesem Grundsatz bilden wir aus und lassen uns auch ausbilden."

„Immer wieder also Mittelpunkt aller Schulungen: Tun, Tun und nochmals Tun!?"

Dirk Braun: „Genau das ist es! Manchmal allerdings stößt man gerade als Trainer auf folgende Schwierigkeit: Die Person, die man ausbilden will, VERGLEICHT. Sie lernt nicht, sondern sie zieht ständig Vergleiche mit dem, was ihr ein anderer beibrachte. Sie sagt sich: ‚Kommunikation – ja, das habe ich letztes Jahr erst gelernt. Den Mund weit öffnen beim Reden und dem Kunden auf das Nasenoberbein schauen!' Mit dieser Idee über Kommunikation (wir brauchen nicht zu betonen, daß wir hier ein wenig überspitzt formuliert haben) filtert sie gewissermaßen alles, was man ihr nun über Kommunikation beizubringen versucht. Und sie versucht, Daten auf wahllose Weise miteinander zu verknüpfen, und gerät ins Trudeln."

„Wie kann man sich diesem Dilemma entziehen?"

Martin Kolb: „Auch hier bringt PRAXIS Abhilfe. Solche FALSCHEN DATEN kommen ans Licht, wenn man praktisches Training durchführt. Die Person kann das, was sie eigentlich lernen sollte, einfach nicht TUN. Sie scheitert an der Anwendung. Sie vermischt die Dinge."

„Was setzen Sie voraus? Was erwarten Sie von Ihren Teilnehmern?"

Dirk Braun: „Wir erwarten von einem Seminarteilnehmer, daß er die Bereitschaft zu lernen mitbringt. Wer überzeugt ist, schon alles über das Verkaufen zu wissen oder es ohnehin besser zu wissen, der wird nichts mehr dazulernen. Aber es gilt auch: Wer mit sich keine Geduld hat und meint, alles auf einmal erlernen zu müssen, der wird ebenfalls ins Trudeln geraten. Wir vergleichen das Erlernen des Verkaufens im Training gerne mit der Fahrschule: am Anfang ist alles neu und verwirrend, der Schüler macht viele Fehler; später ist das Fahren reine Routine und macht sogar großen Spaß."

DAS HAUPTPROBLEM DES VERKÄUFERS IST, DASS ER SEINE GEDANKEN NICHT BEIM KUNDEN HAT.

„Eine Ihrer Thesen lautet, daß die meisten Verkäufer in Gedanken fast immer woanders sind, als sie sein sollten. Können Sie das erläutern?"

Martin Kolb: „Zugegeben, es klingt beinahe unglaublich, aber diese These entspricht zahlreichen Beobachtungen von Verkäufern. Ein einfaches Beispiel: Abends befindet sich der Verkäufer in einem wichtigen Verkaufsgespräch. Er ist frustriert, weil der Kunde seine Entscheidung vertagen möchte. Es gelingt ihm nicht, den Kunden umzustimmen. Auf der Heimfahrt denkt er über den verflossenen Tag nach. Seine Frau möchte sich mit ihm gemütlich unterhalten, er reagiert mißmutig. Er denkt schon wieder an den nächsten Tag.

Am nächsten Morgen besucht er einen anderen Kunden. Auf der Fahrt denkt er über das erfolglose Gespräch des gestrigen Abends nach. Auch die kleine Verstimmung mit seiner Frau geht ihm nicht aus dem Kopf. Während des Gespräches mit dem Kunden ist er in Gedanken schon beim bevorstehenden Termin mit seinem Vorgesetzten. Mit dem Kunden läuft es natürlich nicht gut. Seine Besorgnis über das Gespräch mit dem Chef wächst. Unzufrieden verläßt er diesen Kunden, begibt sich mißgelaunt zum nächsten Termin.

Zu welchem Zeitpunkt hatte dieser Verkäufer seine Gedanken wirklich da, wo sie sein sollten? Er war nur mit Vergangenheit und Zukunft beschäftigt. Die Gegenwart hat er allenfalls vielleicht zu zehn Prozent wahrgenommen."

„Ist das nicht etwas weit hergeholt?"

Dirk Braun: „Überhaupt nicht! Schauen Sie sich die Praxis an, sprechen Sie mit Verkaufsleitern. Die werden Ihnen schon ihr Leid zu klagen wissen! Und noch etwas: Wenn man nun diesen Verkäufer, der vielleicht einen Sack voll Mißerfolgen und privaten Problemen mit sich herumschleppt, in einem Seminar zu schulen versucht, kann das Resultat verheerend sein! Beispiel: Bringen Sie diesem Verkäufer die Regeln der Körpersprache bei! Das folgende kann passieren: Er sitzt beim Kunden, hat den Kopf voller Dinge, von denen er sich geistig nicht lösen kann, und soll nun zusätzlich darauf achten, wie er seine Hände hält, in welcher Position der Kunde dasitzt, welche Mimik er zeigt etc. etc. Was ist das Ergebnis? Er wird völlig introvertieren, nur auf Äußerlichkeiten schauen und mit seinen Gedanken noch viel weniger beim Kunden sein!"

„Das wiederum leuchtet ein! Aber es ist doch wohl nur der geringste Prozentsatz an Verkäufern, der davon betroffen ist. Kann man denen überhaupt helfen?"

Martin Kolb: „In diesem Dilemma befinden sich sehr viel mehr Verkäufer, als man gemeinhin vermuten könnte. Die Abhilfe besteht darin, ihm zunächst einige stabile Orientierungsmerkmale zu vermitteln, die seine Gedanken von den alltäglichsten Problemen lösen: Er lernt Selbstmanagement, er lernt Organisation, er lernt Menschenführung, er lernt systematische Methoden der Umsatzsteigerung. Wenn er dies beherrscht, ist die Chance viel größer, daß er beim Kunden seine Gedanken zur freien Verfügung hat und wirklich interessiert an ihm sein kann. Wenn er persönliche Probleme hat und nicht meistern kann, ist eine individuelle Aussprache erforderlich."

„Sind Sie ein Gegner der Körpersprache?"

Martin Kolb: „Nein. Aber das ist hohe Schule! Die meisten Verkäufer beherrschen ja nicht einmal das Einmaleins des Verkaufs!"

„Packen Sie noch etwas mehr aus zu diesem Kapitel. Wie kann der Verkäufer ein wirklich ‚heißes' Verkaufsgespräch lernen?"

Martin Kolb: „Der Verkäufer muß lernen, das Interesse des Kunden zu fesseln, es spannend für ihn zu machen, dem Gespräch zu folgen! Vergessen Sie die faden, eintönigen, langweiligen und abgedroschenen Verkaufsgespräche! Damit lockt man wirklich keinen Hund mehr hinter dem Ofen hervor! Der Verkäufer muß also lernen, andere wirklich in eine Kommunikation mit ihm zu verwickeln. Das ist aber nicht das gleiche wie Rhetorik – Rhetorik hat zu tun mit Gestik, Mimik, manchmal auch Tricks und Kniffen zur Manipulation, aber nicht mit Kommunikation, die man mit einem anderen menschlichen Wesen aufbaut."

„Ist das nicht sehr gewagt, damit auch alten Verkaufsprofis zu kommen?"

Dirk Braun: „Wenn man dies Verkäufern erstmals vermittelt, wird man mitunter verblüffende Erfahrungen machen. Sie haben mit Kunden geredet und geredet und geredet, aber niemand hat ihnen zugehört! Oder der Kunde redete und redete und redete, und sie waren niemals imstande, ihre eigene Botschaft zum Kunden zu bringen! Sie haben dem Kunden eine Frage gestellt, keine Antwort erhalten und das Thema gewechselt! Die wirklich hohe Schule der Kommunikation beinhaltet, wie man all diese verzwickten Gesprächssituationen beherrscht und steuert. Und um Ihre Frage zu beantworten: Selbst die ausgekochtesten Profis staunen, was sie hier noch dazulernen können!"

ES GIBT KEINE UNTERSCHIEDLICHEN VERKÄUFERTYPEN.

„Wie gehen Sie mit den unterschiedlichen Arten von Verkäufern um?"

Martin Kolb: „Egal, wie unwahrscheinlich diese Aussage klingt, sie ist dennoch wahr: Unterschiedliche Verkäufertypen gibt es nicht! Warum? Weil alle Verkäufer über die genannten Werkzeuge der Kommunikation verkaufen.

Daraus folgt eindeutig: Man kann Verkäufer nicht in unterschiedliche Klassen einteilen, um sie dann unterschiedlich zu trainieren. Auch folgt daraus: Verkäufer müssen nicht immer wieder neue Verkaufsseminare belegen, weil es wieder einmal etwas Neues gibt. Sie müssen die Grundlagen erlernen! Die Basis!"

„Aber das ist doch das genaue Gegenteil dessen, was man heute immer wieder über Verkaufspsychologie hört?"

Dirk Braun: „All das psychologische Getue, auch die Einteilung von Käufern und Kunden nach Farben, Formen und Fähnchen sind nach unserem Dafürhalten völliger Unsinn! Hier sind zwei Menschen, und entweder es gelingt ihnen, miteinander zu kommunizieren, einander zu mögen und eine gemeinsame Übereinkunft aufzubauen, oder es gelingt ihnen nicht!"

„Dennoch gibt es doch eindeutige Unterschiede zwischen Verkäufern!"

Martin Kolb: „Zweifellos! Jeder Verkäufer ist ein Individuum! Wenn man Verkäufer jedoch gegeneinander abgrenzen und Unterschiede feststellen möchte, dann beobachte man ihre emotionale Verfassung, in welcher sie sich die meiste Zeit befinden. Sind sie chronisch gut drauf, oder wirkt es gekünstelt, und sind sie in Wirklichkeit traurig, zornig, apathisch? Hegen sie vielleicht einen versteckten Haß gegen andere Menschen? Können sie den Kunden eigentlich gar nicht ausstehen? Zu viele Verkäufer laufen leider mit einem Schein-Überschwang herum, sind es in Wirklichkeit sogar leid, diese Maske aufzusetzen. Dann ist es besser, die echte Emotion an den Tag zu legen! Zumindest sind sie dann ehrlich zu sich selbst."

JEDER VERKÄUFER IST EIN MANAGER.

„Ein Teil Ihrer Schulungen betrifft die Selbstorganisation. Welchen Stellenwert messen Sie dem bei?"

Martin Kolb: „Viele Verkäufer scheitern schon, bevor sie überhaupt zum Kunden gehen, nämlich an ihrer eigenen Desorganisation. Zahlreichen Verkäufern gehen Unmengen von Geld verloren, weil sie sich nicht zu organisieren wissen. Sie vergessen, sich eine wichtige Telefonnummer zu notieren, sie holen sich keine Referenzen, sie beantworten Briefe oder Anfragen nicht, sie bleiben mit ihren Kunden nicht in Kontakt und lassen sich Folgegeschäfte entgehen, und manchmal vergessen sie sogar ihre Termine."

„Lernen die Verkäufer auch etwas über Management im allgemeinen?"

Dirk Braun: „Wenn sie wollen, ja. Der Verkäufer muß immerhin nicht nur sich und seinen eigenen Terminkalender managen, er ist auch der Manager anderer Leute. Selbst wenn er keinen Strukturvertrieb leitet, hat er dennoch ständig mit dem Management anderer Menschen zu tun. Da ist zum einen der Kunde, den er zu einem Termin und zu einem Abschluß ‚managt'. Ein gewisser Prozentsatz des Produktes verkauft sich mehr oder minder von selbst, so daß der Verkäufer oft gar nicht bemerkt, wie schlecht er als Manager tatsächlich ist! Er muß also die Kunst des Kundenmanagements lernen. Er muß auch seine Ehefrau managen, etwa wenn er nachts zu später Stunde erst von einem Kundenbesuch nach Hause kommt! Oder er muß seinen Vorgesetzten, seine Führungskraft managen, denn auch mit dieser Person muß er schließlich zurechtkommen. Wenn er wie eine aufgezogene Spielzeugfigur nur tut, was ihm ein anderer befiehlt, hat er als Manager versagt! Management bedeutet, Menschen zu führen: eine Führung, die zu einem definitiven Ergebnis führt. Er lenkt die Dinge in seiner Umgebung so, daß am Ende etwas Positives für ihn herauskommt. Das ist seine Aufgabe als Verkäufer!“

DAS WICHTIGSTE GESCHÄFT DES VERKÄUFERS SIND MENSCHEN.

„Sie haben in einem früheren Gespräch behauptet, daß Menschen die wichtigste Ware des Verkäufers seien. Wie ist das zu verstehen?“

Dirk Braun: „Das knüpft unmittelbar an die Gedanken an, über die wir eben sprachen. Ein Verkäufer hat IN ERSTER LINIE mit Menschen zu tun, nicht mit Waren! Es spielt daher überhaupt keine Rolle, in welcher Branche er verkauft, was er unter die Leute bringt, solange er sich damit beschäftigt, Menschen zu gewinnen. Was ist also das Grundlegendste, was ein Verkäufer überhaupt erlernen muß? Mit Menschen umzugehen natürlich!“

„Im Zentrum aller Verkaufsbemühungen steht also immer der Mensch, nicht das Produkt?“

Martin Kolb: „Stimmt. Und das macht ihn schließlich, wenn er es beherrscht, zu einem Freund vieler Menschen! Damit sind viele Probleme vom Tisch! Der Verkäufer, der GUTE PRODUKTE verkauft, bereitet Menschen Freude. Er liefert ihnen Service, bringt ihnen Nutzen, den sie vorher nicht hatten. Das macht ihn als Mensch beliebt, sympathisch und wertvoll. Er ist nicht mehr jenes unfreundliche Monster, das möglichst vielen Leuten das Geld aus der Tasche zieht. Das persönliche Image des Verkäufers wird sich so in Zukunft völlig ändern! Übrigens geht diese Aussage: Ihr Geschäft sind Menschen! zurück auf den Amerikaner Bill Gove, der damit jene Verkäufer in seinen Seminaren zu überzeugen pflegte, die meinten, in ihrer Branche sei alles anders. In jeder Branche haben Sie es mit Menschen zu tun! Wer verkauft, verkauft an Menschen!“

DIE BEDEUTENDSTE AUFGABE EINES VERKÄUFERS IST ES, MENSCHEN KENNENZULERNEN.

„Was ist der allererste Schritt, den Verkäufer unternehmen müssen, wenn sie erfolgreicher sein wollen? Was müssen sie als erstes beherrschen?“

Martin Kolb: „Bevor ich verkaufen kann, muß ich Kontakte knüpfen. Viele Kontakte. Ich muß neue Kommunikationslinien auftun, muß mich mit Menschen in Verbindung setzen. Hierfür gibt es zahlreiche bewährte und einfache Methoden. Beispiel: Treten Sie Clubs oder Vereinen bei! Der Verkäufer darf sich nicht scheuen, in die oberste Riege sozialer Kontakte aufzusteigen. Er sollte imstande sein, zu jeder potentiellen Kundenschicht Kommunikation aufzubauen und sie somit entweder selbst als Kunden zu gewinnen, oder über diese Kontakte Empfehlungen zu erhalten, die er wiederum in Verkäufe verwandeln kann.“

„Hat das mit den im ersten Punkt erwähnten Gesetzen der Kommunikation zu tun?“

Dirk Braun: „Ja. Wenn der Verkäufer die Gesetzmäßigkeiten der Kommunikation beherrscht, kann er sie in jeder Situation anwenden. Zu Hause, beim Kunden, am Telefon, beim Zahnarzt, im Golfclub – es gibt keine Grenzen für den, der mit seiner Umgebung in Kommunikation ist und wirklich so lebt, wie ein Mensch glücklich ist.“

„Wie lange dauert denn nun eine solche Schulung bei Ihnen?“

Martin Kolb: „Die Grundlagen lassen sich bereits an einem Zwei-Tage-Seminar vermitteln und im Laufe der Zeit vertiefen. Wenn der Verkäufer zugleich dem Prinzip von Wahrheit und Ehrlichkeit treu bleibt, wenn er ein Produkt vertreibt, zu dem er steht und das er bestens kennt, wenn er bessere Produkte, besseren Service als die Mitbewerber bietet, kann er dem Erfolg nur noch mit großer Selbstüberlistung entkommen!“

„Ist es Ihnen egal, welche Produkte die Verkäufer vertreiben, die Sie schulen?“

Dirk Braun: „Nein. Wir sprechen hier von Verkäufern, die ein gewisses Maß an ethischen Grundprinzipien vertreten, die Produkte verkaufen, welche dem Kunden einen Nutzen bringen. Wer nur seinen eigenen Vorteil und den eigenen Geldbeutel im Sinne hat, ist möglicherweise auch ein Verkäufer, aber in unseren Augen eigentlich ein Betrüger. Er sollte zunächst einmal mit sich ins Reine kommen und sich überlegen, warum er eigentlich diesen Beruf ausübt. Möglicherweise hat er gravierende Probleme im Leben, doch es gibt immer auch eine ETHISCHE Lösung dafür! Vielleicht braucht er etwas Hilfe von außen, einen Anstoß, eine andere Person. Auf jeden Fall aber sollte er einen Schritt in die richtige Richtung wagen.“

„Stehen Sie auch für firmeninterne Seminare zur Verfügung?“

Martin Kolb: „Selbstverständlich bieten wir auch firmeninterneSeminare an, allerdings höchst ungern für den Themenbereich Kommunikation. Das größte Problem in dieser Thematik liegt darin, daß sich der Verkäufer eine Rolle antrainiert, aufgebaut hat, die er vor den anderen Verkäufern und dem Verkaufsleiter zu wahren sucht. Um nun wirklich etwas dazulernen zu können, müßte er zumindest einen Teil dieser Rolle aufgeben. Damit aber würden ihn (befürchtet er) die anderen so sehen, wir er wirklich ist, mit all seinen Ängsten und Fehlern, mit seiner Hilflosigkeit im Verkauf und in der Führung. Seinen Kollegen und Chefs geht es übrigens genauso. Mancher Firmenchef würde liebend gerne ein Training besuchen, hat aber Angst, dort eigene Mitarbeiter zu treffen.

Unsere Firmentrainings sind daher so gestaltet, daß in den Seminargruppen keiner der Anwesenden den anderen kennt. Das ist allerdings nur in großen Unternehmen möglich und wird in Richtung der oberen Etagen immer schwieriger.

Die besten Erfahrungen konnten wir bislang mit Einzeltrainings unter vier Augen sammeln, wobei dies gleichermaßen für die Bereiche Verkauf, Organisation und Führung gilt. Unter Ausschluß der Öffentlichkeit sozusagen werden die schnellsten und besten Ergebnisse erzielt."

„Wodurch unterscheiden Sie sich von anderen Ihrer Meinung nach?"

Dirk Braun: „Um ehrlich zu sein: Darüber sollte sich jeder selbst ein Urteil bilden! Der eigentliche Clou bei dem Ganzen ist: Wenn man die Tops unter den Tops, die wirklich besten unter den Verkaufsprofis einmal näher betrachtet, dann entdeckt man ein sehr einfaches Geheimnis: Sie beherrschen rund um die Kommunikation einfach alles. Von den Regeln der Gesprächsführung bis hin zum lockeren, natürlichen Humor, zur Begeisterungsfähigkeit, zur präzisen Gesprächskontrolle. Nur: Dem Durchschnittsverkäufer bringen sie das nicht bei! Diese Möglichkeit, es systematisch zu erlernen, gibt es jetzt. Verkaufen muß einem also nicht in die Wiege gelegt worden sein, um es dennoch zu den Leistungen zu bringen, für die wir die Besten bewundern!"

UNSERE GRUNDSÄTZE

DIE GESETZE DER KOMMUNIKATION KÖNNEN FÜR AUSBILDUNG VON VERKÄUFERN IN GRUNDLEGENDE WERKZEUGE UMGEWANDELT WERDEN.

DAS WICHTIGSTE BEIM VERKAUFSTRAINING IST, DASS DIE FÄHIGKEIT DER PERSON REHABILITIERT WIRD.

THEORIE ALLEIN GENÜGT NICHT.

WER LEHRT, SOLLTE AUS ERFAHRUNG SPRECHEN.

DAS EINZIGE, WAS ZÄHLT, SIND RESULTATE.

DAS HAUPTPROBLEM DES VERKÄUFERS IST, DASS ER SEINE GEDANKEN NICHT BEIM KUNDEN HAT.

ES GIBT KEINE UNTERSCHIEDLICHEN VERKÄUFERTYPEN.

JEDER VERKÄUFER IST EIN MANAGER.

DAS WICHTIGSTE GESCHÄFT DES VERKÄUFERS SIND MENSCHEN.

DIE BEDEUTENDSTE AUFGABE EINES VERKÄUFERS IST ES, MENSCHEN KENNENZULERNEN.

Holger Münter
BDVT

„Training bedeutet heute: vor allem Flexibilität im Denken zu erzeugen.“

Wenn man Insidern den Namen Holger Münter nennt, erhält man einhellige Zustimmung. Zustimmung, die auf durchweg positiver Erfahrung mit praktischem Training beruht. Grund für uns, diesen „Solisten“ der Trainerbranche einmal näher ins Visier zu nehmen. Beginnen wir mit dem üblichen.

Man könnte, sofern man wollte, den Werdegang von Holger Münter in bunten und dramatischen Bildern umschreiben. So etwa unter der Schlagzeile: „Der lange Weg von Zeche Germania zum Spitzentrainer“. Oder: „Wie er es schaffte, erfolgreich und glücklich zu sein, trotz ..“ Oder: „Warum die schlechtesten Startbedingungen oft gerade die besten sind". Lassen wir lieber diese unzulänglichen und kläglichen Versuche der allegorischen Verpackung einer im Grunde sehr geradlinigen Karriere. Der Karriere von Holger Münter eben. Und die hört sich in der Originalaufnahme so an:

„Jahrgang 1945, geboren in Dortmund, Vater Dortmunder, Mutter aus Flensburg. Zunächst in Flensburg aufgewachsen, dann wieder ins Ruhrgebiet gezogen, wo sich mein Vater mehr schlecht als recht als Dreher durchschlug. Er war oft arbeitslos und hatte eine Familie mit sieben Kindern zu ernähren. Ende eines Jugendtraumes: Zeche statt Zaster, Steine schleppen statt Studium. Elektrikerlehre, ein halbes Jahr lang lernte ich unter Tage, grübelte, wie ich mir meinen Wunsch vom Studium dennoch erfüllen könnte. Schließlich gelang es mir doch, auf der Abendschule zunächst die Mittlere Reife nachzuholen, parallel dazu eine zweijährige Tätigkeit als Betriebselektriker bei Hertie in Dortmund zu absolvieren. Es war, ich bin ganz ehrlich, eine wilde Zeit. Mit 19 kam ich zum Militär und ergriff die Chance, meinem Traum erneut einen Schritt näher zu kommen. Kurzum, nach acht Jahren Bundeswehr und einer Ausbildung zum Elektronikmeister hatte ich schließlich die Zulassung zum Studium. Nur das Interessengebiet hatte mittlerweile gewechselt."

Aus dem ehemaligen Hoffnungsaspiranten eines Ingenieurstudiums wurde nun ein angehender Pädagoge. Während er bei der Bundeswehr eifrig daran gearbeitet hatte, die Fehlersuche beim Starfighter eifrig zu unterstützen, um die Quoten erfolgreicher Landungen ein wenig zu erhöhen (die meisten brauchten bekanntlich keine Landebahnen), wechselte er nun von der Materie Maschine zum Metier Mensch. „Ich mache keinen Hehl daraus, daß mich die 68er Bewegung sehr stark animierte, mich statt Technik fortan mit Menschen und deren Lebensumfeld auseinanderzusetzen."

In Münster erwarb er das Staatsexamen für die Grund- und Hauptschule. Gleich daran anschließend ein Diplom für Erwachsenenbildung. Ob der darauffolgende Versuch der Dissertation an der gleichzeitig auseinanderbrechenden ersten Ehe oder letztere an der Dissertation scheiterte, konnten wir nicht ergründen. Fest steht, daß Holger Münter als Referent für Weiterbildung zu einer großen Versicherungsgesellschaft nach Bonn berufen wurde. Als Stipendiat der Friedrich-Ebert-Stiftung eine Ehre und Verpflichtung zugleich. Dort hielt er es volle siebeneinviertel Jahre aus. Nur daß er die Weiterbildungsseminare zwar bundesweit organisieren, aber weniger oft selbst halten sollte. Zwar war er seit 1974 praktisch als Trainer in der Erwachsenenbildung engagiert, aber seine Hauptaufgabe war eine andere. Also kaufte er Trainer ein, besuchte Seminare, lernte viel und legte sich auch gerne mal mit seinen Vorgesetzten an. Eben 68er-Generation. Ein wenig motzig, ein wenig rot und vor allem kein bißchen Ja-Sager. Unkündbar zudem, weil er sich (wie clever!) frühzeitig in den Personalrat wählen ließ.

Im Studium lernte er seine heutige Lebensgefährtin kennen. Der Wunsch nach gemeinsamer Wohnung und Nachwuchs, die sichere Stelle seiner Gefährtin im öffentlichen Dienst und das Gefühl, seit seinem 14. Lebensjahr eigentlich eine ganze Menge geschafft zu haben im wahrsten Sinne des Wortes, veranlaßten ihn, die Stelle zu kündigen und sich in ganz kleinem Stile als Trainer selbständig zu machen. Das war vor sechs Jahren, 1986 also.

Um aber der Wahrheit Genüge zu tun: So klein war der Stil seines anfänglichen Trainings nun doch nicht. Immerhin waren es sechzig Trainingstage pro Jahr bei einem großen Elektrizitätsunternehmen, sozusagen im Dauerabonnement. „Ich hatte mittlerweile einiges an privater Fortbildung absolviert, mich in der Szene umgesehen und gelernt, was mir nützlich und brauchbar schien. Transaktionsanalyse, Psychodrama und wie sie alle hießen, die verschiedenen Psychotechniken." Immerhin, er ließ es sich einigermaßen gut ergehen. Als er aber feststellen mußte, daß Kontostand und Akquisition irgendwie untrennbar miteinander verknüpft sind, begann er allmählich, nicht nur anderen das Verkaufen und Führen beizubringen, sondern sich selbst zu verkaufen. Das hatte er nämlich bislang überhaupt nicht nötig gehabt. (Und braucht es übrigens bei diesem seinem ersten Kunden bis heute nicht, denn die Aufträge kommen Jahr für Jahr, was durchaus als Kundenzufriedenheit mit dem Service interpretiert werden darf.)

Ein Einzeltrainer also, wie viele andere? Einer aus dem umstrittenen Markt der Psychotechniken gar? Wer jetzt von unguten Gefühlen beschlichen wurde, kann sich beruhigt sehen. Holger Münter ist durchaus ein Mann der Praxis, der die Grenzen seines Tuns ausgelotet hat. „Was man tut, muß vor allem von einem ethischen Hintergrund getragen werden. Wer einfach nur drauflos experimentiert, ohne jeglichen Sinn für das, was für die einzelnen Menschen gut ist oder nicht, ist in meinen Augen ein Scharlatan."

Nicht nur schöne Worte, möchten wir meinen. Kommen wir einmal zur Sache. Was trainiert ein Holger Münter, der übrigens auch Mitglied im BDVT ist, und wen trainiert er? Und vor allem: Wie verkauft er sich selbst? Immerhin, das wissen wir, zählen zu seinen Kunden solche, die man nicht gerade als „kleine Fische" abtun könnte. Es sei denn, man würde die Douglas Holding oder Bertelsmann Distribution oder etwa Eismann nicht kennen. Wie hat er es geschafft, welches sind seine Methoden, was hat funktioniert und was nicht? Und: Welchen Rat kann er vermitteln, wenn es um die Auswahl qualifizierter Trainer geht? Fragen über Fragen, die Holger Münter geduldig zu beantworten wußte.

„Das zentrale Thema all meiner Trainings ist Kommunikation. Wenn mich Leute fragen, ob ich Verkaufstrainer oder Managementtrainer bin, antworte ich ihnen: Ich bin Kommunikationstrainer. Das umfaßt beides und noch viel mehr."

Holger Münter lernte viel und lernte vor allem das am liebsten, was in der Durchführung auch richtig Spaß machte. „Es gibt viele sogenannte Psychotrainings, die jedoch daran kranken, daß der Mensch allzu intensiv auf die negativen Seiten seiner Vergangenheit gestoßen wird. Ich bevorzuge Training, das Freude macht, das die Menschen ermutigt, das eigene Denken über das Erlebte zu hinterfragen. Nicht das Erlebte an sich kann sich verändern – was geschehen ist, kann schließlich niemand ungeschehen machen – sondern die Einstellung, wie man darüber denkt, kann man bei einem Menschen verändern. So erhalten Menschen mit einem Male eine andere Auffassung über ihr Leben. Wenn sie sich bislang als Versager, als unterdurchschnittlich erfolgreich, als Pechvögel betrachtet haben, so können sie sich plötzlich auch als fröhliche, positive, erfolgreiche Menschen erleben. Jeder hat doch beides im Leben mitgemacht. Entscheidend ist: Worauf konzentriert man sich?"

So wird jede Rückschau auf das eigene Leben zugleich Aufgabe sein, diese Rückschau nicht in einem Fiasko negativer Gefühle enden zu lassen. Genau das aber ist die Sackgasse, in der viele sogenannte Psycho-Trainer und Trainierte oft steckenbleiben, wenn ersterer sein Handwerk nicht wirklich beherrscht. „Mich fasziniert immer wieder, welche Dynamik in diesem Bereich vorhanden ist. Wieviel Spaß und Freude man selbst dabei empfinden kann, wenn man anderen Menschen diese Erlebnisse von Freude nahebringen kann."

Nicht zuletzt also führt Holger Münter seinen Erfolg, das was er heute ist, auch auf den positiven Einfluß seiner Familie zurück. „Meine Frau unterstützt mich immer und immer wieder, wenn sie ihren siebten Sinn auf die Waagschale bringt. Denn auch ich arbeite nicht gerne mit Kunden zusammen, mit denen am Ende nur Ärger ins Haus steht. Sie schafft es, schon am Telefon zu sondieren, mit wem die Chemie stimmen kann und mit wem nicht. Und mein Sohn, er war ja letztlich der ausschlaggebende Grund dafür, daß ich meinen Beruf, meine sichere Stellung an den Nagel hing und eine eigene Existenz aufbaute. Was mir im übrigen auch viel Zeit übrig ließ für meinen Junior." Mit Stolz kann Holger Münter auf das bisher Erreichte zurückblicken: Er entstieg allen bürokratischen Zwängen, in die er als Angestellter zwangsläufig verstrickt war. „Bürokratie in einem gewissen Ausmaß muß sein, wir alle brauchen eine vernünftige Form von Verwaltung und Selbstverwaltung. Doch die Zwänge, in die man als Nicht-Selbständiger eingebunden ist, sind zu groß, um wirklich Kreativität und den eigenen Willen, die eigenen Vorstellungen zu entfalten. Zu viele Nicht-Fachleute müssen dort über zu viele Dinge entscheiden, von denen sie wenig verstehen. Da ich von Natur aus kein einfacher Mensch bin, waren Reibereien in dieser Beziehung vorprogrammiert."

Übrigens verdiente sich, das sei hier nachholend erwähnt, unser Gesprächspartner seine ersten Sporen mit Erwachsenenbildung schon während seines Studiums durch das Abhalten politischer Seminare an der Friedrich-Ebert-Stiftung in Bonn. „In diesem Zusammenhang beschäftigte ich mich sehr intensiv mit der Wirtschaftspolitik in der damaligen DDR und stellte Vergleiche an zwischen diesem und unserem Wirtschaftssystem. Oder ich organisierte Seminare zum Thema Kernkraft, wobei ich immer beide Seiten einlud und Moderator spielte." Das Zubrot, das ihm diese Aktivitäten einbrachte, benötigte er, um seine damalige Familie zu versorgen. Denn schon mit 19 hatte er zum erstenmal geheiratet und zwei Töchter aus erster Ehe zu versorgen.

Das zentrale Stichwort für unser Gespräch hat er selbst in den Raum geworfen: Kommunikationstraining. Ein Begriff, der irgendwie alles und nichts bedeuten kann. Nicht für unseren Gesprächspartner allerdings, der hier sehr konkrete und greifbare Vorstellungen besitzt. „Nehmen wir als Beispiel einen Manager, eine Führungskraft. Damit muß nicht einmal ein Vertriebsleiter gemeint sein. Etwa zu 80 bis 90 Prozent besteht der Arbeitstag einer Führungskraft aus Kommunikation. Kommunikation innerhalb des eigenen Unternehmens, mit Untergebenen, gleichgestellten Kollegen und Vorgesetzten. Dem einen hat er Anweisungen zu vermitteln, dem anderen Rechenschaft abzulegen. In jedem Falle spielt die Art, wie er Kommunikation macht, eine entscheidende Rolle dabei, wie gut oder wie schlecht er sich auf seinem Job fühlt. Ich nenne dieses Training *Führen und Zusammenarbeit*, eine ganz starke Schiene meiner Seminare." Die zweite Schiene begann er als Trainer an der Verkaufsleiterschule in München: das Perfektionieren von Spitzenverkäufern. Lupenreines Verkaufstraining also. „Beides ist in meinen Augen Kommunikationstraining, auch wenn es in unterschiedlichen Formen verpackt und an unterschiedliche Zielgruppen geliefert wird", betont er. „Ein dritter Randbereich, eine Art Mentaltraining, hat sich eigentlich eher wie von selbst ergeben. Man ist einfach mit der Bitte an mich herangetreten, kleinere Seminare zum Thema Streß- und Konfliktmanagement sowie Rhetorik zu geben."

Uns interessiert brennend, worin Holger Münter die Hauptaufgabe des Führungstrainings in den kommenden Jahren sieht. Was werden seiner Beobachtung nach die Schwerpunkte sein? Die vorrangigen Pflichten eines Trainers? Holger Münter: „Die 90er Jahre zeichnen sich vor allem dadurch aus, daß es Zeiten großer Veränderungen sind. Und schneller Veränderungen zudem. Nie erlebten wir eine solche Geschwindigkeit der Veränderungen wie in den letzten drei oder vier Jahren. Und in diesem Tempo wird es weitergehen, denn die politischen Umwälzungen bedingen wirtschaftliche Lawinen größten und allergrößten Ausmaßes. Ein Konzern, der heute noch völlig gesund und intakt ist, kann plötzlich morgen ins Trudeln kommen und übermorgen von der Bildfläche verschwunden sein. Nichts ist mehr unmöglich in dieser Zeit globaler Erdbeben, gerade die Firmenlandschaft hat sich und wird sich noch ungeheuer verändern. Daher sehe ich den Schwerpunkt des Führungstrainings vor allem darin, eine größere Flexibilität bei den Führungskräften zu erreichen. Viele der Veränderungen, die um uns herum vonstatten gehen, sind noch lange nicht in unsere Köpfe eingezogen. Mental operieren wir genauso weiter, als wäre alles beim alten. Viele Führungskräfte können sich nicht mit der Vorstellung anfreunden, daß ihr Unternehmen, ihre Mitarbeiter und sie ganz persönlich von diesen Umwälzungen unmittelbar betroffen sind. Menschen sind von Natur aus träge, vor allem, wenn sie einen gewissen Standard erreicht haben. Aber heute ist uns vieles nicht mehr als selbstverständlich garantiert. Wir müssen wieder ganz neu an die gestellten Aufgaben herangehen, müssen die neuen Parameter verstehen und flexibel auf die Herausforderungen des Marktes der kommenden Jahre reagieren. Nicht allein, daß wir ab 1993 einen unvorstellbar großen Binnenmarkt haben, was allein schon für viele Unternehmen das Aus bedeuten kann, wenn sie sich nicht beweglich genug zeigen; hinzu kommen die wirtschaftlichen Aufgaben, die sich im Osten stellen und die an keiner Grenze mehr Halt machen. Nachdem die erste ursprüngliche Begeisterung und Freude verflogen sind, stellen sich bei vielen Menschen Ängste um die Zukunft ein. Ängste, mit denen eine Führungskraft umgehen können muß, bei sich und bei ihren Untergebenen."

Sind also neue Motivationstechniken gefragt? Neue Formen der Zielsetzung? Unser Gesprächspartner hat die Frage registriert, stellt sie jedoch zunächst zurück. „Mein oberstes Lernziel ist Flexibilität; das zweite in der Rangfolge der Seminarziele ist, mit sich selbst und anderen besser klarzukommen. Wer die Aufgabe hat zu führen, muß zunächst sich selbst besser führen können. Leider kranken viele Manager daran, daß sie mit ihrem eigenen Leben, mit Ihrem Lebenspartner, mit Freunden, mit dem Geld und dem Erfolg nicht zurechtkommen. Alkohol, Scheidung und viele andere Probleme tun ein übriges, und dieser Kreislauf von Schwierigkeiten schlägt sich zudem in der Beziehung zu den Mitarbeitern nieder. Das war übrigens der Grund, warum ich ein Institut für Persönlichkeitsentwicklung, Bildung und Personalentwicklung gegründet habe: Ich erkannte die Notwendigkeit, auch Persönlichkeitsberatung zu vermitteln."

Darin liegt jedoch nicht der derzeitige Schwerpunkt der Aktivitäten. Uns interessiert, mehr darüber zu erfahren, wie man diesen wunden Punkt mangelnder Flexibilität konkret in der Praxis beheben kann. Denn eingebunden in Strukturen, Formen und Vorgaben sind wir schließlich alle, von der Macht der Gewohnheiten einmal ganz zu schweigen. „Flexibilität beginnt genau da: beim eigenen Denken. Die Käfige sitzen in erster Linie in unseren Köpfen. Keine von außen auferlegte Zensur ist so stark wie die Enge in den Köpfen der Menschen. Was sich in Jahren der Gewohnheit als innere Gebote, Vorschriften und feststehenden Denkschemata eingeprägt hat und in der Einstellung und im Verhalten des einzelnen niederschlägt, ist fast immer von der bestehenden Realität weit entfernt. Denn die Realität in vielen Unternehmen sieht heute so aus, daß eigentlich ein weitgehend flexibler Führungsstil erlaubt, ja gewünscht ist; es wird sogar vorausgesetzt, daß der Manager in der Lage ist, seine

Spielräume zu erkennen und geschickt zu nutzen zu beiderseitigem Vorteil. Denn erstens kann er sich persönlich dadurch besser entfalten, zweitens ist man längst zu der Erkenntnis gelangt, daß starre, bürokratische Hierarchien und Führungsvorschriften einem Wirtschaftsunternehmen von heute den sicheren Tod bringen werden. Was ich den Führungskräften daher vorrangig vermittele, ist das *Erkennen und Ausnutzen der eigenen Spielräume*. Zu jeder Veränderung einer eingeprägten Einstellung gehört jedoch unbedingt, daß der Betroffene dies einsieht und die Einstellung aus freiwilliger Einsicht ändert, nicht aufgrund eines Diktates seitens des Trainers."

Folgerichtig bleibt also das Training selbst permissiv, freizügig, beinahe eine laisse-faire-Angelegenheit. „Wir schreiben nicht vor, welches Verhalten oder welche Einstellung besser ist; wir stellen zunächst einmal fest, daß grundsätzlich jedes Verhalten und jede Einstellung irgendwann einmal einen bestimmten Sinn und Zweck erfüllte. Aber was vor zwanzig Jahren gut und sinnvoll war, daß paßt möglicherweise nicht mehr in die veränderte Landschaft von heute. Wenn mir meine Mutter nach dem Krieg einprägte, den Teller leerzuessen, dann hatte dies einen Sinn: Ich war dünn und unterernährt; wenn ich heute nach diesem Denkschema verfahre, dann wirkt dies eher hinderlich. Solche und andere einfache Beispiele helfen, dem Teilnehmer das nötige Verstehen zu vermitteln, was mit überholten Denkmustern gemeint ist."

Flexibilität bedeutet also: auf die Anforderungen des jeweiligen Tages angemessen zu reagieren, sich möglicherweise neue Einstellungen und Verhaltensweisen zunutze machen. „Im Grunde ist dies eine Art Anpassungsschulung, aber dieses Wort steht bei Seminarteilnehmern nicht gerade hoch im Kurs. Doch es geht genau darum: Sich neuen Umständen anpassen, variabel darauf reagieren können. Seien dies Anforderungen des Marktes, andere Firmen, Mitarbeiter – besonders die von der etwas schwierigeren Sorte – oder auch Chefs. Man könnte ein eigenes Seminar zum Thema ‚Wie führe ich meinen Chef' veranstalten! Denn gerade im mittleren Management haben Führungskräfte in vielen Fällen die Schwierigkeiten nicht im Umgang mit den eigenen Mitarbeitern, mit denen sie sich blendend verstehen, sondern mit den Vorgesetzten. Oder sie hängen zwischen zwei Fronten wie das Hacksteak im Sandwich. Ich gebe zu, es ist eine anspruchsvolle Aufgabe, wenn man sich vornimmt, Einstellung und Verhalten zu ändern, und das möglichst noch in einem Dreitages-Seminar; aber man kann tatsächlich mit den kleinen Beispielen beginnen und es sozusagen Stück für Stück einüben und erlernen. So, wie man ja auch Autofahren gelernt hat. Wer sich noch an die erste Fahrstunde erinnert, der weiß, wie kompliziert damals alles schien, was uns heute völlig selbstverständlich ist. Man verinnerlicht diese Dinge, bis sie einem in Fleisch und Blut übergegangen sind, wobei wir uns in den Seminaren modernster Lernmethoden bedienen."

Hier bleibt Holger Münter selbstredend stets am Ball; vier Wochen persönliche Fortbildung im Jahr sind für ihn Pflicht. Übrigens im großen Umfange in den USA. Was uns ein weiteres Stichwort ist. Wir erkundigen uns nach dem „american way of managing", dem, was dort anders ist. Mehr Großzügigkeit, freierer Umgang miteinander, keine verkrusteten Strukturen mit preußischen Wurzeln wie bei uns? „Für uns mag es so aussehen, als sei dieser ‚american way of life', oder das ‚everything goes', der Weisheit letzter Schluß. Ich kann jedoch aus eigener Erfahrung berichten, daß man längst in vielen Fällen mit großer Neugierde verfolgt, was sich bei uns tut. Was wir bei uns längst feststellen können, ist eine starke Abflachung der Hierarchien in den Unternehmen, eine Ent-Autorisierung. Jene Unternehmen sind am Markt am erfolgreichsten, die nicht mehr in starren Formen von Unterwerfungsritualen feststecken. So wird überall experimentiert, und gerade jetzt ist unternehmerisches Denken seitens der einzelnen Mitarbeiter sehr gefragt. Die Schwierigkeit dabei ist nur: Wenn jemand wirklich unternehmerisches Denken an den Tag legt, dann wird er Unternehmer. So kommt es zu einem gewaltigen Boom, zu zahlreichen Firmengründungen, was geradezu phantastisch ist. Kleine, flexible Unternehmen besitzen plötzlich eine reelle Chance, es mit den großen aufzunehmen, und es ist erstaunlich, in wievielen Richtungen und Farben sich dies entwicklen kann. Man kann sagen, wir erleben eine Renaissance der Neugründungen. Ich würde also keinesfalls hier den Vergleich mit den USA heranziehen. Die Zeichen bei uns stehen auf unternehmerischem Erfolg gerade mit kleinen und mittelgroßen Betrieben."

Folgerichtig sieht sich Holger Münter selbst als jemand, der flexibel und nichtautoritativ auf die Anforderungen an ihn als Trainer zu reagieren hat. „Wichtigste Grundlage allen Trainings ist, daß man sich selbst einen ethischen Rahmen schafft. Ich lasse meinen Teilnehmern die Freiheit, Übungen und Vorschläge zu akzeptieren oder auch nicht. Ich denke, eines der wichtigsten und neuen Prinzipien, das wir in zahlreichen Bewegungen heute beobachten können, ist, daß viele Menschen den ‚Kontakt zur Quelle' suchen. Womit natürlich die innere Quelle gemeint ist, was auch immer jeder einzelne darunter verstehen mag. Die einen nennen es vielleicht Gott, die anderen Universum, Kosmos oder Natur. Ich behaupte immer, daß erfolgreiche Menschen diesen Kontakt zur Quelle gefunden haben. Ich weise die Teilnehmer meiner Seminare darauf hin, daß sich jeder auf den Weg zu seiner eigenen, persönlichen Quelle machen sollte. Zugleich besitze ich die Freiheit, die Menschen so zu belassen wie sie sind, was ich als meine größte Stärke empfinde. Training ist Anbieten, nicht Aufzwingen." Loslösen von der eigenen Autorität als Trainer, Lehrer, Ausbilder oder wie immer man diese Tätigkeit nennen mag, das ist die konsequente Umsetzung eigener Lehre in die Tat. Für Holger Münter ist oberstes Gebot die Toleranz: Menschen so zu lassen, wie sie sind. Genau jene Toleranz und Großzügigkeit im Denken eben, die er in seinen Seminaren Führungskräften zu vermitteln versucht. „Es gibt manche Referenten, die partout das durchsetzen möchten, was ihre eigene Überzeugung ist. Das erzeugt jedoch nur Widerstand und Widerwillen bei den Teilnehmern. Ich denke, ein Großteil des Erfolgs im Training hängt davon ab, wie sehr man von Manipulationen und Diktaten Abstand nimmt."

Womit ein sehr heikles Thema angeschnitten ist, denn wer kann führen ohne zumindest in gewissem Ausmaße auch zu befehligen? Die Abschaffung jeglicher Hierarchien würde letztlich im völligen unternehmerischen Chaos enden; dem pflichtet Holger Münter übrigens bei, ohne jedoch vom vorher Geäußerten Abstriche zu machen. Wie also ist seine Aussage zu verstehen? Birgt sie nicht zugleich die Gefahr einer Verwässerung in sich?

„Ich glaube, es ist allein eine Frage der Zielklarheit. Ich trainiere zahlreiche Verkaufsleiter, kenne viele Vertriebschefs und deren Probleme und weiß, in welcher Zwickmühle sie sitzen. Da geht es einerseits darum, Umsatzziele, die von der Unternehmensführung vorgegeben werden, beim Vertrieb durchzusetzen; andererseits scheitert vieles schon an der Übermittlung, der Kommunikation eben. Oft besteht der größte Fehler darin, daß man Führungskräfte sich darauf beschränken läßt, irgendwelche nackten Zahlen durchzusetzen. *Wenn wir uns Ziele stecken, dann müssen wir diese Ziele mit allen Sinnen erfahren können.* Egal, was wir erreichen möchten, beruflich oder privat, heute oder in fünf Jahren, es muß ein für uns erlebbares, fühlbares, sinnvolles Erlebnis sein. Sinnvoll im wahrsten Wortsinne: Ein Erleben, das wir über all unsere Sinne erfassen können. Zahlen sind im Gegensatz dazu etwas Abstraktes, nichts wirklich Erlebbares. Ich arbeite immer darauf hin, daß möglichst alle Sinne an der Konstruktion eines Zielbildes beteiligt sind. Eine Methode, wie man dies innerhalb eines Seminares erreichen kann, ist Imagination. Ich will hier nicht über Techniken fachsimpeln; man könnte es auch mit Einsatz der Vorstellungskraft umschreiben. Wie ein Vertriebsleiter dies umsetzen kann, hängt von der jeweiligen Persönlichkeit und von seinen Verkäufern ab. Das mindeste jedoch, was eine jede Führungskraft in der Praxis anwenden kann, ist das Sprechen einer bildhaften, sinnvollen Sprache. Das Einbeziehen der Gefühle, denn diese werden dadurch angeregt. Einer meiner Kernsätze lautet: *Wenn Sie ein Ziel sinn-fällig vermitteln, dann kommt auch etwas Sinnvolles dabei heraus.* Und bei der Übermittlung kommt es wiederum darauf an, daß man darauf achtet, wie unterschiedlich Menschen miteinander kommunizieren. Denn nur dann werden sie sich auch verstehen."
Mit einem Male sind wir wieder beim Thema Motivation: „Wenn Führungskräfte, Vertriebsleiter oder wer auch immer Unternehmensziele, Umsatzmargen oder irgendwelche anderen Zielvorgaben vermitteln wollen, dann müssen es ihre Leute nicht nur begreifen, sondern auch wollen. Was ich jetzt behaupte, mag sehr ernüchternd klingen: Menschen machen das, was sie tun, vorrangig und in erster Linie aus Eigennutz. Ich spreche hier aus meiner eigenen Erfahrung. In all den Jahren, in denen

ich als Angesteller in einem Unternehmen tätig war, fragte ich mich bei einer Anordnung meines Chefs als erstes: Was bringt mir das? Wenn ich keinen persönlichen Vorteil darin erkannte, blieben mir nur zwei Möglichkeiten: die Anordnung zähneknirschend durchzuführen oder sie in irgendeiner Form zu boykottieren. Man verschlampt einen Termin, verliert eine Mitteilung oder Telefonnummer oder irgendwo fällt plötzlich eine Colaflasche in eine teure Maschine und ein Produktionsausfall von mehreren hunderttausend Mark entsteht, wie ich dies gerade kürzlich erst in einem Unternehmen miterleben durfte. Wenn eine Führungskraft solche Vorfälle, solch geheimen Sabotageakte, ausschließen möchte, dann muß sie ihren Mitarbeitern etwas wirklich Sinn-Volles bieten: der andere muß spüren, sehen, hören, was für ihn dabei herauskommt. Was das Ergebnis für ihn sein wird, wenn er sich in dieser Sache engagiert. Nur auf diese Weise erhält man Mitarbeiter, die wie von alleine laufen, und es mag einem wie Zauberei vorkommen. In Wirklichkeit ist es harte Führungsarbeit, die hier geleistet werden muß. Motivation, um dieses abgedroschene Wort einmal aufzugreifen, funktioniert nur solange, wie das, womit ich motiviere, ein erstrebenswertes Ziel für den Betreffenden ist. Solange er danach streben kann, hat die Sache für ihn einen Reiz und Spannung. Sobald er es erreicht hat, ist die Luft raus. Insofern sind alle Methoden und Hilfsmittel der Motivation meist nur kurzlebig. Die eigentliche Motivation ist die innere Begeisterung, und die kann nur jeder einzelne bei sich selbst wecken. Niemand kann einen anderen wirklich motivieren; er kann ihm nur die Bedürfnisse aufzeigen, die der andere befriedigt, wenn er die Firma, das Projekt etc. unterstützt oder das Umsatzziel erreichen hilft. Das setzt allerdings voraus, daß derjenige, der motiviert, selbst mit völliger Begeisterung bei der Sache ist." Oder, um es auf einen sehr einprägsamen Nenner zu bringen: Führen muß immer mit Kopf, Herz und Bauch stattfinden.

„Natürlich kann die Begeisterung darin bestehen, eine bestimmte Zahl zu erreichen; für gewöhnlich ist dieses Element der nackten Zahl jedoch zu mager. Leider beschränken sich viele Vertriebsleiter in ihrer Motivationsarbeit zu sehr auf die Umsatzziele; sie vergessen das gesamte Umfeld, in dem sich die Wünsche und Vorstellungen ihrer Mitarbeiter bewegen. Die Kunst besteht darin, einen Gleichklang der Wellenlänge zu bewirken, ein gemeinsames Bündeln der Energie in Richtung auf ein bestimmtes Ziel. Mit Verwässern hat das in meinen Augen nichts zu tun. Wer Leistung fordert, der muß auch in irgendeiner Form Sinn dafür bieten. Wenn der einzelne das, was er tut, als sinnlos versteht, dann wird er nur mit halber Kraft bei der Stange sein; wir kennen diese Fälle als ‚innere Kündigung'. Das sind jene Mitarbeiter, die ihren Job nur mit 40, 30 oder 20 Prozent ihrer Energie verrichten, aber viel Geld dafür verdienen. Hier sehe ich ein besonderes Aufgabenfeld für einen Trainer, denn jede weitere zehn Prozent Einsatz, die ich beim einzelnen Mitarbeiter mobilisieren kann, sind für das Unternehmen mehr als wertvoll."

Das sind, zugegebenermaßen, geradezu unschlagbare Verkaufsargumente, die Einblick nehmen lassen in Holger Münters eigene verkäuferische Fähigkeiten. Immerhin, wer Verkäufer trainieren will, muß diesen Job selbst beherrschen und nicht nur in der grauen Theorie seines grauen Hirnkastens. „Genau das ist der Grund, warum ich mich auf Persönlichkeitsentwicklung spezialisiert habe: Weil ich glaube, daß man sehr erfolgreich sein kann, wenn man nur das Potential, das eigentlich in einem steckt, voll entwickelt und zur Geltung bringen kann. Dann ist man nicht nur für sich persönlich erfolgreich, sondern auch für das eigene Unternehmen. Jede Investition, die ein Unternehmen für die Entwicklung und Förderung der eigenen Persönlichkeit ihrer Mitarbeiter erbringt, kommt also letztlich der Firma in barer Münze wieder zugute."

Wir kommen zu einer entscheidenden Frage, die sich wie ein roter Faden durch unser Buch zieht. Wie kann der, der die mühevolle Aufgabe erfüllen muß, den richtigen Trainer zu finden, wie kann er sich seine Entscheidung erleichtern? Nach welchen Kriterien kann er auswählen, falls es solche sicheren Kriterien überhaupt gibt. Nach welchen Kriterien würde ein Holger Münter einen Trainer heute aussuchen, er, der diese Pflicht ja sieben Jahre lang in einem großen Unternehmen zu erfüllen hatte? „An oberster Stelle steht das persönliche Vertrauen, das man in den Trainer hat. Natürlich gibt es Checklisten, es gibt Referenzen, all das mag bei der Auswahl helfen. Letztlich entscheidend aber ist und bleibt das persönliche Gespräch und die Frage, wie vertrauenswürdig die Person ist. Auch ich verfahre heute so, wenn ich mir einen Trainer für eigene Fortbildungszwecke aussuche. Die Inhalte, die sie vermitteln, sind für mich zweitrangig. Die Schwingung muß stimmen; das gilt für mich übrigens auch bei der Akquise meiner Kunden. Ich führe für neue Firmen immer ein Pilotprojekt durch und kann dies nur empfehlen. Oder ein Unternehmer kann an einem meiner wenigen öffentlichen Seminare teilnehmen, um sich über mich als Trainer ein Bild zu verschaffen. Der persönliche Eindruck, den man von jemandem hat, ist nicht durch Trainerleitfäden und Checklisten zu ersetzen.

Als zweiten sehr wichtigen Punkt erachte ich, daß das, was besprochen wird, auch eingehalten wird. Was der Trainer ankündigt, muß er auch durchführen! Es gibt leider Trainer, die dies nicht beherzigen und etwas völlig anderes in ihren Seminaren unternehmen, als sie vorher gesagt haben. Ich konnte vor vielen Jahren eine persönliche Erfahrung damit machen, die mir zeigte, daß als vertrauensbildende Maßnahme nichts wichtiger ist als das strikte Einhalten der Vereinbarungen. Um nur ein Beispiel zu nennen: Wenn Sie in Ihrem Seminar keine Meditation wünschen, dann sollten Sie dies dem Trainer mitteilen, und er muß sich daran halten. Im übrigen gilt: Der Auftraggeber legt die Ziele fest, der Trainer bestimmt die Methode.

Drittens: Achten Sie möglichst darauf, daß der, mit dem Sie sprechen, auch persönlich das Training durchführt. Sonst kann es vorkommen, daß Sie Absprachen treffen, von denen der Trainer dann am Ende gar nichts weiß. Wenn Ihnen Training durch einen Außendienst vermittelt wird, dann bestehen Sie darauf, den Trainer vorher kennenzulernen, bevor Sie ihn engagieren. Der Trainer ist letztlich derjenige, der mit seinem guten Namen für die Qualität des Trainings bürgt. Ich persönlich erstelle für jede Firma vorweg einen Ablaufplan des Trainings. Im übrigen gilt für mich dann aber auch: Alles, was an persönlichen Dingen innerhalb des Seminares an die Oberfläche kommt, bleibt auch im Seminar. Nichts davon gelangt in die Personalabteilung oder dringt in irgendwelche Chefetagen durch. Dieser Vertrauensschutz muß für eine Persönlichkeitsentwicklung gewährleistet sein; wer Trainer anfordert, sollte und muß dies respektieren."

Wertvolle Hinweise; darin kann man Holger Münter nur beipflichten. Uns interessiert, was Holger Münter selbst als die größten Erfolge seiner Trainerlaufbahn bezeichnet. „Das schönste Erfolgserlebnis: wenn im Akquisitionsprozeß die richtige Schwingung entsteht zwischen dem Firmeninhaber oder dem Ausbildungsverantwortlichen und mir, wenn wir beide unsere Ideen und Vorstellungen eingebracht haben und ich das Gefühl habe, daß das Trainingskonzept für die entsprechende Zielgruppe wirklich ‚paßt'. Ich sehe darin übrigens einen echten Vorteil eines ‚kleinen' Einzeltrainers, denn er ist jederzeit imstande, auf die individuellen Vorstellungen des Geschäftspartners einzugehen. Wenn es mir dann durch diese Art von Beratung (nichts anderes ist das ja) gelingt, die Verantwortlichen in dem Unternehmen einzubinden in den Trainingsprozeß, dann ist das ein phantastisches Erlebnis. Ein weiterer schöner Erfolg ist jedesmal dann gegeben, wenn ich die Erfahrungen aus einem Training mit einem Unternehmen einbringen kann in ein Training bei einem Unternehmen einer völlig anderen Branche. Diese Art der Befruchtung kann praktisch nur durch einen Trainer erfolgen, der ständig branchenübergreifend tätig ist. Auf diese Weise werden erfolgreiche Modelle übertragen und wird sehr viel Know-how im Umgang mit Personal und Verkäufern transportiert."

Was würde Holger Münter abschließend als das eigentliche Geheimnis seines Erfolges bezeichnen? Jenes Element, das ihn nicht ruhen ließ, bis er persönlich es geschafft hatte? Chancenlos, wenn man so will, nur auf sich selbst gestellt, wenn man sich noch einmal die Ausgangssituation in seinem Leben vor Augen hält. Hören wir ihn selbst, es ist einfach erfrischend und wohltuend: „Für mich ist es das Schönste überhaupt, das kennenzulernen, was ich die ‚innere Landkarte' eines anderen Menschen nenne. Menschen interessierten mich seit meiner frühesten Jugend, auch wenn ich zunächst eher der Technik zugeneigt war. Ich denke, die hohe Kunst im Leben besteht wirklich darin, herauszufinden, was sich im Kopf des anderen Menschen angesammelt hat an Erfahrungen; ist die Fähigkeit, sich in der Welt des anderen herumzubewegen und neugierig auf seine innere Landkarte zu sein. Wenn ich im Leben ausschließlich nach meiner inneren Landkarte gehe und mich darin festbeiße, dann werde ich Probleme mit anderen bekommen, weil ich rechthaben muß, weil ich auf Widerstände stoße und ständig im Kampf mit der Umgebung stehe. In dem Moment, da ich mich auf den anderen einlasse, versuche, in seine Welt einzutauchen und ihn zu verstehen, eröffnen sich mir ganz andere Möglichkeiten, mich mit ihm zu verständigen. Ich kann mich auf eine Wellenlänge mit ihm begeben, kann nun wiederum ihn neugierig machen auf meine eigene innere Geographie und so einen befruchtenden Prozeß des Austausches bewirken. Als Pädagoge muß ich erkennen, daß ich keine Menschen ändern kann. Das können diese nur selbst besorgen. Habe ich das erst einmal verstanden, dann bleibt mir nur noch die Bescheidenheit, ihnen zu helfen bei ihren Veränderungen. Ihnen möglicherweise Abkürzungen aufzuzeigen, Richtungen zu weisen, Ziele vorzuschlagen. Das ist eigentlich mein Erfolgsrezept, mein eigener, ganz persönlicher Weg. So komme ich auch mit sehr schwierigen Zeitgenossen zurecht, denn ich versuche, jeden interessant zu finden in seiner Art. Die schwierigsten Menschen sind für mich die, die vorne freundlich, hinten übel sind. Sie täuschen eine Maske vor, statt einfach ehrlich und offen zu ihrer eigenen Meinung zu stehen. Gerade im Verkauf ist das Maskenspiel oft verblüffend stark in den Vordergrund gerückt. Ich denke, Training sollte keine Rezepte vermitteln, wie man noch bessere Masken aufsetzen kann, sondern sollte auf situationsbezogene Flexibilität hintrainieren. Und entscheidend dabei ist für mich, herauszufinden, was der einzelne braucht oder will. Wenn ich ihm davon etwas vermitteln kann, habe ich schon gewonnen und er mit mir. Daher liegt bei mir auch nicht die Betonung vorrangig auf irgendwelchen Methoden oder Lehren. Viele Lehren und viele Trainer sind auf Inhalte fixiert. Ich versuche zu sehen, was zwischen Menschen abläuft und positiv in diesen Kommunikationsprozeß einzugreifen. Nur so können wirkliche Verhaltensänderungen bewirkt werden.

Die möglicherweise beste Erfolgsformel für das eigene Leben ist vielleicht in folgendem Satz zusammenzufassen, den ich abschließend übermitteln möchte: Finde heraus, was du gerne tust, und dann finde Leute, die dies haben wollen und gebrauchen können und die dich dafür bezahlen!“

Winfried Volz

„Erfolgreich ist der, der als Persönlichkeit authentisch ist."

Auf der Suche nach Spitzenleistungen modernen Management-Trainings wird man unweigerlich auf den Namen *Excellence Seminare* stoßen. Noch konkreter, auf den Begründer Winfried Volz in Wiesbaden. Im Vorfeld der Recherchen fällt auf, daß *Excellence Seminare* unter anderem die Zielgruppe Hochschulabgänger anspricht, also nicht, wie bisher, ausschließlich Vertrieb, Management oder Führungspersonal. Weiter wird man bemerken, daß *Excellence Seminare* ein dreigliedriges Trainings-Modell anbietet, dessen Kern die *Persönlichkeit* ist und dessen äußere Hülle die fachliche Berufsqualifikation. Uns machte dies zunächst einmal stutzig; steht nicht die fachliche Ausbildung an erster Stelle in jeder Art von beruflichem Werdegang? Kommt die Persönlichkeit nicht erst an dritter Stelle, wenn fachliche Qualifikation und praktische Erfahrung schlußendlich zu dem beigetragen haben, was wir eine Persönlichkeit nennen?

Fragen, mit denen wir Winfried Volz aufsuchen. Fragen, die sich mit Training allgemein, aber auch mit unserem Ausbildungssystem kritisch auseinanderzusetzen versuchen. Fragen aber auch, die einen Firmenchef, Vertriebs- oder Marketingleiter und einen Personalchef angehen, denn ein großes Problem zwischen Wirtschaft und Hochschule ist unter anderem in der Frage zu finden: Was ist eigentlich ein *qualifizierter* Hochschulabsolvent? Welche Voraussetzungen muß er mitbringen, um für die praktischen Anforderungen seines Berufes geeignet zu sein? Und: Was tun, wenn ein Hochschulabsolvent in seinem Beruf keine Stelle findet? Wie kann er sich neu orientieren?

Ganz nebenbei weisen wir jetzt schon darauf hin, daß an späterer Stelle in diesem Buch nochmals auf dieses Thema eingegangen wird; während wir im folgenden mit einem Vertreter der unternehmerischen Seite sprechen (der Wirtschaft), werden wir in einem späteren Gespräch eine Vertreterin der Hochschule, die Dozentin und Trainerin zugleich ist, zu Wort kommen lassen. Zündstoff bietet dieses Thema allemal!

Noch ein Wort im voraus zu *Excellence Seminare*: Selbstverständlich sind Hochschulabsolventen nur *eine* Zielgruppe dieses Trainer-Teams. Unter anderem werden Schulungen angeboten für Unternehmen in den Bereichen Investitionsgüter, speziell der EDV, der Hotel- und Gaststättenbranche, für Vertriebs- und Marketingleiter aller Branchen sowie speziell auch für Führungskräfte und Firmenchefs. Ein breites Spektrum also, doch setzen wir Schwerpunkte.

Der Werdegang unseres Gesprächspartners in wenigen Stichworten:

Geboren 1936. Nach der Schule acht Semester Studium Betriebswirtschaft in Frankfurt mit Diplom-Abschluß. Als Werkstudent bereits während des Studiums im Verkauf tätig. 1961, zur Blütezeit der EDV, Start in einem pharmazeutischen Großhandel. Ein Jahr lang Programmierung; danach Systemanalytiker bei Honeywell, Assistent Vertriebsdirektor Deutschland und schließlich Geschäftsstellenleiter für die Gebiete Hamburg, Bremen, Niedersachsen, Schleswig-Holstein und Ostwestfalen. Aufbau des europäischen Vertriebstrainings für den deutschsprachigen Raum. Einstieg als Geschäftsführer in eine Firma für Computerleasing und Software. 1972 schließlich ein Angebot von Heinz Nixdorf, die Schulung neu aufzubauen. In den Folgejahren erfolgreiche Leitung des europäischen Vertriebstrainings von *Nixdorf* für den deutschsprachigen Raum. 1979 Gründung der *Salesforce Academy*. 1986 schließlich Gründung der EXCELLENCE SEMINARE WINFRIED VOLZ GmbH.

„Herr Volz, woher stammt der Name EXCELLENCE SEMINARE eigentlich?"

Winfried Volz: „Der ausschlaggebende Punkt waren die Success-Stories amerikanischer Top-Unternehmen: ‚Auf der Suche nach Spitzenleistungen.' In der Managementliteratur war der Begriff *in search for excellence* damals ‚in'. Wir haben uns da wiedergefunden."

„Als Vertriebstrainer sind Sie ja etwa schon seit Anfang der siebziger Jahre tätig?"

Winfried Volz: „Ja, 1968 begann ich meine Laufbahn als Vertriebstrainer bei Honeywell. Aber das war eine andere Zeit damals. Da war nicht diese Systematik und auch nicht das Know-how vorhanden, über die wir heute verfügen. Ich hatte das ausgesprochene Glück, einige Trainings in den USA und in England miterleben zu dürfen, was damals eine Seltenheit war für einen deutschen Trainer. Dabei lernte ich das praxisnahe Training von der Pike auf: Wir arbeiteten zum Beispiel überwiegend mit Rollenspielen und übten, wie könnte dieses und jenes laufen. Diesen sehr pragmatischen Ansatz schrieb ich mir fortan auf die Fahnen."

„Ein Sprung nach 1979; was war der Grundgedanke der *Salesforce Academy*?"

Winfried Volz: „Damals herrschte ja bekanntlich ein Boom in der EDV-Branche. Es gab zu wenige Verkäufer, die den Anforderungen der Branche gerecht werden konnten. Verkäufer waren noch immer geprägt vom überholten Berufsbild des ‚Produkte-Verkloppers'. Hier jedoch ging es in erster Linie um qualifizierte Beratung. Wir beschlossen, eine Akademie zu gründen, die Verkäufer ausbildet und gleichzeitig für den Beruf selbst wirbt. Also wendeten wir uns in konsequenterweise an die Hochschulen. Wir knüpften Kontakte zwischen Industrie und Hochschulabgängern, hielten Vorträge, bereiteten die Absolventen auf einen Einsatz in der Industrie vor. Wir waren meines Wissens die ersten, die die Idee, hochwertige, beratungsintensive Güter zu verkaufen, in Seminaren an Hochschulen vorstellten. Wir interviewten die Interessenten, die sich daraufhin meldeten, und fanden heraus, ob sie sich für einen solchen Beruf eigneten oder nicht. Unser Auftrag war also Ausbildung. Unsere Partner in der Industrie waren überwiegend EDV-Firmen. Mit Ausnahme von zweien waren wir in der Salesforce-Zeit praktisch für alle großen EDV-Firmen tätig."

„Wie ging es weiter?"

Winfried Volz: „Ich bekam die Chance, unmittelbar mit der *Bundesanstalt für Arbeit* zu kooperieren. 1988 wandelten wir das Seminar um in Managementtrainings für Hochschulabsolventen, und die Arbeitsämter beteiligen sich seither an diesem Programm, da es auf begeisterte Resonanz stieß. Aus dem praxisbezogenen Management-Training für Hochschulabgänger entwickelten wir weitere Seminare, beispielsweise ein Kreativitätsseminar, in welchem die Teamarbeit vorrangig gefördert wird. Dieses Programm läuft bis heute mit wachsendem Erfolg in verschiedenen Universitätsstädten, in denen Fachvermittlungsdienste für besonders qualifizierte Berufe zu Hause sind, auch schon in Sachsen."

„Die Arbeitsämter weisen also qualifizierte Berufsanfänger auf Sie hin, und Sie führen dann praktisch im Auftrag für das Arbeitsamt dieses Managementtraining durch?"

Winfried Volz: „Ja, da findet sozusagen ein Upgrade zum eigentlichen Universitätsstudium statt, sehr intensiv, praxisnah und für die Teilnehmer selbst kostenlos. Aber wir richten uns nicht nur an Hochschulabgänger, sondern auch an qualifizierte Personen, die beispielsweise nach ihrem Studium keine Stelle finden. Wir helfen ihnen, sich neu zu orientieren und durch die Struktur der Seminare dahin zu führen, daß sie ihre eigentlichen Fähigkeiten erkennen und eine zu ihnen passende Stelle finden können. In einem speziellen Bewerbertraining zeigen wir auf, was für die Bewerbung wichtig ist: Strategien der Stellensuche, Selbsteinschätzung und Fremdeinschätzung, Analyse des Marktes, Gestaltung der Unterlagen, das Verhalten im Vorstellungsgespräch, telefonische Kontaktaufnahme etc. Wir führen zudem für das Arbeitsamt Kurse durch, um qualifizierte Bewerber zum Koch auszubilden, oder zum Restaurant-Fachmann, zur -Fachfrau. Wir führen einen Übungsbetrieb für Leute, die in Kaufhäusern und Fachgeschäften tätig sind. Und wir leiten einen EDV-Kurs. Der Kern ist jeweils die praktische Schiene."

„Fachliche Ausbildung gibt es ja allenthalben; wo setzen Sie denn die Schwerpunkte?"

Winfried Volz: „Fachliche Ausbildung, die nicht aufbaut auf der Persönlichkeit, wird über kurz oder lang nicht zu der beruflichen Befriedigung führen, die die Person sucht. Aus diesem Grunde ist unser Seminarmodell dreischichtig aufgebaut; man erkennt es aus der Abbildung auf der folgenden Seite. Wir sagen, in der Ausbildung steht die Persönlichkeit an erster Stelle. Fach- und Sozialkompetenz kann sich nur dann voll entfalten, wenn die Kräfte der Persönlichkeit geweckt werden. Also steigen wir mit einem Persönlichkeitstraining ein. ‚Weg von der Rolle – hin zur eigenen authentischen Persönlichkeit' lautet das Motto dieses einwöchigen Seminares. Schwerpunkte dabei sind: Situationsanalyse, Analyse zum Persönlichkeitsprofil, Lebensstrategien, Techniken der Selbsterkenntnis, unbewußte Potentiale nutzen, menschliche Verhaltensstrukturen erkennen."

„Das sind zunächst einmal Schlagworte. Was wollen Sie konkret mit diesem Seminar bewirken?"

Winfried Volz: „Wir wollen unseren Seminarteilnehmern auf der positiven Seite bewußt machen, wo ihre Stärken liegen, damit sie sie gezielt einsetzen können. Wer seine Stärken genau kennt, läuft weniger Gefahr, überrannt zu werden. Jede Persönlichkeit hat andererseits natürlich auch Schwächen, das macht sie erst sympathisch; wir vertreten den Standpunkt, daß man Menschen ihre Schwächen lassen soll, bis auf jene Schwächen, die ihrem Erfolg im Wege stehen. Auf diese Schwächen muß man sie sogar hinweisen! Das sind im allgemeinen eins, zwei, drei Dinge, auf die sie achten sollen, und das zeitigt danach auch relativ schnell Erfolg. Sie werden stabiler. Sie werden sich über sich selbst bewußt, und gesteigertes Selbstbewußtsein bringt immer interessante Ergebnisse mit sich. Wir wollen die Leute auf ihre Struktur zurückführen, also nicht irgendwo in eine Rolle hineinzwängen. Sie sollen *authentisch* werden und keine Energie verschwenden, eine andere Rolle zu imitieren. Darin liegt das Wesen des Persönlichkeitstrainings. Wer authentisch ist, vergeudet keine Energien darauf, eine Rolle zu spielen, die eigentlich nicht zu ihm paßt. Ich sage immer: Die Persönlichkeit, das ist der Kern. Und der Kern bestimmt die Frucht."

„Warum setzen Sie gerade an diesem Punkt an? Bildung bedeutet doch erst einmal fachliche Qualifikation?"

Winfried Volz: „Dieser Ansatz wird in unserem derzeitigen offiziellen Bildungssystem überhaupt nicht angeboten. Ich bin aber fest davon überzeugt, daß nur

WIESBADENER MODELL

Die Basis für Ihre persönliche Arbeits- und Führungsmethodik

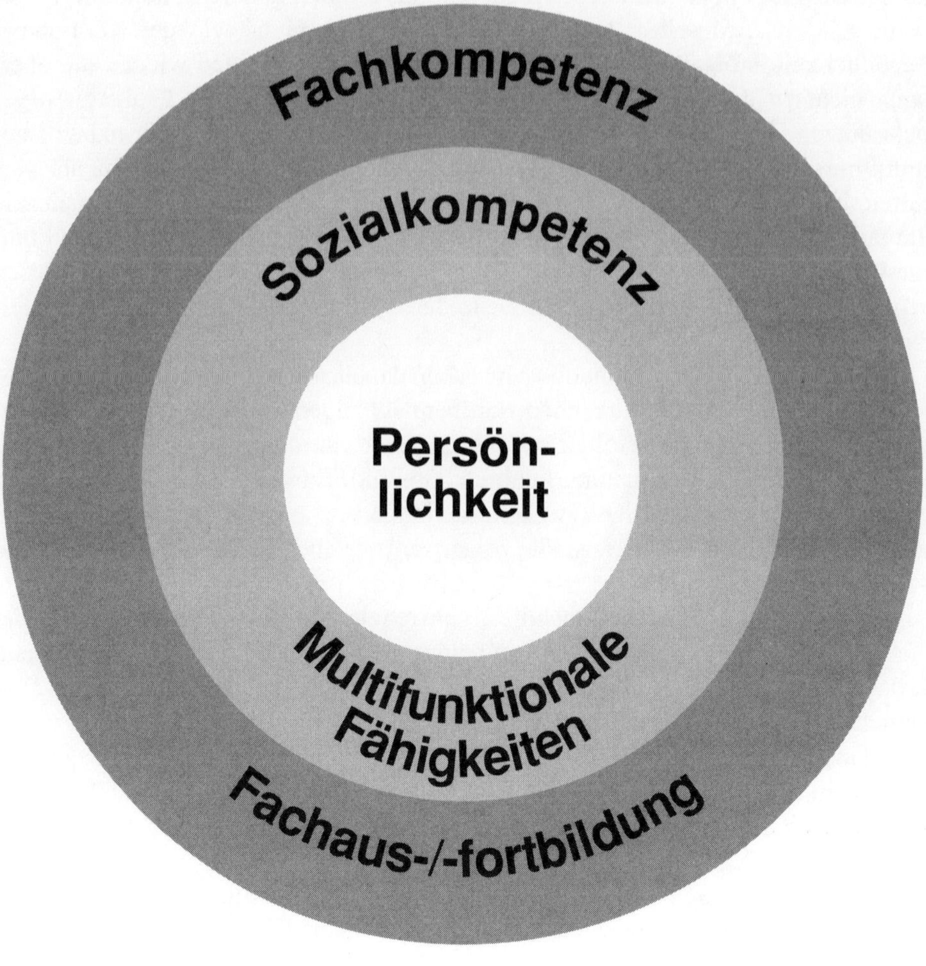

dies der richtige Weg ist, zumal auch die Tendenzen im Verkauf zeigen, daß die Persönlichkeit entscheidender ist, als Verkaufsmethodik und Technik allein."

„Setzen Sie in jedem Falle zuerst bei der Persönlichkeit an? Auch bei firmeninternen Schulungen oder Trainings?"

Winfried Volz: „Auch dann! Denn die dort beschäftigten Mitarbeiter leiden beinahe alle unter dem Manko, daß ihrer individuellen Art, ihren Fähigkeiten, Neigungen oder persönlichen Merkmalen meist zu wenig Rechnung getragen wurde. Das liegt aber nicht am Arbeitsumfeld, an ‚den anderen', sondern am jeweiligen Menschen selbst: Er selbst weiß eigentlich nicht, was der Kern seiner Persönlichkeit ist. Nicht selten finden wir Menschen in Berufen wieder, die überhaupt nicht zu ihnen passen. Oder in welchen sie ihre eigenen Fähigkeiten gar nicht nutzen können. Ich nenne Ihnen nur einige Beispiele dazu: Wir haben Literaturprofessoren, Lehrern, Theologen zu neuen beruflichen Engangements verholfen, indem wir sie darauf brachten, ihre eigentlichen Stärken zu erkennen. Sie alle fanden sich danach in leitenden Stellungen in der Wirtschaft wieder. Ein kommunikationsstarker Mensch ist vielleicht in einem Forscher-Beruf völlig falsch aufgehoben! Möglicherweise gehört er in den Vertrieb, das kann sogar beim gleichen Unternehmen sein."

„Mit anderen Worten, Sie helfen Menschen dabei, sich neu zu orientieren?"

Winfried Volz: „Wir helfen ihnen, darüber nachzudenken, was sie denn noch tun könnten, wenn sie im derzeitigen Beruf unzufrieden sind oder keine Chance sehen, eine Stelle zu finden. Geben ihnen konkrete Tips und Hinweise, was sie unternehmen können, um für diese Art der Tätigkeit, die ihnen vorschwebt, auch qualifiziert zu sein. Geben Hinweise, Denkanstöße; zeigen auf, welche Fähigkeiten sie haben und wie sie sie nutzen können."

„Das ist ja eher eine Art Lebenshilfe als ein regelrechtes Management-Training?"

Winfried Volz: „Es ist die erste Stufe eines jeden Management-Trainings, wenn dieses sinnvoll sein soll. Es bietet die Grundlage, aus der Neuorientierung an der Persönlichkeit heraus weiteres Training aufzubauen."

„Man kann also zusammenfassend sagen: Egal, welche Art von Training geplant ist, ob man sich mit Hochschulabgängern befaßt, mit Menschen, die sich beruflich neu orientieren möchten, oder mit firmeninternen Seminaren – der Ansatz ist in jedem Falle die Persönlichkeit?"

Winfried Volz: „So ist es. Danach kommt das breite Spektrum, das wir in obiger Grafik mit ‚Sozialkompetenz' und ‚Multifunktionalen Fähigkeiten' umschrieben haben."

„Was ist darunter konkret zu verstehen? Was verbirgt sich dahinter?"

Winfried Volz: „All jene Seminare, die zum Teil eben auf breiter Ebene angeboten werden: Rhetorik-Training, Gesprächs- und Verhandlungsführung, Selfmanagement, Präsentation, Kommunikation – Kooperation – Kreativität."

„Wo setzen Sie Schwerpunkte dabei – und vor allem: warum?"

Winfried Volz: „In erster Linie besteht jetzt die Hauptaufgabe darin, die eigene Persönlichkeit einzubringen in die verschiedenen Bereiche, die ich erwähnt habe. Hier einige Schwerpunkte: Wie kann man Kreativität als Stärke bewußt einsetzen? Für viele Menschen bedeutet Kreativität in erster Linie Hindernis. Das muß nicht sein! Oder: Wie kann Kommunikation im Team verstärkt werden? Welche Regeln sind dabei besonders zu beachten? Wie geht man mit Konflikten um? Wie nutzt man gruppendynamische Effekte?"

„Darüber werden aber doch keine Vorträge gehalten, oder?"

Winfried Volz: „Das genaue Gegenteil! Die Gruppe arbeitet selbst, der Trainer ist mehr der Moderator als der Dozent. Er gibt Hinweise, regt Aktivitäten an, hilft den einzelnen kleinen Arbeitsgruppen. Hier wird Team-Arbeit gelebt, praktiziert. Die Teilnehmer arbeiten mit Videoaufzeichnungen, liefern sich gegenseitig Feedback, wobei Lob und Kritik geäußert wird. Der Trainer hält sich dabei eigentlich sehr im Hintergrund. Erfahrungsgemäß geht dabei die Stimmung sehr schnell nach oben, die Teilnehmer werden in einer Gruppe zusammengeschmiedet und lernen, sehr viel offener miteinander umzugehen als dies im beruflichen Alltag gewöhnlich der Fall ist. Menschen öffnen sich, gewinnen gegenseitiges Vertrauen und haben nicht mehr Angst, Lob oder Kritik zu äußern. Wichtig ist die Offenheit der Teilnehmer, die Bereitschaft, sich gegenseitig zu helfen; auch, indem man einmal das ausspricht, was einem am anderen nicht gefällt. Dann nämlich kann der andere sein Verhalten ändern und unter Umständen Verhaltensweisen ablegen, die bisher für seinen Erfolg nur hinderlich waren."

„Was ist konkret mit multifunktionalen Fähigkeiten gemeint?"

Winfried Volz: „Alles, was zu Spitzenleistungen beiträgt. Beispielsweise Zeitmanagement und Arbeitstechniken: Wir wissen heute, daß viele Menschen, speziell Verkäufer, mit ihrer Zeit nicht sinnvoll umzugehen wissen. Hier setzen wir an, indem wir praktische Möglichkeiten aufzeigen, sich besser zu organisieren. Dazu gehört auch das Einsparen von emotionaler und geistiger Energie! Ebenso natürlich die Planung, Zielbildung, Entscheidungstechniken, rationelle Arbeitsmethoden, Delegation, sowie Möglichkeiten der Streßbewältigung."

„Also vom mentalen Bereich bis zum organisatorisch-sozialen Umfeld alle Fragen des Self-Management?"

Winfried Volz: „So ist es. Des weiteren befaßt sich ein Seminar mit Gesprächs- und Verhandlungsführung: Gesprächsvorbereitung und -eröffnung, Fragetechniken, aktives Zuhören, Einwände und Vorwände erkennen, unterscheiden und handhaben, Argumentationstechniken etc."

„Techniken erlernen halten Sie also persönlich nach wie vor für eine sinnvolle Sache?"

Winfried Volz: „Selbstverständlich! Wenn diese Techniken *authentisch* benutzt werden, nicht als Maske oder Farce, besitzen sie sogar sehr viel Sinn. Nur dann, wenn Techniken als Ersatz für Persönlichkeit benutzt werden sollen, geraten sie natürlich zu bloßem Nachplappern gelernter Rede- oder Verhaltensmuster."

„Welche Module stehen Ihnen noch zur Verfügung? Welche haben sich bewährt durch die Praxis?"

Winfried Volz: „Insbesondere die beiden Seminare ‚Computergesteuertes Unternehmensplanspiel' und ‚Präsentationstechniken'. Im ersten Seminar geht es für die Teilnehmer darum, gesamtwirtschaftliche Zusammenhänge in *spielerischer Weise* kennenzulernen und die Stellung eines Unternehmens im Wechselspiel von Angebot und Nachfrage einzuordnen. Auf der Tagesordnung stehen dabei unternehmerische Zielsetzungen, betriebliches Rechnungswesen, Unternehmensführung etc. Das Ergebnis dieses Seminares sind Teilnehmer, die eigenverantwortlich in einem Marktgeschehen reagieren und agieren können.

Das zweite Seminar, Präsentationstechniken, vermittelt alle zu einer Präsentation wesentlichen Elemente: Visualisierungstechniken, Dramaturgie, Medieneinsatz, Teampräsentationen, Planung und Vorbereitung sowie simulierte Situationen vor Zielgruppen."

„Arbeiten Sie mit Rollenspiel?"

Winfried Volz: „Ja, sehr intensiv sogar. Im Rollenspiel lernen die Teilnehmer, mit Situationen so umzugehen, wie diese im tatsächlichen Leben stattfinden. Der Verkäufer wird mit einem bestimmten Typus von Einkäufer konfrontiert. Oder: Eine Gruppe stellt das Käuferunternehmen dar, vor dem eine Präsentation stattfinden soll. Unterstützt wird das Rollenspiel, wie bereits angedeutet, durch Videoeinsatz, der von den Teilnehmern selbst anschließend ausgewertet und beurteilt wird."

„Kommen wir zum dritten Baustein Ihres Konzeptes: der Fachausbildung oder -fortbildung. In welchem Maße sind Sie hier aktiv?"

Winfried Volz: „Hier richten wir uns nach den Bedürfnissen und Wünschen des jeweiligen Auftraggebers. Für das Arbeitsamt beispielsweise sind wir im Hotel- und Gaststättengewerbe mit zweijährigen Fachausbildungs-Kursen tätig; diese werden mit IHK-Prüfung abgeschlossen. Das *Bildungszentrum HOGA* (Hotel- und Gaststätten) hat sich mittlerweile als eigener Zweig innerhalb der *Excellence Seminare* herausgebildet. Schon im Juni 1986 startete der erste Kurs mit 22 Teilnehmern; inzwischen sind es circa vierzig im Jahr, die hier umschulen zum Koch, Hotelfachmann/frau oder Restaurantfachmann/frau.

In ähnlicher Weise können wir für Firmen nach Bedarf Ausbildung in EDV liefern, in verschiedenen Programmiersprachen etc. Fachbezogene Ausbildung als Ergänzung zu den betriebsinternen Maßnahmen, als wesentlicher Baustein der Mitarbeiter-Schulung, ist eine unserer Spezialitäten."

„Besteht da nicht die Gefahr, sich in der Vielfalt des Angebotes zu verzetteln? Sie können doch unmöglich alles abdecken?"

Winfried Volz: „Diese Gefahr sehe ich nicht. Durch das Einschalten fachlich qualifizierter Ausbilder und Trainer können wir eigentlich jeden Bereich nach Bedarf bedienen; von der Persönlichkeitsschulung bis hin zur fachbezogenen Ausbildung. Wir wählen den Mann oder die Frau aus, die für das jeweilige Kundenunternehmen und die Materie qualifiziert ist. Der Rest ist reine Organisation!"

„Mit anderen Worten, ein Unternehmen kann sich sozusagen ein ‚auf den Leib geschnittenes' Trainings-Kostüm verpassen lassen und alle Maßnahmen durchführen lassen, die langfristig gebraucht werden?"

Winfried Volz: „Sozusagen alles vom ‚Schnupperseminar' bis zu einem Zwei- oder Drei-Jahresprogramm, das exakt auf die jeweiligen Bedürfnisse zugeschnitten ist. Immer und immer steht dabei der Mensch im Mittelpunkt der Seminare, denn die Persönlichkeit eines Menschen ist, wie ich bereits betonte, das Zentrum von Arbeitsprozeß und Arbeit schlechthin. Wer sich nicht um den Menschen kümmert, sollte sich nicht wundern, wenn die Betriebsergebnisse nicht zufriedenstellend ausfallen."

„Welcher anderen Aufgabenstellungen haben Sie sich in Ihrem Unternehmens verschrieben?"

Winfried Volz: „Wir forcieren beispielsweise die Schulung im *menschlichen Umgang mit Kunden*. Wir gehen in bislang vernachlässigte Unternehmensbereiche, um dort gezielt Vertriebs-und Managementtraining durchzuführen. Wir offerieren ein ganzes Konzept: zum Beispiel sechs Themen im Abstand von sagen wir drei Monaten und das in Scheibchen von zwei bis drei Tagen. Dazwischen müssen die Leute umsetzen. Der Zeitraum kann sich allerdings auch verkürzen; in achtzehn Monaten kann man schon eine ganze Menge bewirken. Der Kernpunkt ist eben, daß die Leute sich als Gruppe in den einzelnen Stufen selbst beobachten. Wir nehmen dabei mehr und mehr die Trainingskontrolle zurück. Wichtig ist das langfristig ausgerichtete *ganzheitliche* Konzept. Ein solches Konzept ist immer besser als eine einzelne Maßnahme oder eine einmalige Dauermaßnahme von zehn Tagen.

Flankierend bieten wir *Workshops* an, in denen konkrete Aktivitäten eingeleitet werden. Da ergibt sich eine Gliederung mit drei Spielabschnitten – wie beim Eishockey: Im ersten Drittel kommen die Probleme auf den Tisch und die Teilnehmer versuchen Lösungen vorzuschlagen. Das zweite Drittel ist dem Management gewidmet, dem Firmenchef oder wem auch immer. Da wird die Philosophie, die Vision für die nächsten zwei, drei Jahre ausgearbeitet: was bedeutet das für mich und meine Abteilung; als Buchhalter, als Verkäufer, als Vertriebsmannschaft. Und im letzten Drittel stellen wir eine Verbindung aus den ersten beiden her, definieren konkrete Aktivitäten, um Probleme abzustellen und Ziele zu erreichen, bestimmen, wer verantwortlich ist und bis zu welchem Termin es abgewickelt werden soll; also ganz pragmatisch. Danach wird die Durchführung der im Team beschlossenen Maßnahmen von uns überwacht."

„Im ersten Drittel, in dem die Probleme auf den Tisch kommen, ist auch die Unternehmensleitung anwesend?"

Winfried Volz: „Ja, alle sind dabei vom Vorstandsvorsitzenden bis zum Meister. Wir schaffen eine Atmosphäre, in der Vertrauen etabliert werden kann. Einmal zogen wir einen Workshop für ein weltweit aktives Beratungsunternehmen durch. Sie hatten einen ganzen Wälzer geschrieben, wie sie ihre Probleme lösen könnten. Das lief dann die ganze Nacht. Und morgens um halb sechs konnten wir endlich aufatmen. Sie fuhren nach Hause und setzten das Erarbeitete um. Das Geheimnis ist: Es muß ein Neutraler dabei sein, ein Moderator. Der Schiedsrichter hat einen schwarzen Kittel, achtet auf die Spielregeln und pfeift. Wir stellen die richtigen Fragen wenn es nicht weitergeht, um entsprechende Antworten auszulösen. Aber: *Die Teilnehmer sind die Fachleute und finden die Antworten selber*."

„Konfliktbewältigung im Seminar also?"

Winfried Volz: „Wir bezeichnen es als Kreativität, wobei der Schwerpunkt immer wieder das Thema Kommunikation ist. Man drückt sich nicht klar genug aus. Mißverständnisse entstehen. Man spricht zuviel oder zu wenig, redet aneinander vorbei."

„Im Grunde lassen Sie in den Seminaren das meiste also von den Teilnehmern selbst untereinander ausarbeiten?"

Winfried Volz: „Ja. Erst gilt es das Wissen herauszuheben, zu präsentieren im Plenum, dann üben, trainieren, also intensive Phasen mit Videoaufzeichnungen, mit Feedback seitens der Gruppe, und dann kann jeder selbst entscheiden, ob er die Empfehlungen annimmt, die von anderen Teilnehmern eingebracht werden; das ist ein wichtiger Punkt. Da sieht der Betreffende auch, daß nicht immer alle einer Meinung sind.

Denn über eines sind wir uns heute in Fachkreisen weitgehend einig: *Es gibt nicht das perfekte Verkäuferverhalten*. Man kann Verhalten nicht mit den Bewertungen eins, zwei, drei, vier, fünf benoten. Als ich neulich ein Seminar in Berlin eröffnete, herrschte nach zwei Stunden schon eine tolle Stimmung. Die Leute öffneten sich, sprachen untereinander ganz ohne Hemmungen; Leute, die verängstigt, verklemmt angetreten waren. Genau das ist das Entscheidende am Training, daß die Menschen sich öffnen, Vertrauen zueinander bekommen und etwas Positives sagen, ohne daß sie Angst haben, daß der andere beleidigt oder deprimiert ist, weil er eine Empfehlung bekommen hat, etwas abzuändern. Man braucht nun halt mal die zehn goldenen Regeln des Managements und Checklisten, aber wenn es mir nur an ein oder zwei Dingen gebricht, dann reicht es doch völlig, wenn ich die zwei Dinge behalte oder mitnehme, um eine Verbesserung zu erreichen."

„Was würden Sie als besonders erfolgreich an Seminaren dieser Art bezeichnen?"

Winfried Volz: „Das umsetzen in die Teamarbeit. Sie können heute mit Bestimmtheit feststellen: Teamarbeit ist erfolgreicher. Die Technik – da geschieht gar nichts; der Verkäufer, der noch nie einen Abschluß gemacht hat, wird immer unheimlich Angst davor haben, aber wenn er dann zwei, drei Abschlüsse erlebt hat, weiß er, wie das abgeht. Damit ist er wesentlich sicherer und das ist wichtig für seine Persönlichkeit. Man muß den Leuten so früh wie möglich ein Stück Verantwortung geben, für irgend etwas. Durch diese Verantwortung wird die Persönlichkeit entwickelt. Und das setzen wir auch gezielt im Training ein."

„Auf dem Markt des Trainings, was ist da heute anders als früher?"

Winfried Volz: „Es gab zu Beginn diese berühmten Erfolgsseminare. Der Trainer mußte ja das Training und gleichzeitig sich selbst verkaufen. Das geschah manchmal mit regelrechten Show-Methoden. Der Teilnehmer stand eigentlich nicht im Mittelpunkt. Es gibt heute leider immer noch Trainer, die diese Masche fahren, die erst die Leute richtig runter auf den Boden ziehen und dann in drei Tagen oder länger wieder aufblasen, bis sie oben an der Decke schweben und mit großer Euphorie rausgehen. Die Gefahr ist natürlich, daß sie bei der geringsten Gelegenheit zerplatzen, wie ein Ballon, den man mit einer Nadel anpiekst. Da ist eine Menge Psychologie dahinter. Das ist nach meinem Empfinden jedoch nicht besonders praxisnah.

Zeitgemäßes, modernes Training verlangt, daß *der Teilnehmer im Mittelpunkt steht*. Er muß einen Nutzen haben. Er muß sein Verhalten so verbessern, daß er mit weniger Energie ins Alltagsgeschäft einsteigen kann, daß ihm die Leistung auch leichter fällt. Und wir Trainer wollen uns ganz zurücknehmen, wollen moderieren, wenn es läuft. Wir wollen Dinge anbieten und die Seminare auch mal situativ steuern."

„Werden unterschiedliche Leute also auch unterschiedlich trainiert?"

Winfried Volz: „Ja. Einmal muß man überlegen, wie sieht es in der Branche aus – im Großhandel findet man einen anderen Verkäufertypus – derber und härter, dennoch können sie sehr gute Verkäufer sein, aber ich muß sie halt anders trainieren – und dann wird die Zielsetzung festgelegt. Wenn die Teilnehmer ins Seminar kommen, fragen wir zuerst nach ihren Erwartungen. Wir passen uns also an, auch während des Seminars. Das heißt, das Ziel wird immer stärker fokussiert."

„Sie kommen ja direkt aus dem Verkauf. Was ist eigentlich die wirklich Hohe Schule des Verkaufstrainings?"

Winfried Volz: „Planspiele als Kommunikationstraining. Im Klartext: Es werden verschiedene Stufen eines praxisgerechten Beispiels durchgezogen. Das führt ein Trainer durch, mit dem wir zusammenarbeiten; es ist seine Spezialität. Er führt zum Beispiel Planspiele so durch, daß er die Teilnehmer verschiedene Rollen spielen läßt. Bei Investitionsgütern ist das vielleicht ein Geschäftsführer, ein Finanzmann, der, was weiß ich, vielleicht 900.000 Mark für eine Produktionsanlage ausgeben muß, und der Fachmann, der sie einsetzt. Und wenn der Teilnehmer die verschiedenen Rollen übernimmt, kann er sich in die spezifischen Denkweisen hineinversetzen. Der Verkäufer wird also dadurch wirklich auf das vorbereitet, was auf ihn zukommt, wenn er ein Unternehmen kontaktiert. Er hat ja nicht nur einen Einkäufer vor sich, sondern eine ganze Struktur mit verschiedenen Entscheidungsträgern. Und an jeden muß er verkaufen, auf die Art, die angemessen ist. Das zu verstehen, ist Zweck der Planspiele."

„Es ist doch immer noch so, daß innerhalb einer Vertriebsmannschaft fünf Prozent der Leute achtzig Prozent der Umsätze tätigen. Die restlichen zwanzig Prozent Umsatz verteilen sich auf die übrigen fünfundneunzig Prozent der Verkäufer. Woran liegt das?"

Winfried Volz: „Meine Erfahrung: An der Persönlichkeit und wie Vertriebsfachkräfte ihre Persönlichkeit einbringen. Ein Mitarbeiter von mir hat das mal in Nixdorf-Zeiten, bewußt oder unbewußt, umgesetzt. Er lud die weniger erfolgreichen Verkäufer zu einem Seminar ein, das er dann nach einem Jahr wiederholte. Ergebnis in beiden Jahren war, daß etwa ein Drittel der Leute erkannte, daß sie gar nicht für den Verkauf geeignet sind. Sie haben dann andere Berufe ergriffen. Bei den restlichen zwei Dritteln hat er die Persönlichkeit gestärkt. Er riet ihnen: Du bist so, du arbeitest so, also mach das auch so. Er ging dabei auf jeden einzelnen Verkäufertypus ganz persönlich ein.

Er versuchte nicht, sie alle auf einen Nenner zu bringen, nach Schema F – die gingen ab wie Raketen! Goldmann erzählt ja schon seit vielen Jahren, daß das einzige, was erfolgreiche Verkäufer ausmacht, die Persönlichkeit ist. In den USA wurden Umfragen durchgeführt, bei welchen sich herausstellte, daß nicht der redselige Typ oder der mit den blauen Augen der erfolgreiche Verkäufer ist; das Klischee stimmt einfach nicht. *Erfolgreich ist der, der als Persönlichkeit authentisch ist.* Das gilt ebenso für Buchhalter, die weiterkommen wollen, für Manager und andere Bereiche, nicht nur im Verkauf. Der Verkäufer ist allerdings besonders gefordert. Die Leute kommen ja ziemlich still herein, dann gehen sie aus sich heraus und spüren, daß unser Training ankommt, daß sie damit echt erfolgreich sind. Auch muß dafür gesorgt werden, daß die interne Kommunikation zwischen Marketing und Vertrieb, zwischen Unternehmensleitung und den unteren Ebenen, besser wird. Es läuft immer wieder darauf hinaus, daß Menschen miteinander reden, statt mit ihren Gedanken und Ideen hinter dem Berg zu halten. Genau hier versuchen wir beizutragen."

„Warum nennen Sie Ihr Training Managementtraining und nicht Verkaufstraining?"

Winfried Volz: „Bislang war es doch so, daß viel zu wenig beachtet wurde, daß Verkäufer im Grunde managen, denn dies heißt ja auch, Entscheidungen zu steuern. Mein Kernsatz im Vertriebstraining lautet: *Der Verkäufer ist der Manager der Erwartungen seiner Interessenten und Kunden.* Er steuert die Erwartung der Interessenten vor dem Abschluß. Und wenn ich als Verkäufer das gut mache und die Interessen auf mein Produkt bringe, muß ich anschließend die Erwartungen auch erfüllen können. Muß sicherstellen, daß dem Kunden das geliefert wird, was ihm von mir zugesagt wurde. Ich muß dann allerdings auch mal den Mut haben, als Verkäufer zu sagen: Wir haben nichts, was ich Ihnen geben kann, und ich empfehle Ihnen einen Kollegen der Firma soundso. Verkaufen ist Management, mehr als viele andere Aktivitäten! Es darf niemals eingliedrig betrachtet werden, etwa, indem man sich nur mit Verkaufstechniken, mit Abschlußtechniken oder Rhetorik befaßt."

„Was würden Sie dem Unternehmer, dem Vertriebsleiter raten? Nach welchen Kriterien sollten sie die Trainer aussuchen?"

Winfried Volz: „Keinesfalls nach der Anzahl der Folien, die dieser vorlegt! Wir erleben heute in Trainings ja regelrechte Folienschlachten! Der, dessen Aufgabe darin besteht, Trainer ‚einzukaufen', sollte als allererstes danach schauen, ob dieser Trainer bereit ist, gemeinsam mit ihm, dem Auftraggeber, die Ziele zu definieren, was erreicht werden soll. Erfahrung spielt sicherlich auch eine Rolle; aber Erfahrung heißt ja, daß er Vertrauen zum Trainer hat. Es gibt ja auch, so meine ich, einige Windhunde auf dem Markt, die glauben, stellenweise ein bißchen Geld abkassieren zu können.

Und das ist berechtigterweise auch der Grund für Skepsis. Wir sehen uns da in einer Beraterfunktion; wir stellen erst fest, was braucht der Teilnehmer denn an Training, in welcher Richtung bewegt er sich, wo sind die Handicaps. Ich frage dann auch immer: Wo sind die Defizite? Wenn er sagt, seine Leute haben wankendes Auftreten, oder es fehlt im Abschlußbereich, dann greife ich wieder auf unsere Spezialität, die Persönlichkeit, zurück. Das ist auch eine Chance für den potentiellen Arbeitgeber, sich daran zu orientieren. Der Trainer muß dann auch bereit sein, loszulassen. Er übergibt viel an die Teilnehmer, die ja im Mittelpunkt stehen. Das ist ganz wichtig. Und es muß klar sein, daß ein Nutzen herauskommt, ein Erfolg. Man kann das nicht in Mark und Pfennig ausdrücken, aber es muß sich etwas bewegen. Diese Umsetzung, dieser Transfer ist sicherlich ein Knackpunkt. Und den erreichen wir. Das ist das Konzept."

„Eine Frage in bezug auf Ihr eigenes Vertriebskonzept: Wie interessieren Sie mittelständische Unternehmen für Trainings?“

Winfried Volz: „Wir erkundigen uns nach dem größten Engpaß, finden Defizite heraus und erstellen ein Angebot. Wenn ein Unternehmer angibt, der Umgang der Meister untereinander und mit ihren Frauen und auch mit Ausländern ist schlecht, dann bieten wir einen Service zu einem vertretbaren Preis an, konsequent für zwei Tage. Wenn es dann etwas bewirkt hat, können wir weiterarbeiten.“

„Wenn ein Vertriebsleiter die Idee hat, daß Training einen Vorteil bringt, wie verkauft er dies seinem Unternehmensleiter?“

Winfried Volz: „Entscheidend sind die wirtschaftlichen Aspekte. Er muß Defizite erkennen, aufzeigen und berechenbar machen. Da nennen wir offen die Trainingskosten, die Kosten für die Abwesenheit des Arbeitnehmers vom Arbeitsplatz, die Hotelkosten. Doch wenn der Verkäufer ohnehin nur fünf Prozent des Umsatzes tätigt, dann sollte man ihn wirklich mal für fünf Tage rausziehen und trainieren, mit dem Ziel, daß er wenigstens siebzig Prozent umsetzt. Dann würde sich das bezahlt machen.“

„Ist ein Trainer, der 2.500 Mark am Tag verlangt, weniger wert, als einer, der 10.000 Mark verlangt?“

Winfried Volz: „Sicherlich nicht unbedingt. Der Trainer sollte auch vom Einsatz her passen. Einen 10.000 Mark-Trainer für Basistraining einzusetzen, halte ich für rausgeworfenes Geld. Wir bieten beispielsweise für Basistraining und Rhetorik einen qualifizierten Standardtrainer für ca. 2.500 Mark pro Tag an. Wenn es dann weitergeht, zum Beispiel in den Verkauf, dann können wir einen Trainer für Planspiele einsetzen, der ja sehr viel Vorarbeit und Nacharbeit hat, der dann mit 6.600 Mark zu Buche schlägt. Er analysiert genau Marktsituation, Produktsituation, Verkäufersituation, bringt viel Fachwissen mit, also kein Mann mit Show-Methoden, der nur einen tollen Namen hat – ein Trainer hängt von seinem Engagement ab – und dann ist der Preis gerechtfertigt.“

„Wieviele Trainer arbeiten mit Ihnen zusammen?“

Winfried Volz: „Wir haben hier in Wiesbaden, außer mir selbst, noch sieben fest angestellte Trainer. Mit weiteren fünfzig freien Trainern kooperieren wir. Darunter sind Fachleute wie EDV-Spezialisten aus dem Betriebswirtschaftsbereich und Verhaltenstrainer. Wir holen dann die jeweiligen Fachtrainer ins Haus, je nachdem, wer gerade geschult wird.“

„Eine Frage zum Abschluß: Sie haben – nicht ganz zu Unrecht, wie wir meinen – unser derzeitiges Bildungssystem kritisiert und versuchen, durch ein gezieltes Angebot diesem Defizit abzuhelfen. Sehen sie darin eine echte Chance? Oder ist ein solches Konzept nicht gerade deshalb zum Scheitern verurteilt, weil hier genormte Ergänzungsprogramme überhaupt nicht bestehen?“

Winfried Volz: „Wenn man wirklich konsequent sein will, muß man eigentlich das gesamte derzeitige Ausbildungssystem, an den Schulen beginnend, ganz anders aufbauen. Was heute fehlt, ist das, was den Menschen zu sich selbst finden läßt. Damit können Schulabgänger den richtigen Studiengang wählen, Studienabgänger den richtigen Berufseinstieg, etc. Wir sprechen heute viel von Energiesparmaßnahmen – warum sollte man damit nicht einmal beim Menschen beginnen? Ich spare Energie, wenn ich mir über meine Ziele im klaren bin und meine Kräfte in die richtige Richtung lenken kann. Ob ich gelegentlich damit anecke oder nicht, spielt eigentlich keine besondere Rolle. Genau das versuchen wir unseren Teilnehmern zu vermitteln. Es wäre wünschenswert, wenn dieser Ansatz auf breiter Ebene aufgegriffen würde! Allgemein kann man jedoch sagen: Es ist ein ganz starker Trend zum Menschen hin zu beaobachten. Ein Umdenken auf breiter Ebene, weg von der reinen leistungsorientierten Gesellschaft hin zu einer, die sich am Menschen ausrichtet."

Ernst-Richard Peters-Kiehn
BDVT
DeGefest[1]

„Verkaufen zu trainieren kann nur auf individueller Basis stattfinden."

Was macht Verkaufstraining von morgen wirklich aus? Worauf wird es vorrangig ankommen? Was wird von Unternehmen, von deren Management und Vertriebsleitung eigentlich gewünscht? Welcher Bedarf muß gedeckt werden? Vor allem: Wo liegen bislang nicht entdeckte Problembereiche, die es zu sondieren und auszuräumen gilt?

Ein Paket von Fragen, mit dem wir uns an Ernst-Richard Peters-Kiehn wenden. Fragen, die zahlreiche Unternehmer angehen.

Zur Person: Ernst-Richard Peters-Kiehn, 36 Jahre jung, stieg nach abgeschlossenem Jurastudium in das Versicherungswesen ein. Bei einem großen Unternehmen war er nicht nur selbst im Verkauf sehr erfolgreich, sondern bald auch schon in die Ausbildung von neuen Mitarbeitern voll integriert. Sein Werdegang als Verkäufer ist sozusagen makellos, gemessen an einer Stornoquote von Null. Sauberes, solides

1) Deutsche Gesellschaft zur Förderung des Seminar- und Tagungswesens

Geschäft lautete seine Devise, die sich bis heute in seinen Trainings wiederfinden läßt.

Als selbständiger Trainer betätigte er sich von 1986 bis 1990 in einem bekannten Schulungsinstitut, lernte das Handwerk der Verkäuferausbildung sozusagen von der Pike auf. Seine Kreativität war schließlich der entscheidende Auslöser dafür, daß er sich voll und ganz auf eigene Beine stellte. Mit dem WOHLTORFER TRAINER TEAM GmbH, das er als Geschäftsführer leitet, vertritt er seit 1991 ein zukunftsorientiertes Verkaufstraining, welches alles andere als alltäglich ist. Den Grund dafür formuliert der dynamische 36jährige so: „Ich war selbst jahrelang Hochleistungssportler und gehörte zur Riege der besten 10 in Deutschland im 1000-Meter-Lauf. Dann lernte ich, andere Hochleistungssportler zu trainieren. Wenn man dieses Metier beherrscht, wenn man diese Spitzensportler motivieren kann, dann ist man auch imstande, andere Verkäufer zu besseren Leistungen zu bewegen."

Ernst-Richard Peters-Kiehn legt den Finger gleich ohne Umschweife auf eine große Wunde moderner Verkäuferschulungen: „Verkaufstraining wird in vielen Fällen rein schematisch durchgeführt. Verkäufer erlernen ein festliegendes Programm, das auf jedem Seminar unabhängig von den Teilnehmern in mehr oder minder gleicher Art und Weise heruntergespult wird. Die Verkäufer werden so jedoch nicht wirklich an das Optimum an Leistung herangeführt, zu dem sie fähig sind. Wer Spitzensportler trainiert, der weiß. daß man sich mit jedem einzelnen Sportler intensiv beschäftigen muß. Gleiches gilt für das Ausbilden und Trainieren von Verkäufern: Nur ein individuell maßgeschneidertes Trainingsprogramm kann eine Verkaufsmannschaft zu echten Höchstleistungen führen, vermag sie zu stabilen Ergebnissen zu bringen."

„Was muß also konkret anders gemacht werden? Wie kann ein Trainingsinstitut, will es sich als fortschrittlich und innovativ bezeichnen, diesen Gedanken wirklich in die Tat umsetzen?"

Ernst-Richard Peters-Kiehn: „So schwer es auch in der Praxis durchzuführen sein mag: Der Trainer MUSS konkret auf die Bedürfnisse jedes einzelnen Teilnehmers eingehen. Pauschale Formulierungen, wie sie früher oftmals in der Assekuranz, aber auch in zahlreichen anderen Bereichen vermittelt wurden, sind out. Verkäufer passen nicht in irgendeine Schablone. Jeder von ihnen muß auf seinen ganz persönlichen Weg geführt werden, der zu seiner Persönlichkeit, seinen Anlagen paßt. Ähnlich wie im Hochleistungssport kann ein allgemeiner Trainingsplan für einen einzelnen Wettkämpfer 100prozentig richtig sein, aber für zwanzig andere völlig daneben liegen! Jeder Mensch besitzt Möglichkeiten und Grenzen, die letztendlich nur er selbst in Erfahrung bringen kann. Es ist aber Aufgabe des Verkaufstrainers, sich konkret mit der einzelnen Person zu beschäftigen, ihre individuellen Stärken auszuloten und diese weiter auszubauen."

Und genau darin spiegelt sich die Philosophie des Wohltorfer Trainer Teams wider. Vier Ausbilder kümmern sich um die Belange der Unternehmen, die sich zum Training anmelden. Trainiert wird nur vor Ort, dort, wo das Unternehmen zu Hause ist. „Wir halten unser Team bewußt so klein, damit wir auch in Zukunft sehr kundenorientiert arbeiten können", erklärt E.-R. Peters-Kiehn.

Seine Spezialität: Interne Seminare in kleinen, geschlossenen Gruppen. „Offene Verkaufstrainings lehne ich ab", erläutert er. „Wir verfolgen einen genauen Ablauf, der in den Unternehmen wirklich sehr gut ankommt und meines Erachtens richtungsweisend ist. Zunächst ist der Trainer selbst der, der seine Dienstleistung auch verkauft: Beim Kunden stellt er sein Angebot vor und unterbreitet, wie er die Probleme des Kunden durch ein zielgerichtetes Training in seinem Hause lösen will. Durch die geleistete Überzeugungsarbeit beweist er, daß er selbst in der Lage ist, zu verkaufen. Ist der Vertrag unter Dach und Fach, führt der Trainer nun persönlich zahlreiche Vorgespräche. Er arbeitet sich sehr genau in das Unternehmen ein. Nur wer die ganz speziellen Unternehmensstrukturen kennt, wer mit den Zielsetzungen und vielschichtigen Problemen des betreuten Unternehmens vertraut ist, kann anschließend auch eine passende Lösung anbieten."

Logisches Fazit: Jedes Seminar wird ganz speziell für den Auftraggeber entwickelt. Trainings „von der Stange" gibt es im WOHLTORFER TRAINER TEAM nicht.

Überzeugend erscheint der Ablaufplan eines Trainingspaketes, der sich in fünf Schritte gliedert:

1. Analysegespräch
2. Konzepterstellung für Workshop oder Training
3. Durchführung von Workshop bzw. Training
4. Auswertungsgespräch über den Verlauf der Durchführung
5. Vorschläge zum weiteren Vorgehen.

Interessant sind vor allem die Details, die sich hinter diesen fünf Punkten verbergen. Ernst-Richard Peters-Kiehn hierzu: „Wichtig ist zunächst das Analysegespräch mit Geschäftsführer, Personalchef und Vertriebsleiter. Aus der Sicht der Unternehmensleitung wird dargelegt, was sich im Verkäuferteam bessern muß. Das allein aber genügt uns nicht als Grundlage für den Trainingsablauf."

Was nun folgt, ist wiederum keineswegs selbstverständlich. Ernst-Richard Peters-Kiehn weiter: „Selten stimmen die echten Bedürfnisse des Unternehmens mit dem überein, was in den Augen der Geschäftsleitung an Problemen existiert. Grundlage für das Festlegen der Trainingsinhalte sind solche Gespräche, die in der Vorbereitungsphase mit den Teilnehmern des Seminares geführt werden, mit den Verkäufern also. Es kann also vorkommen, daß eine ganz andere Sache trainiert wird, als es die

Führungsriege vermutet hätte. Es entscheidet also nicht vorrangig oder allein der Chef, sondern beide Seiten tragen ihre ganz speziellen Anliegen vor. Allein der Trainer legt dann aufgrund seiner Vorgespräche fest, an welchen Punkten das maßgeschneiderte Training genau ansetzen wird."

„Aber – wird diese Vorgehensweise in den Reihen der Verantwortlichen ebenso begrüßt wie bei den Teilnehmern des Seminares?"

Ernst-Richard Peters-Kiehn: „Die Akzeptanz ist ungleich höher als bei allgemein gehaltenen Verkäuferschulungen: Nicht nur, daß die Teilnehmer wirklich jene Inhalte vermittelt bekommen, nach welchen sie fragten; sie können gewissermaßen selbst mitbestimmen, was im Training geschieht."

Konsequent wird diese Linie beibehalten, auch wenn es dabei einmal zu Konflikten zwischen Führung und Untergebenen kommt: „Es ist vollkommen klar, daß ab und an Reibereien ans Licht kommen. Diese entstehen nicht erst durch die Trainingsmaßnahme", so erläutert es Ernst-Richard Peters-Kiehn, „sondern sie kommen nur wirklich ans Licht! Oft sind es Konflikte, die schon seit geraumer Zeit schwelten und die nun glasklar sichtbar werden."

„Häufige Konfliktsituationen entstehen nach wie vor zwischen Verkaufsinnendienst und Außendienst, zwischen Verkauf und Verwaltung sowie bei der Abwicklung des Auftrages durch die Produktionsabteilung. Welche Lösung bieten Sie hier an?"

Ernst-Richard Peters-Kiehn: „Genau dafür haben wir uns auf Komplettlösungen spezialisiert: ALLE Bereiche des Unternehmens werden in ein Gesamtkonzept integriert, bei welchem versucht wird, über eine bloße Schulung des Verkäuferteams hinaus positiv auch auf die Unternehmensstrukturen Einfluß zu nehmen. Was allerdings nicht immer einfach ist", wie Peters-Kiehn einräumt. „In Fällen, wo wir eindeutig feststellen, daß die Erwartungen der Unternehmensleitung und die Bedürfnisse der Teilnehmer des Trainings sehr weit auseinanderklaffen, schalten wir einen Workshop vor, der allen Beteiligten Gelegenheit gibt, auf anonymer Basis bestehende Konflikte auszusprechen und zur Diskussion zu bringen. Nun sind alle beteiligten Seiten gefordert, sich offen zu äußern; jeder ist dennoch geschützt, da wir über ein anonymes System operieren."

Die Wirkung läßt meist nicht lange auf sich warten. „Der Workshop bietet zahlreiche Vorteile, die ein reines Training nicht besitzt. So kann beispielsweise die Geschäfts- oder Verkaufsleitung in eine solche Maßnahme eingebunden werden, ohne zugleich die alltägliche Rolle eines Vorgesetzten spielen zu müssen. Hierarchien sind ausgeschaltet, es besteht gleiches Mitspracherecht für alle. Wichtig ist dabei allein, daß es dem Moderator, der dieses offene Gruppengespräch leitet, wirklich gelingt, die Gruppe ins Laufen zu bringen. Daß er dann auch imstande ist, auf konkrete Maßnahmenkataloge hinzuarbeiten, so daß die Diskussion in praktischen Aktionen mündet und das umgesetzt werden kann, was besprochen wurde. Nur so können tatsächliche Verbesserungen erzielt werden."

„Man erfährt von Insidern, daß WTT die Teilnehmer eines Seminares auch über das eigentliche Seminar hinaus noch sehr individuell betreut. Was hat es damit auf sich?"

Ernst-Richard Peters-Kiehn hierzu: „Direkt nach dem Training, am gleichen Abend also, sprechen wir mit jedem einzelnen Teilnehmer und vermitteln ihm unsere persönlichen Eindrücke. Auf diese Weise erhalten die Teilnehmer ein persönliches Feedback durch den Trainer, was ihm eine Vorstellung gibt, wie er beim Kunden ankommt, wie ihn der Kunde erlebt. Diese Vorgehensweise ist bei den einzelnen Teilnehmern sehr willkommen. Obwohl es meist bis in die späten Nachtstunden dauert, möchten alle daran teilhaben."

„Hat das mit einem besonderen Selbstverständnis des WTT zu tun?"

Ernst-Richard Peters-Kiehn: „Wir verstehen uns eigentlich als eine Art Mittler zwischen Teilnehmer und Unternehmen. Wir möchten mithelfen, daß sich Führungskräfte und Mitarbeiter besser verständigen können, daß der eine weiß, was der andere möchte, daß die Probleme untereinander bekannt sind und daß man Verständnis füreinander entwickelt. Das Interessante ist: Zunächst streitet meist jedes Unternehmen ab, daß es überhaupt größere Probleme zwischen diesen Parteien gibt. Im Verlaufe des Seminars aber werden die Teilnehmer immer offener, berichten uns über ihre persönlichen Schwierigkeiten und erzählen, in welchen Bereichen es nicht so klappt, wie es sollte."

Das gleiche gilt natürlich auch für die Führungsriege, die sich dann aber im Verlaufe der Vorgespräche und durch Workshop und Seminar mehr und mehr öffnet: „Letztlich ist jeder der Beteiligten froh und erleichtert, wenn am Ende ein Außenstehender den Mut und die Möglichkeiten besitzt, einige sehr konkrete und nützliche Hinweise zwischenmenschlicher Art zu vermitteln. Unsere Rolle besteht also nicht nur im reinen Training, im Vortrag oder gar Abspulen eines Programms, sondern ich betrachte es tatsächlich als eine zentrale Aufgabe eines Trainerteams, die betroffenen Seiten Verkäufer und Führungsriege einander zu öffnen, soweit dies nötig ist."

„Berechtigterweise stellt sich da die Frage, ob ein solches Eingreifen in die internen Strukturen überhaupt seitens der Führungskräfte akzeptiert wird?"

Ernst-Richard Peters-Kiehn: „Jede Führungskraft ist dankbar dafür, wenn man sie konkret darauf aufmerksam macht, daß ihr letztlich die Leute davonlaufen werden, wenn nicht ganz bestimmte Punkte geändert werden. Hier kommt nicht selten eine meiner ganz persönlichen Stärken zum Tragen: der geschickte Umgang mit Menschen. Was ich übrigens wiederum auf meine jahrelange Tätigkeit als Sporttrainer zurückführe."

„Verwenden Sie in Ihren Trainings ganz spezielle Trainingsmethoden, irgendwelche Techniken und Raffinessen? Welchen Methoden gibt WTT den Vorzug? Mit welchen sind Sie nicht gut gefahren?"

Ernst-Richard Peters-Kiehn: „Ich weigere mich, ein Training auf ganz bestimmte Methoden zu fixieren. Grundsätzlich gilt: Möglichst wenig Lehrvortrag des Trainers, möglichst viel moderierte Diskussion, praxisorientiertes Rollenspiel und vor allem Einzelgespräche. Rollenspiele kranken nicht selten daran, daß sie auf irgendwelchen Situationen basieren, die auf diese Art in Wirklichkeit dem Verkäufer gar nicht begegnen. Nur in Einzelgesprächen kann man ermitteln, welche Rollenspiele für den jeweiligen Verkäufer sinnvoll sind, welche nicht. In den echten, realitätsnahen Rollenspielen läßt sich natürlich hervorragend das Video einsetzen. Eine Einschränkung muß jedoch gemacht werden: daß bei einer Kritik durch die Gruppe kein Teilnehmer das Gesicht verlieren darf. Sollte der Trainingsleiter feststellen, daß ein Teilnehmer tatsächlich eine Beurteilung nicht gut angenommen hat, muß es wiederum im Einzelgespräch aufgegriffen und bereinigt werden.

„Die Qualität eines solchen Trainings hängt voll und ganz von der Art der Gespräche ab, die man im Vorwege mit den Teilnehmern geführt hat. Wer sich intensiv mit dem Unternehmen beschäftigt hat, der kann beim Training schnell und gezielt auf den richtigen Punkt kommen, ohne irgendwelche Rollenspiele zu inszenieren, die von der alltäglichen Praxis der Teilnehmer weit entfernt sind"

„Methoden, die nicht funktionieren?" Hier weiß Ernst-Richard Peters-Kiehn noch mehr zu berichten: „Wenn versucht wird, den Teilnehmern etwas vorzuschreiben, was sie mehr oder minder auswendig lernen sollen, wird das Training nicht fruchten. Wenn man ihnen Formulierungen vorgibt, die der Persönlichkeit des einzelnen Verkäufers nicht gerecht werden, oder ihnen Tricks beizubringen sucht, die heute überhaupt nicht mehr gefragt sind, werden die Verkäufer auf den falschen Weg gesetzt. Verkaufen heute und morgen bedeutet, eine Partnerschaft mit dem Kunden aufzubauen."

Glücklicherweise macht dies die Arbeit des Trainers in vielen Punkten leichter, wie Peters-Kiehn beschreibt: „Oft genügen kleine Verhaltensänderungen beim Verkäufer, um ganz neue Perspektiven im Verkauf zu eröffnen. Nicht selten sind es gerade bei älteren, gestandenen Verkäufern die eingefahrenen Routinen, die den Erfolg dämpfen. Hier sollte der Trainer Anregungen geben, statt Verkaufstricks oder abgedroschene Formulierungen zu vermitteln."

Auch das Herumpochen auf den Schwachstellen ist out. Peters-Kiehn: „Wenige Verkäufer kommen mit der Einstellung in ein Seminar, an ihre Stärken erinnert zu werden. Tagein, tagaus erfahren sie, was mit ihnen NICHT in Ordnung ist. Erfolgreiche Verkäufer hingegen konzentrieren sich in erster Linie darauf, wo ihre ganz persönlichen Stärken liegen. Oft ist es sehr viel hilfreicher, einen Verkäufer darüber nachdenken zu lassen, wie er seine STÄRKEN noch besser zur Geltung bringen kann, in welchen Bereichen er sie beim Kunden besser einsetzen kann. Daraus kann sich jeder einzelne ganz bestimmte Formulierungen oder Gesprächstaktiken aufstellen. Training kann Anregungen vermitteln, aber die Formulierungen muß sich der Verkäufer selbst erarbeiten. Jeder muß zu seinem ganz eigenen Verkaufsstil finden und diesen konsequent beibehalten, ihn nicht nach jedem Windstoß ändern."

Weitere Stichpunkte sind Praxistraining und Feldtraining: „Ein Seminar kann den Verkäufer nur animieren, in seinen Verkaufsgesprächen neue Strategien zu testen. Diese muß er dann konsequent, nicht nur einmal, sondern mindestens zehnmal in der Praxis verwenden, um sich letztlich dafür oder dagegen entscheiden zu können. Manchmal dauert es eben eine Weile, bis er sich ein neues Gesprächsverhalten so verinnerlicht hat, daß es greift. Wenn es tatsächlich nach einem Dutzend Versuchen nicht funktioniert trotz aller ernsthaften Bemühungen, sollte er es über Bord werfen. Ich gehe sogar so weit, daß ich auf Wunsch mit dem Verkäufer als Begleitperson Kundenbesuche mache."

Die übliche Feststellung: Genau die gleichen Schwierigkeiten tauchen beim Kunden auf, wie sie auch im Seminar erkennbar waren. Und die übliche Abhilfe: Mehr Training! Ernst-Richard Peters-Kiehn: „Verkäufer müssen üben, üben und nochmals üben – wie ein Leistungssportler. Vielfach wird das nötige Ausmaß an praktischen Übungen unterschätzt. Wer die Meßlatte höher legt, darf nicht gleich beim ersten Fehlversuch die Flinte ins Korn werfen und sich mit den alten Höhen zufriedengeben."

Ernst-Richard Peters-Kiehn appelliert in diesem Zusammenhang eindringlich an Führungskräfte: „Laßt den Verkäufern Zeit, sich mit Neuerungen im Markt zu bewegen! Erwartet nicht, daß nach einem Seminar sofort alles anders ist! Meist sind diese phänomenalen Soforterfolge ohnehin sehr kurzlebig, da sie allein auf einer momentanten Motivation und nicht auf wirklich grundlegenden Veränderungen beim Verkäufer oder gar innerhalb der Unternehmensstrukturen und Strategien basieren."

„Was machen erfolgreiche Verkäufer anders? Was die anderen falsch?"

Ernst-Richard Peters-Kiehn: „Fast alle Verkäufer reden zuviel. Verkaufstraining bedeutet vor allem, Zuhören zu trainieren. Schon die einfachsten Spiele bei einem Seminar zeigen, wie schwer es den Teilnehmern fällt, wirklich zuzuhören. Also ist der Bereich AKTIVES ZUHÖREN im Training ganz weit oben angesiedelt. Doch davor gibt es noch einen wichtigen Schritt: Bevor der Verkäufer zuhören kann, muß er erst einmal die richtige Frage an den Kunden gerichtet haben! Auch das ist längst keine

Selbstverständlichkeit für die meisten Verkäufer. Das bedeutet, die richtige Fragestellung muß geübt und geübt werden, bis es dem Verkäufer in jedem Verkaufsgespräch gelingt, den Redefluß des Kunden in Gang zu setzen. Wie wichtig das ist, erkennen wir daran, daß die Mehrheit aller Verkäufer mit diesem Punkt Probleme hat."

„Damit im Zusammenhang steht aber doch das Problem vieler Verkäufer, daß sie ihre Materie sehr viel besser beherrschen als der Kunde?"

Ernst-Richard Peters-Kiehn: „Wer doziert, der verliert! Ein bekannter Tatbestand, den leider viele Verkäufer noch immer nicht beachten. Der Besserwisser hat in Zukunft keine Chance beim Kunden mehr, denn Kunden sind zunehmend kritischer und zugleich sehr viel besser informiert als in früheren Zeiten. Also gilt es, den Verkäufer so zu schulen, daß er dem Kunden gegenüber nicht als Gelehrter auftritt. Schon manches Mal sind Verkäufer mit dieser Arroganz des Besserwissenden auf die Nase gefallen: Der Kunde hatte sich besser informiert als sie selbst und legte sie schlichtweg aufs Kreuz!"

„Was halten Sie von den unterschiedlichen Verkäufertypen? Welche werden in Ihrer Schule besonders trainiert?"

Peters-Kiehn: „Obwohl ich eine generelle Abneigung dagegen habe, Menschen in Typenklassen einzureihen, würde ich dennoch ganz grob drei Arten von Verkäufern unterscheiden. Dies sind reine Erfahrungswerte, die andere bestätigen mögen oder auch nicht. Da ist zunächst der Sunnyboy – der Verkäufer, dem die Kommunikation sehr leicht fällt, der mit jedem schnell ins Gespräch kommt. Diesem fehlt es jedoch nicht selten an der nötigen Feinfühligkeit, an der Sensibilität, um die wirklichen Bedürfnisse des Kunden zu ermitteln.

Der zweite Typ ist der ruhige, sachliche Verkäufer, der technisch bestens informiert ist, sich aber in stundenlangen Referaten ergeht. Er meint, den Kunden mit Fakten überzeugen zu müssen, und übersieht die Tatsache, daß 80 Prozent des Kaufvorgangs auf der Gefühlsebene stattfinden.

Der dritte Typus schließlich ist der sensible, empfindsame Verkäufer. Er beobachtet und spürt sehr genau, was im Gespräch beim Kunden abläuft. Er weiß die Körpersprache richtig zu interpretieren, ohne jedoch sklavisch darauf fixiert zu sein. Er baut binnen weniger Minuten eine starke gefühlsmäßige Beziehung zum Kunden auf und gewinnt den Kunden allein schon auf dieser Ebene. Dieser letzte Verkäufertypus besitzt eindeutig die besten Zukunftschancen, wenn ich das einmal prognostizieren darf. Er operiert überwiegend auf der Gefühlsebene, nicht mit sachlich-rationellen Argumenten. Intuitiv trifft er die richtigen Entscheidungen. Keines seiner Gespräche läuft nach irgendeinem Muster ab. Seine Gespräche sind oft weit entfernt von allen Sachargumenten des zweiten Verkäufertyps. Trotzdem beherrscht er seine Materie aus dem FF. Er überfordert oder belästigt jedoch den Kunden nicht damit."

„Kann man dies trainieren?“

Ernst-Richard Peters-Kiehn: „Es leuchtet ein, daß man diesen Verkäufertyp nicht ‚züchten‘ kann. Erfahrung und ständiger Umgang mit Menschen, im geschäftlichen wie privaten Bereich, sind erforderlich, um die Persönlichkeit schließlich zu dem heranzubilden, was Peters-Kiehn als den sensiblen Typus klassifiziert.“

„Ein weiteres Thema: Was hat Verkaufstraining mit Zielgruppen zu tun? Oder ist es gar branchenunabhängig?“

E.-R. Peters-Kiehn: „Wir trainieren völlig unabhängig von einzelnen Branchen. Obwohl es für bestimmte Bereiche sehr spezifisches Fachwissen gibt, muß dennoch der Trainer diese Fachkenntnisse keineswegs beherrschen. Besser ist es, zwischen zwei Kategorien von Verkäufern zu unterscheiden, mit denen wir meist getrennt trainieren: solche, die noch jung und unerfahren sind, und den alten Hasen. Letzeren kann man nichts mehr über den Ablauf von Verkaufsgesprächen erzählen. Da gilt es, die bekannten Verschleißerscheinungen abzubauen und für ganz konkrete Probleme der einzelnen Hilfestellung zu geben. Einfacher ist es bei der ersten Zielgruppe: Hier haben wir es mit relativ unerfahrenen, aber meist hochmotivieren Menschen zu tun, die für jeden Tip aus der Praxis eines erfahrenen Verkäufers unendlich dankbar sind.“

„Konkrete Demonstrationen, Gesprächsabläufe ‚Argumentationstechniken‘ etc. stehen also hier im Vordergrund?“

Ernst-Richard Peters-Kiehn: „Was sich besonders bei Großunternehmen als vorteilhaft herausstellte, ist der Erfahrungsaustausch der Verkäufer untereinander. Persönliche Erfahrungen des einzelnen können mitunter sehr hilfreich für andere sein, für alte Hasen wie auch junge Verkäufer. Hier sehe ich die Aufgabe des Verkaufstrainers darin, daß er unterstützend berät und darauf hinweist, wie der eine oder andere Tip in die Praxis umgesetzt werden kann.“

Im Vordergrund aller Trainingsbemühungen jedoch steht immer, immer, immer die Persönlichkeit des Verkäufers: „Sie können branchenspezifische Techniken schulen, und manche Trainingsmethoden mögen dabei auch durchaus sinnvoll sein. Aber für einzig ausschlaggebend für bessere Resultate ist IMMER die Persönlichkeit des Verkäufers, nicht die Technik! Wer dies weiß und als Anhaltspunkt benutzt, der wird niemals Schwierigkeiten damit haben, zu entscheiden, welcher Technik er sich bedienen sollte. Im Zweifelsfalle verkaufen Sie einfach einmal völlig ohne jede Technik! Reden Sie mit einem anderen Menschen, und verkaufen Sie ihm eine Tasse Kaffee! Oder ein neues Haus! Was ist der Unterschied? Wenn Sie den Kunden begeistern für Ihre Idee, gibt es keinen Unterschied.“

Ein weiteres gewichtiges Argument spricht gegen ein reines Training der Techniken. Peters-Kiehn: „Statt im Seminar über bestimmte Gesprächstechniken zu reden, sollten Sie dem Verkäufer eigentlich die Kunst der Beobachtung beibringen! Wenn der Verkäufer verstanden hat, daß es am anderen Menschen unendlich viel mehr zu beobachten gibt, als er, der Verkäufer jemals an Fachwissen mitbringen kann, dann hat er ein großes Stück seines Weges zum Erfolg geschafft! Kunden wollen ernst genommen werden. Die Zeiten, da man sie reihenweise mit einer geschickten Fragestellung über den Tisch ziehen konnte, sind vorbei!"

Und weiter: „Anspruchsvolles Verkaufen bedeutet, daß eine langfristige Beziehung zum Kunden entsteht. Oft arbeitet man dann über Jahre hinweg mit dem Kunden zusammen. Meiner Beobachtung nach gelingt dies Verkäufern am besten, die bewußt oder unbewußt die ganz einfachen Tugenden von Wahrheit, Ehrlichkeit, Beharrlichkeit, Fleiß und Seriosität beherrschen. Vielleicht klingen diese Worte etwas unmodern, aber das ändert nichts an der Tatsache, daß erfolgreiche Verkäufer diesen Prinzipien treu bleiben. Sie sprechen auch nicht abfällig über Kunden. Sie legen eine hohe persönliche Wertschätzung gegenüber dem Kunden an den Tag. Sie sehen den Kunden als Partner. Sie zeigen aufgrund ihrer Ehrlichkeit aber auch Härte, wenn dies erforderlich ist. So lassen sie sich beispielsweise nicht auf überzogene Rabattvorstellungen des Kunden ein, sondern erklären ihm, daß sie unseriös gegenüber ihren anderen Kunden werden, wenn sie hier nachgeben. Damit verlieren sie Kunden nicht, sondern gewinnen sie!"

„Woran bemißt sich der Erfolg des Verkaufstrainers?" lautet die nächste wichtige Frage. Nicht ohne Grund: Viele Unternehmen sind gerade in diesem Punkt sehr unsicher! Peters-Kiehn: „Für mich ist allein entscheidend, daß sich die Verkaufszahlen verbessern. Konkrete Ergebnisse müssen sichtbar sein. Ergebnisse, die vielleicht nicht sofort am nächsten Tag, sicher aber im Verlauf der nächsten Wochen sichtbar werden. Das bedeutet, daß ich die Bedürfnisse MEINES Kunden befriedigt habe – denn auch ich bin ein Verkäufer, der Bedarf decken und Nutzen bringen muß."

„Nach welchen Kriterien sollte man sich einen Trainer aussuchen? Gibt es hier konkrete Anhahltspunkte?"

Ernst-Richard Peters-Kiehn: „Zunächst einmal muß der Trainer sich selbst bzw. seine Dienste als Trainer verkaufen können. Wer dies nicht selbst besorgen kann, ist in meinen Augen kein kompetenter Trainer, denn er verkauft nicht. Wer andere trainiert, muß selbst in der Lage sein, zu akquirieren. Dann stellt sich die Frage nach der Vorgehensweise des Trainers. Wird das Trainingsprogramm gezielt auf den Bedarf des Unternehmens abgestimmt? Werden entsprechende Vorgespräche geführt, oder wird eine Schema-F-Show vom Stapel gezogen?

Der nächste Punkt ist sehr subjektiv. Paßt der Trainer zum Unternehmen? Gelingt es ihm, den berühmten Draht zur Führungsriege und zur Verkaufsmannschaft zu finden? Branchenerfahrung ist in meinen Augen dabei weniger wichtig als die Fähigkeit, Türen und Herzen zu öffen. Gelingt es dem Trainer, schnellen Kontakt zu den

Mitarbeitern zu finden, und nehmen sie das an, was er sagt? Das sind die wichigsten Kriterien in meinen Augen."

„Beleuchten wir einmal einige ganz konkrete Alltagsprobleme des Verkäufers. Wie kann er neue Kunden finden?"

Ernst-Richard Peters-Kiehn: „Jeder weiß es, kaum einer verwendet es: Die beste Schiene zu neuen Kunden sind und bleiben die Empfehlungen! Verkäufer sollten sich nicht scheuen, ihre Kunden nach Empfehlungen zu fragen. Das kann auch Wochen oder Monate nach einem Abschluß mit diesem Kunden wieder geschehen! Kunden sind ein schier unerschöpflicher Quell für neue Kunden.

Eine weitere Schiene, die in Zukunft noch sehr viel ausgereifter zur Geltung kommen wird, ist Direct Mailing mit telefonischen Nachfaßaktionen. Doch diese Telefonakquisition muß auch trainiert werden! Des weiteren bin ich ganz persönlich ein Fan von Messen. In sehr vielen º1

Bereichen könnten Messen zur Neukundengewinnung besser genutzt werden. Auch dies erfordert im Vorfelde gezieltes Messetraining des Personals! Hier wird sehr viel Geld verschwendet, weil die kurze verfügbare Zeit einer Messe nicht optimal genutzt wird. Messetraining ist mit Sicherheit eine der großen Spezialitäten der Zukunft! Wie Sie sehen – die Möglichkeiten des Neukundenkontaktes sind so zahlreich, daß sich hier ein schier unerschöpfliches Gebiet auch für Verkaufstraining durch Spezialisten für die einzelnen Bereiche auftut."

„Wie kann der einzelne Verkäufer seine Abschlußquote steigern?"

Peters-Kiehn: „Die meisten Verkäufer nutzen nur ein einziges Sinnesorgan ihrer Kunden: Das Ohr. Mit anderen Worten: Sie reden, statt zu zeigen. Wer dem Kunden eine kreative Demonstration des Produktes vorführt, hat weitaus bessere Chancen als der, der nur erzählt! Aber auch hier werden Fehler gemacht: Der tolle Musterkoffer mag zwar hervorragende Prospekte des Unternehmens enthalten, ist dabei aber oft gleichzeitig überfüllt mit Dingen, die Verkäufer und Kunde gar nicht benötigen. Die Folge: Der Kunde beginnt, überflüssige Fragen zu stellen, das Verkaufsgespräch verliert sich in Nebensächlichkeiten, die nicht selten schon einen Abschluß zunichte gemacht haben."

„Welche Abschlußtechniken trainieren Sie?"

Ernst-Richard Peters-Kiehn: „Allgemein werden in meinen Augen sogenannte Abschlußtechniken stark überbewertet. Wenn ich als Persönlichkeit ankomme und mit sehr viel Sensibilität Vertrauen zu wecken verstehe, ist der Abschluß die schönste Nebensache der Welt. Dazu gehört natürlich, daß ich ein Gespräch logisch und für den Kunden leicht nachvollziehbar aufbaue. Daß ich nach dem ersten Kontakt Informationen vom Kunden erhalte, um herauszufinden, wo seine Probleme liegen. Daß ich die Lösung andeute, aber nicht mit der Türe ins Haus falle. Wichtig ist, daß der

Kunde sich zunächst überhaupt einmal verstanden fühlt. Dann erst kann ich beginnen, mein Produkt zu präsentieren."

„Wie trainieren Sie das Beseitigen von Preiseinwänden?"

Ernst-Richard Peters-Kiehn: „Preiseinwände sind nicht selten im Kopf des Verkäufers fester verankert als in dem der Kunden. Jeder Verkäufer beteuert in unserem Seminar, daß sein Produkt zu teuer ist. Grundsätzlich! Die Abhilfe besteht nicht darin, daß Produkt billiger zu machen, sondern die eigene Einstellung zu ändern! Ich sage den Verkäufern, daß der Preis erst den Job des Verkäufers rechtfertigt! Wäre das Produkt so billig, wie das der Verkäufer gerne hätte, bräuchte man ihn doch gar nicht mehr. Meine Aufgabe als Verkäufer ist es, den Preis zu rechtfertigen. Dazu gehört mein Gespräch mit dem Kunden, das einen Service darstellt für den Kunden. Dazu gehört, daß ich mir als Verkäufer sehr genau im klaren darüber bin, wodurch sich mein Unternehmen von der Konkurrenz abhebt und die jeweiligen Vorteile dem Kunden vor Augen führen kann. Auch das kann von Kunde zu Kunde unterschiedlich sein: Dem einen sagt der bessere Kundendienst zu, dem anderen die kürzere Lieferzeit, dem dritten die Verarbeitungsqualität des Produktes. Hier ist der Verkäufer wirklich gefordert, mit dem Preis ins Reine zu kommen, dazu zu stehen und gerade wegen des Preises zu verkaufen! Schließlich wird daraus ja auch sein eigenes Einkommen bezahlt. Gute Verkäufer sind Unternehmer, die damit keine Probleme haben, schlechte Verkäufer lamentieren und beklagen sich und kommen nicht von der Stelle. Erfolgreiche Verkäufer warten grundsätzlich nicht darauf, daß ihnen ein anderer erzählt, warum der Preis so hoch ist. Sie finden sich selbst Argumente, gehen auf den Kunden zu und fechten den Preis durch!"

„Gestatten Sie eine persönliche Frage zum Abschluß: Was war Ihr größter Erfolg?"

Ernst-Richard Peters Kiehn: „Zweimal geschah es, daß ein Kunde aus irgendeinem Grunde die Zusammenarbeit mit uns aufkündigte. Beide Male aber kam der Kunde nach einer Weile wieder auf uns zu und entschied, daß WTT doch das bessere Team für ihn sei. Der Grund: Beharrlichkeit, Fleiß, guter Service und zu dem stehen, was man vertritt. Dies betrachte ich als einen großen persönlichen Erfolg, weil man daran erst erkennt, daß man Dinge deutlich besser macht!"

Advanced Management
H. Benneck & Partner

„Der Unterschied zwischen der richtigen Trainingsmaßnahme und der beinahe richtigen entspricht einem Vergleich zwischen einem Blitz und einem Glühwürmchen".

(Frei nach Mark Twain)

Teamwork, innere Kündigung, Motivation – Kernprobleme moderner Unternehmensführung. Viel wurde darüber geschrieben, viel gesprochen, wieviel wurde erreicht? Wurde korrigiert, verbessert, vielleicht aus der Welt geräumt? Wenn wir die Angebote an Unternehmensberatung und Training betrachten, so ist das Bild, das sich präsentiert, eher düster. Trotz verstärkter Bemühungen der Unternehmen, Berater und Trainer steigt die Zahl der Mitarbeiter, die unzufrieden am Arbeitsplatz sind. Manager, Führungskräfte, Personalchefs und Firmeninhaber stehen zunehmend vor dem Rätsel der „inneren Kündigung".

In diesem Zusammenhang wurden wir im Verlauf der Recherchen auf ein Trainer-Team aufmerksam, das in Düsseldorf als Personalberatungs-Unternehmen startete und seinen Geschäftsbereich durch Trainingsmaßnahmen erweiterte. Unter dem Namen „Advanced Management – H. Benneck & Partner" firmiert eine beachtliche Mannschaft. Leiter und Geschäftsgründer ist Gerhard Benneck, international erfahrener Unternehmens- und Personalberater. Nach Schulbesuch und Studium in München, Paris und Washington, D.C. konzentrierte sich der Betriebswirt auf die Bereiche Management- und Persönlichkeitstraining. Mit der Gründung des Unternehmens wurde er dem Bedarf gerecht, nicht nur die geeigneten Führungspositionen zu besetzen, sondern auch individuell abgestimmtes Training zu liefern, welches die oben angeschnittenen Probleme besonders anspricht. Sein Erfolg bewog ihn dazu, in sein eigenes Team zusätzlich geschulte und bewährte Trainer einzubinden; so holte er sich Management-Trainer mit internationaler Erfahrung, die auch den Geschäftskontakten mit japanischen Unternehmen zugute kam. Vor diesem Hintergrund sprachen wir mit Advanced Management, das sich übrigens bewußt nicht durch eine Person, sondern als ein Team mit gemeinsamen Zielen repräsentiert wissen wollte.

„Was bewegt ein Personalberatungsunternehmen dazu, sich neben der Personalauswahl auch mit Training auseinanderzusetzen?"

Advanced Management: „Das Kernproblem in den Unternehmen, mit dem fast allerorts gekämpft wird, ist das zunehmende Maß an ‚innerer Kündigung'. Dieses Schlagwort ist nunmehr seit mindestens zehn Jahren im Umlauf, ohne daß die Ursachen dafür wirklich erkannt und behoben werden konnten. Wir wurden natürlich durch unsere Aufgabe, bei der Auswahl qualifizierten Personals beratend zur Seite zu stehen, auf diese Situation aufmerksam. Hierbei trat ans Licht, daß dieser Zustand sogar bis in die obersten Führungsetagen hineinreicht."

„Diese Behauptung möchten wir so pauschal nicht hinnehmen. Nennen Sie bitte einige Fakten!"

Advanced Management: „Der Grad an Identifikation mit der Arbeit und dem Unternehmen ist sehr stark zurückgegangen. Dies macht es auch so schwierig, die richtigen Leute zu finden. All die komplizierten Testverfahren, Assessment Centers und so weiter, sind im Grunde nur Ausdruck und Zeichen der Unsicherheit. Wirklich verläßliche Beurteilungskriterien – paßt diese Person in unser Unternehmen oder nicht? – stehen kaum zur Verfügung. Heute glaubt man, nur noch durch höchstkomplizierte Meßmethoden feststellen können, ob die rechten Merkmale bei der Person zu finden sind oder nicht."

„Nennen Sie bitte ein Beispiel für Ihre These!"

Advanced Management: „Sie brauchen sich nur einmal in Unternehmen umzusehen: Fehlzeiten nehmen zu. Arbeitsunlust und das Ausbleiben von Initiative bremsen das Arbeitstempo. Grabenkämpfe werden auf Management-Ebene ausgetragen, die viel Kraft und Energie kosten. Intrigen, Rechtfertigungen, Revanchen und das Verfolgen persönlicher Ziele sind keine theoretischen Parameter, sondern erschreckende Wahrheit in unseren Unternehmen. Immer mehr beobachten wir Anzeichen, die auf ein wachsendes Ausmaß an innerer Distanz hinweisen: Zurückweisen von Innovationen, Kompetenzverweigerung, Verantwortungsabwehr, mangelhafter Informationsaustausch oder bewußtes Zurückhalten von Information, um es dem anderen schwer zu machen; destruktive Cliquenbildung, hohe Fluktuation, Argwohn, Mißtrauen, Skepsis, wachsende Anzahl von Beschwerden über andere, Verschlossenheit sowie Gefühle des Getäuscht- und Enttäuschtseins."

„Sie legen den Finger offenbar in tiefe Wunden. Wo sind Ihrer Ansicht nach die Ursachen für diese – zugegebenermaßen nicht zu leugnenden – Mißstände zu finden?"

Advanced Management: „Der gesamte Bereich ist derart komplex, daß es vermessen wäre, hier in wenigen Worten Ursachenfindung betreiben zu wollen. Einige Tatsachen jedoch stehen fest und leuchten erfahrungsgemäß jeder Führungskraft ein. Erstens, die herkömmlichen Methoden, meist aus psychologischen oder ideologischen Theorien geboren, haben die Situation weder verhindern noch bessern können. – Zweitens: Es gibt gut funktionierende, erfolgreiche Unternehmen, und es gibt erfolgreiche Aktivitäten und Bereiche innerhalb von großen Unternehmen. Wenn dort das Phänomen innerer Kündigung nicht oder nur in geringem Maße vorhanden ist bei gleicher Bezahlung, so ist die Frage berechtigt: Was macht man dort anders? – Drittens: Um die Ursachen für innere Kündigung und wachsende Demotivation zu finden und zu beheben, müssen wir weg von der Mißerfolgs-Psychologie des ‚Was ist falsch mit dir' und uns an einer Erfolgsphilosophie des ‚Was hat gut funktioniert?' orientieren."

„Das ist eine kühne These! Sie wollen die negativen Seiten einfach ignorieren und eine Art ‚Zweck-Positivismus' verfolgen?"

Advanced Management: „Damit hat unser Standpunkt überhaupt nichts zu tun! Alles, was wir behaupten ist: Es wurde in der Vergangenheit viel zu viel auf Fehler, auf Negatives, auf das, was (angeblich) schlecht war, geschaut; wo es gut lief, nahm man dies oft als selbstverständlich hin. Lob ist in unseren deutschen Unternehmen heute fast ein Fremdwort, um nur ein kleines Beispiel zu nennen!"

„Lob?! Geht es nicht vielmehr in erster Linie um das Erreichen von Umsatz, das Erobern neuer Marktsegmente und um Kostensenkung, um einige der wesentlichen Schlagworte zu nennen – da sprechen Sie von Lob?"

Advanced Management: „Wenn wir Lob sagen, meinen wir Anerkennung und Bestätigung für eine gut geleistete Arbeit. Wir sprechen ja von innerer Kündigung und deren Ursachen. Was das Stichwort Lob anbelangt: jahrelang wurden Manager darauf getrimmt, einen Mitarbeiter für etwas, das er gut gemacht hatte, ja nicht zu viel zu loben! Der könnte ja sonst übermütig werden und eine Gehaltserhöhung verlangen! Die Folge: Man lobte mit großer Zurückhaltung, wenn überhaupt; fand jedoch selbst im besten Süppchen garantiert noch ein Haar (das man am Ende vielleicht selbst noch hineingeschmuggelt hatte). Wir behaupten nun nicht, daß mit Lob allein dieser Trend umzukehren ist; das wäre eine grobe Vereinfachung. Wenn jedoch die generelle Tendenz anders wäre, wenn statt dem Negativen vielmehr das Positive betont und beachtet würde, dann würde sich in der Tat, wie die Erfahrung zeigt, etwas ändern! Dann könnte das Problem innerer Kündigung auch aus der Welt geschafft werden."

„Welches sind die Merkmale, die dem Phänomen der inneren Kündigung auf der positiven Seite entgegenstehen?"

Advanced Management: „Alles, was man unter dem Oberbegriff vertrauensvolle Beziehungen zusammenfassen kann. Dazu gehören: Glaubwürdigkeit, Loyalität, Wahrheitsliebe, Zuverlässigkeit, Integrität, Unbestechlichkeit, Sympathie, Konsens, Offenheit, Aufrichtigkeit – um nur einige Stichworte zu nennen. Leider findet man diese immer weniger."

„Wählen Sie nach diesen – sagen wir einmal Charaktereigenschaften – aus, wenn Sie in der Personalberatung tätig sind?"

Advanced Management: „Es ist sehr schwer, diese menschlichen Eigenschaften mit absoluter Treffsicherheit zu erkennen. Dennoch gibt es Anhaltspunkte, die ein hohes Maß an Sicherheit vermitteln. Sie finden sich im emotionalen Bereich. Wenn man in der Lage ist, die emotionale Verfassung einer Person richtig einzustufen, kann man auch abschätzen, wie sie in bestimmten, kritischen Situationen reagieren, wie sie sich im Geschäftsleben und an ihrem Arbeitsplatz im allgemeinen verhalten wird."

„Sie empfehlen, Personal entsprechend bestimmten emotionalen Anzeichen auszuwählen? Wie ist das zu verstehen?"

Advanced Management: „Es ist eine ganz andere Vorgehensweise, als wir sie üblicherweise gewohnt sind. Vor allem hat es sehr viel mit der Fähigkeit zu tun, Menschen zu beobachten. Zu erkennen, in welcher emotionalen Verfassung sie sich im Hinblick auf ihren Beruf, ihre berufliche Tätigkeit befinden. Daraus dann abzuleiten, wie verantwortungsvoll und gut sie diese Tätigkeit ausführen werden."

„Wie wollen Sie das denn feststellen?"

Advanced Management: „Ich möchte zwei Beispiele aus der Praxis anführen. Erstes Beispiel: Ein internationales Unternehmen möchte ein neues Produkt auf dem deutschen Markt einführen. Gesucht wird ein Vertriebsdirektor. Voraussetzungen: die Person soll in der Lage sein, das Produkt eigenständig in den Markt zu bringen und um sich herum eine wirkungsvolle Vertriebsorganisation aufzubauen. Der Manager steht unter großem Druck, denn die Konzernzentrale erwartet natürlich den schnellen Erfolg. Ein Bewerber, der in die engere Auswahl kommt, bringt folgenden Hintergrund mit: ein wechselhaftes berufliches Leben mit Verkaufserfahrung, kein Studium, kein Empfehlungsschreiben des letzten Arbeitgebers. Wir sprechen mit der Person (wie mit anderen Bewerbern auch), stellen fest, daß sie bei ihrem früheren Unternehmen den Stückzahlabsatz eines Produktes von monatlich 500 auf 40.000 gesteigert hat. Bei näherem Befragen ist die Person absolut begeistert von dieser Art von Vertriebstätigkeit und stellt sich die neue Aufgabe als eine große, faszinierende Herausforderung vor. In allen Details erzählt uns der Bewerber, wie er die Mannschaft um sich herum gruppieren wird. Wie gesagt, Emotion Begeisterung. Unserer Empfehlung entsprechend findet ein Gespräch mit diesem Bewerber statt, bei dem zwei weitere Vertreter anderer Niederlassungen anwesend sind. Unsere Empfehlung wird abgelehnt, da die Unterlagen nach ihrer Beurteilung aussagen, der Mann sei nicht besonders geeignet. Wir akzeptieren die Ablehnung dieses Mannes nicht, denn wir glauben unserem Urteil. Das fehlende letzte Arbeitgeber-Zeugnis wird noch am gleichen Tag angefordert und aus den USA per Fax zugestellt. Das Ergebnis: Besser hätte ein Zeugnis nicht ausfallen können! Es bestätigte voll und ganz unser Urteil über diesen Vertriebsmann! Die Folge: Der internationale Konzern übernahm den Mann und hat es nicht bereut.

Zweites Beispiel, Thema immer noch: Einschätzen menschlicher Fähigkeit anhand der beobachteten emotionalen Stufe. Computerunternehmen sucht eine geeig nete Person im Bereich Software-Entwicklung. Mehrere Bewerber kommen in die engere Auswahl, unser Urteil wird gesucht. Unsere Empfehlung: Ein Bewerber, der auf den ersten Blick ziemlich lustlos schien. Seine Vergangenheit war auch nicht besonders rühmlich; keine abgeschlossene Ausbildung, hier gejobbt, dort gearbeitet. EDV-Erfahrung war ausreichend vorhanden, die Person hatte eine Zeitlang im Bereich Software-Support gearbeitet, war aber nach Ablauf eines Zeitvertrages nicht übernommen worden. Der Geschäftsführer war skeptisch ob unserer Empfehlung, meinte, der Mann würde sich sicher nicht ins Team einfügen. Er folgte unserem Rat nur, weil er bereits mehrfach gute Erfahrung mit unserer Beurteilung gemacht hatte. Zwei Monate später rief er uns an: Der Mann ist absolut Spitze, blüht auf in seinem Job und alle sind über ihn begeistert."

„Wie konnten Sie das wissen?"

Advanced Management: „Nach rein äußerlichen Kriterien wären beide Bewerber in obigen Beispielen nicht genommen worden, obwohl sie aus der Riege derer, die sich um die Stelle bemühten, sicherlich die besten waren. Aber: Die entscheidende Frage, die man beantworten können muß, lautet: Wie reagiert die Person emotional auf das, was von ihr verlangt werden wird? Im zweiten Falle hatten wir in mehreren Gesprächen mit dem Bewerber festgestellt, daß er jedesmal dann aufblühte, wenn er von Zeiten erzählte, wo er selbständig bestimmte knifflige Aufgaben im EDV-Bereich zu lösen hatte. Genau diese Art von Tätigkeit wurde hier verlangt – der ideale Mann also, abseits aller Fragen rund um formelle Ausbildung oder frühere Arbeitgeber. Man sieht anhand dieser Beispiele und vor allem aufgrund jahrelanger Erfahrung sehr schnell, wie bedeutend das Kriterium emotionaler Zustand in bezug auf das Erreichen des eigenen Produktes bei der Entscheidung über Postenbesetzung und Aufgabenverteilung wirklich ist. Es ist tatsächlich so, daß eine Person, die im Hinblick auf das Erreichen ihres Produktes absolut interessiert und begeistert ist, keinerlei künstlicher Motivations-Stimuli mehr bedarf! Sie wird ihre Aufgabe verantwortungsvoll und mit guter Qualität erledigen. Umgekehrt nützen alle Motivationstechniken nichts, wenn die emotionale Verfassung einer Person nicht gut ist."

„Obwohl Ihre Vorgehensweise einleuchtend erscheint, mutet sie etwas gewagt an."

Advanced Management: „Wir müssen natürlich hinzufügen, daß wir hier nicht nach Gutdünken verfahren. Es gibt tatsächlich eine Menge Know-how, das dahintersteckt, und die Technologie kann von jedem erlernt werden. Sie wird in vielen Unternehmen seit mehreren Jahrzehnten erfolgreich angewendet, vor allem in den USA; was sich nicht zuletzt auch im etwas anderen Management-Stil niederschlägt. Hier im deutschen Raum versuchen wir, vor allem Führungskräften das Thema ‚menschliche Emotionen und Vorhersage menschlichen Verhaltens' durch geeignete Seminare näherzubringen, was ein entscheidender Grund für die Erweiterung unseres Angebots war. Nicht zuletzt holten wir uns aus diesem Grund Trainer, die mit der Technologie in den USA selbst Erfahrungen sammelten."

„Erläutern Sie, worum es auf diesem Seminar im einzelnen geht?"

Advanced Management: „Der Titel eines Seminars lautet beispielsweise ‚Emotion erkannt – Gefahr gebannt'. Es basiert auf der Erkenntnis, daß die Welt der Gefühle in der täglichen Arbeitswelt eine sehr viel größere Rolle spielt, als bislang beachtet wurde. Wir Europäer sind es ja aus langer Tradition gewohnt, alles rational zu erklären; wenn Sie so wollen, haben wir uns damit eine rosarote Brille auf die Nase gesetzt und übersehen oft die naheliegenden Dinge. Tatsache ist: Der Mensch läßt nicht selten seinen Gefühlen auch am Arbeitsplatz freien Lauf und erzeugt so Probleme im zwischenmenschlichen Bereich. Viele ‚reißen sich zusammen' oder machen ‚gute Miene zum bösen Spiel'. Resultat: mangelnde Kooperation. Letztendlich hängt der Einsatz und die Kooperation einer Person von ihrer wahren Gefühlslage ab, nicht von der, die sie vielleicht vortäuscht oder versucht aufrechtzuerhalten. Das Seminar vermittelt jenes Wissen, wie man diese ‚wahre' Emotionsebene einer Person erkennen kann. Das ist neuartig und wird selten so angewendet, wir können sagen, es ist fast ein Geheimtip! Das Seminar zeichnet sich durch einen umfassenden Praxisteil aus; die Übungen nehmen etwa dreiviertel der Seminarzeit in Anspruch."

„Interessant! Welche Zielrichtung wird konkret damit verfolgt?"

Advanced Management: „Unter anderem, kompetent die richtigen Mitarbeiter auszuwählen; zu wissen, wie man die Gesetzmäßigkeiten, denen auch die menschlichen Emotionen nun einmal unterliegen, im positiven Sinne nutzen kann, um die Produktion zu steigern, mit Mitarbeitern und Kollegen besser umgehen zu können und um eine positive Haltung auszustrahlen und Streß abzubauen."

„Wie lange dauert ein solches Seminar?"

Advanced Management: „Drei Tage. Allerdings ist die Teilnehmer-Zahl auf etwa 12 Personen beschränkt."

„Kommen wir nochmals zurück zum Thema ‚innere Kündigung'. Sind Sie der Ansicht, daß diesem Mißstand durch ein solches Seminar begegnet werden kann?"

Advanced Management: „Das Seminar ist ein Baustein unter mehreren, die diesem Bereich gewidmet sind. Aber es ist richtig: Wenn alle Mitarbeiter eines Unternehmens mit der Welt der Gefühle anders umgingen, wenn sie dadurch offener und ehrlicher im Umgang miteinander würden, wäre dem Phänomen der ‚inneren Kündigung' zu einem Großteil der Nährboden entzogen, auf dem es gedeiht."

„Das ist eigentlich eine beachtliche Aussage!"

Advanced Management: „Man muß dabei auch folgendes berücksichtigen: Wenn Sie eine Person auswählen, die sich in ein bestimmtes Team einfügen soll, dann spielt nicht allein die emotionale Lage dieser Person dabei eine entscheidende Rolle. Wichtig ist auch die Frage: Wie wird sich diese Person in das Team einfügen, wie wird sie mit ihrer Umgebung, und wie wird ihre Umgebung mit ihr zurechtkommen? Und genau da sind wir wieder beim emotionalen Zustand – diesmal allerdings dem Zustand der anderen Mitarbeiter. Ich gebe ein Beispiel, um zu verdeutlichen, was hier gemeint ist: Wenn Sie eine sehr schnell arbeitende, von ihrem Produkt begeisterte Person in ein Unternehmen integrieren wollen, in welchem alle anderen Mitarbeiter eigentlich auf der Ebene von ‚Klatsch und Tratsch' miteinander umgehen und sich um ihre Produkte wenig kümmern (den Fall hatten wir noch vor wenigen Jahren), dann wird diese Person scheitern! Mit anderen Worten, die nächste wichtige Frage, die man sich stellen muß, lautet: Paßt die Person, die ich für diese Aufgabe vorgesehen habe, zur allgemeinen Stimmungslage in ihrer Umgebung? Oder ist sie emotional zu weit davon entfernt? Auch das ist ein Kriterium, das leicht übersehen wird und dann wiederum zur inneren oder tatsächlichen Kündigung führt. Sie werden es in der Tat beobachten können, wie eine gute, qualifizierte und eigentlich sehr begeisterte Person sich binnen weniger Wochen ihrer Umgebung anpassen und genauso träge und nachlässig werden kann wie alle anderen, wenn ihre Umgebung diese Art der emotionalen Verfassung ‚diktiert'."

„Es würde sicherlich an dieser Stelle zu weit führen, all diese Erkenntnisse anhand empirischer Daten zu belegen; gibt es darüber Erhebungen?"

Advanced Management: „Es bedarf keines wissenschaftlichen Studiums, um diese Dinge im täglichen Leben ganz einfach zu beobachten! Man muß eigentlich nur hinschauen, ohne die rosarote Brille. Aber damit sind wir wieder beim Thema Training. Wenn Sie Management-Training vermitteln, aber diese grundlegenden Elemente nicht beherrschen, bauen Sie eigentlich auf Treibsand. Und dann stellen sich natürlich Fragen nach der Motivation, der Integration, dem Engagement. Aber kein Unternehmer wird diese Probleme wirklich lösen können, wenn er über den Bereich menschlicher Emotionen nicht Bescheid weiß."

„Viele Trainer, viele Unternehmer sind doch psychologisch geschult? Dann sollten sie diesen Komplex doch beherrschen?"

Advanced Management: „Ich weiß nicht, mit welchen Komplexen sich die Psychologie in den letzten dreißig Jahren beschäftigt hat, aber wenn sie etwas Sinnvolles erreicht hätte, stünden wir heute nicht vor diesem Berg an Problemen! Das Entscheidende ist doch, daß wir heute MEHR damit zu tun haben denn je! Hinzu kommt der wachsende Alkoholmißbrauch, auch und gerade unter Führungskräften. Der Grund ist in unseren Augen: Menschen haben keine Ziele, leiden unter Frust, wissen nicht aus noch ein und flüchten in den Alkohol. Nein, da ist kein Ausweg. Der psychologisch orientierten Vorgehensweise würde ich eigentlich vor allem eines vorwerfen: Sie schaut nur auf das, was falsch ist, was mit Menschen nicht stimmt, was sie nicht richtig machen, wo sie Fehler machen. In einem Unternehmen gab es eine unternehmenspsychologische Studie, ausgearbeitet von Psychologen, die das Unternehmen jahrelang begleitet hatten. Wir erlebten die Reaktion der Menschen auf diese Studie: Sie waren vollkommen überzeugt, daß sie eine Menge falsch gemacht hätten. Darunter fielen sogar Dinge, die sie offenkundig richtig gemacht hatten! Es wurde ganz einfach nicht fair geurteilt, es wurde nicht in gleichem Maße danach geschaut: Was ist richtig, warum ist es richtig? Nicht ausschließlich: Was ist falsch, und worin liegt die Ursache? sondern auch: Was ist zu sechzig, siebzig, achtzig Prozent richtig? So wurde nach unserer Meinung allmählich eine Atmosphäre von Mißtrauen und Selbstzweifel, von Verschlossenheit und Angst geschaffen, die jedoch sehr latent war. Nach außen war jeder bemüht, gut dazustehen!

Um es kurz zu fassen: Training und die Analysen, auf denen Training aufbaut, müssen die Zielsetzung verfolgen, Verbesserungen herbeizuführen, ohne dabei notwendigerweise alles als schlecht zu betrachten! Wenn man Menschen führt, wenn man sie begleitet und trainiert und die Fähigkeiten der Person in den Vordergrund stellt, wird man sehr viel schneller Zustimmung und Kooperation erhalten – eine Binsenweisheit von Erfolgsmanagern. Jedoch scheinen viele das nicht wirklich glauben zu wollen. Aber man betrachte sich die Beispiele, anhand derer man es uns vorexerzierte: Junge Unternehmen, die in wenigen Jahren zu Multimilliarden-Konzernen wurden, weil sie nichts anderes machten, als eine frohe Stimmung schaffen, Menschen für ihre Tätigkeit begeistern, Fähigkeit und Verantwortung in einem Atemzug zu nennen mit Freude, Zielen und Wunschträumen."

„Ist das nicht ein bißchen ‚schöne heile Welt', was Sie da malen?"

Advanced Management: „Ganz im Gegenteil; wir können Ihnen verraten, es ist ein harter, langwieriger Prozeß. Schöne, heile Welt hieße ja: ‚So tun als ob'. Das ist ja genau der Grund, warum es die ‚innere Kündigung' gibt! Menschen ‚tun so als ob', und in Wahrheit denken und handeln sie anders. Nein, die Lösung liegt nicht darin, Gefühle vorzutäuschen oder zu spielen, wenn sie nicht wirklich da sind; das ist übrigens einer der Gründe, warum das ‚positive Denken' eine so limitierte Anwendung besitzt. Sie können aus einem chronischen Griesgram keine singende Frohnatur machen; und wenn Sie einen chronischen Griesgram als Führungskraft einer Riege von 100 Leuten vorsetzen, wird er es binnen weniger Monate geschafft haben, die Stimmung in der Abteilung gründlichst herunterzuwirtschaften. Und dann nützt auch alles positive Denken nichts mehr! Sie müssen es einfach von vornherein vermeiden, eine solche Person an diese Stelle zu setzen; möglicherweise ist sie in einer anderen Abteilung wesentlich besser aufgehoben. Um praktisch zu bleiben: In einem Gespräch stellt sich beispielsweise heraus, daß eine Person sehr viel lieber einen kleinen, interessanten Posten in der Entwicklungsabteilung inne hätte. Schon während Sie darüber reden, begeistert sich die Person. Also versetzen Sie sie – zu ihrem Nutzen und zu dem des Unternehmens.

Ich komme nochmals zurück auf das, was ich eben sagte: Es ist harte, lange Arbeit. Diese Art von ‚Unternehmens-Training' kann eigentlich nur auf individueller Basis stattfinden, was auf den ersten Blick nach einer sehr, sehr aufwendigen Aufgabe aussieht. Da jedoch eine Führungskraft oft bis zu hundert und mehr Menschen in ihrer Umgebung direkt beeinflussen kann, muß man im Prinzip nur die richtigen Führungspersonen erreichen und trainieren und durch Training on the Job begleiten. Dann werden sich die Stimmung und die Produktivität innerhalb des gesamten Unternehmens spürbar verbessern."

„Sozusagen eine Art Schlüsseltraining für Führungskräfte?"

Advanced Management: „Ganz richtig. Wir wissen, daß Emotionen ansteckend sind, im positiven wie im negativen Sinne. Ein Abteilungsleiter, der auf seinem Posten todunglücklich ist, wird, gewollt oder ungewollt, das Klima in seiner gesamten Abteilung verderben. Nur im persönlichen Gespräch kann man in Erfahrung bringen, worin die Ursache dafür liegen könnte. Aber dieses Gespäch MUSS geführt werden. Wir können hier nicht alleine nach der Aussage der Geschäftsleitung gehen; natürlich sprechen wir mit der Geschäftsleitung immer zuerst. Doch vor jedem Training machen wir auch den Rundgang durch das Unternehmen und sprechen mit den Betroffenen, um ihre Sicht in Erfahrung zu bringen. Es ist erstaunlich, wie unterschiedlich dann manchmal die dargestellten Gründe sind."

„So einfach, wie es sich anhört, läuft es im täglichen Leben aber nicht ab, oder?"

Advanced Management: „Nein, denn Menschen haben es wohl verlernt, auf eine einfache, offene und direkte Art miteinander zu kommunizieren. Doch das nur am Rande; wichtig ist eigentlich, daß es hier eine Technologie gibt, eine wirkungsvolle, auf empirischen Fakten beruhende Methode, die man genauso erlernen kann, wie es möglich ist, das ABC zu erlernen. Was möchten wir denn erreichen? Wir wollen Teams schaffen, die in der Lage sind, Produktionsziele zu erreichen. Das ist überhaupt das Thema heute, und es steht und fällt mit dem Faktor Kommunikation. Man will keine Einzelkämpfer, man will Teams. Man spricht heute wieder von Teamgeist; zum Glück! Jahrelang war dieses Wort verpönt, jetzt ist es wieder ‚in'. Aber es ist keine Modeerscheinung, die kommt und geht wie die Mondphasen. Es ist in unseren Augen ein Kernelement erfolgreicher Unternehmensführung. Wenn Sie Teamgeist schaffen können, können Sie fast alles erreichen. Und genau das wollen wir bewirken, sowohl mit den Seminaren, die in der Gruppe stattfinden, als auch mit den individuellen Coachings."

„Nennen Sie uns einige der Seminare, die Sie vermitteln!"

Advanced Management: „Im wesentlichen sind es Seminare zu den Themen ‚Zwischenmenschliches Verhalten', ‚Arbeitsplatzorganisation', ‚Zeitmanagement' bzw. ‚Steigerung der Effizienz' sowie ‚Einarbeitung durch Training on the job'. Dazu bieten wir eine Auswahl unterschiedlicher Seminare je nach individuellem Bedarf an."

„Uns interessiert an dieser Stelle besonders das Thema Zeitmanagement und Steigerung der Effizienz näher. Was trainieren Sie dabei konkret?"

Advanced Management: „In den meisten Unternehmen wird nur ein Bruchteil der vorhandenen Leistungskraft für Produktion und tatsächliche Aufgaben verwendet. Ein sehr großer Prozentsatz an Energie wird durch überflüssige oder doppelte Arbeit verschwendet, oder durch Aktionen, die sehr viel unnötige Handhabung erforderlich machen, um die dabei entstandenen Fehler wieder aus der Welt zu schaffen. In vielen Unternehmen können wir beobachten, daß es eigentlich eine verhältnismäßig kleine Zahl an Mitarbeitern ist, die das Unternehmen überhaupt am Laufen halten, und daß diese sich außerdem mit Dingen herumschlagen, die andere Mitarbeiter ‚verbockt' haben. Komplikationen und Zusatzarbeiten kosten nicht nur Geld, sondern auch Energie und letztlich auch die guten Mitarbeiter, die demotiviert werden und wiederum in die ‚innere Kündigung' abrutschen. Auf dem Seminar ‚Steigerung der Effizienz' lernen die Teilnehmer einige innovative Management-Werkzeuge kennen, die sich in der Praxis hervorragend bewährt haben."

„Und das Zeit-Management?"

Advanced Management: „Dazu möchte ich an dieser Stelle nur so viel verraten: Das Phänomen ‚Keine Zeit haben' hängt wesentlich damit zusammen, daß Menschen sich nicht entscheiden können! Sie schieben Dinge auf die lange Bank, können sich nicht in die eine oder in die andere Richtung festlegen, nehmen die Angelegenheit wieder und wieder in die Hand, befragen andere um ihre Meinung und entscheiden irgendwann einmal, wenn es gar nicht mehr anders geht – meist ohnehin so, wie sie schon beim ersten Kontakt mit der Sache entschieden hätten! Die Zeit, die dadurch verloren geht, gibt der Person das Gefühl, keine Zeit zu haben. In Wirklichkeit muß man die Fähigkeit der Person erhöhen, sich zu entscheiden und Verantwortung für ihre Entscheidungen zu übernehmen. Zeit-Management und Steigerung der Effizienz vermitteln eigentlich die sehr wesentliche Erkenntnis, durch welche Faktoren vergeudete Zeit und unnütze Arbeit wirklich verursacht wird und geben der Person die richtigen Techniken an die Hand, um dies in den Griff zu bekommen."

„Hochinteressant! Jetzt verraten Sie uns aber: Was sind Ihre Kriterien bei Ihrer Personalauswahl? Wie gehen Sie wirklich vor?"

Advanced Management: „Das läßt sich nicht in wenigen Worten darstellen. Einige der Fragen, die wir sehr klar und deutlich beantworten wollen, sind: Denkt der Bewerber unternehmerisch? Ist er ein Mitläufer oder jemand, der möglicherweise bremsend auf den Unternehmensablauf wirkt? Ist er wirklich bereit, Verantwortung für seinen Bereich zu übernehmen oder wälzt er die schwierigen Entscheidungen auf seinen Vorgesetzten ab? Ziel ist, größtmögliche Sicherheit bei der Auswahl eines Bewerbers zu vermitteln. Dabei haben wir uns darauf spezialisiert, insbesondere die Bedürfnisse kleinerer und mittelständischer Firmen bei der Personalbeschaffung zu berücksichtigen. Dabei geht es nicht nur um Top-Positionen, sondern auch sehr schwierige Stellen, wie Vertriebsmitarbeiter, Ingenieure, EDV-Spezialisten oder auch besonders qualifizierte Sekretärinnen. In der Beurteilung der Bewerber bedienen wir uns dabei ausschließlich praxiserprobter Arbeitsmethoden, eines neuartigen Konzeptes zur Beurteilung vorhandener Daten und Beobachtungen und – last but not least – unserer Erfahrung und eines gesunden Menschenverstandes. Der darf nämlich bei aller Theorie keinesfalls zu kurz kommen."

„Sagen Sie, Sie erwähnten, daß Sie neues Personal auch individuell am ihrem Arbeitsplatz einarbeiten. Hat das einen bestimmten Hintergrund?"

Advanced Management: „Laut allgemeinen Aussagen von Personalfachleuten dauert es heute zwischen sechs Monaten und einem Jahr, bis eine Person, ein neuer Mitarbeiter, wirklich effektiv für ein Unternehmen arbeitet. Bis zu 60 Prozent dieser Zeit müssen sich zudem bewährte Mitarbeiter des eigenen Unternehmens mit den ‚Neulingen' beschäftigen, damit diese das Unternehmen und seine Anforderungen kennenlernen. Hier bieten wir einen neuen Service an. Eine Art ‚Einarbeitungsdienst', der sicherstellt, daß eine neue Person schnell, effizient und zeitsparend auf ihrem Job eingewiesen wird. Alles, was seitens des Unternehmens dabei gebraucht und gewünscht wird, wird von uns berücksichtigt; so vermeidet man die Situation (wie es sonst üblich ist), daß ein neuer Mitarbeiter erst durch Fehler allmählich herausfindet, was wirklich von ihm erwartet wird. Letzteres ist übrigens ebenfalls eine der Ursachen für das Phänomen der ‚inneren Kündigung'; dem kann man dadurch zuvorkommen, daß ein neuer Mitarbeiter darin trainiert wird, seine Aufgabe erstens zu kennen und zweitens zu wissen, wie er sie ausfüllt, sowie drittens seine Tätigkeit zu quantifizieren, also statistisch zu messen. Das ganze findet in einem mehrstufigen Prozeß statt, bei dem es der Person wirklich ermöglicht wird, eine Sache nach der anderen in den Griff zu bekommen."

„Eine sehr sinnvolle Einrichtung. – Wie beurteilen Sie die Zukunft? Was wird sich ändern?"

Advanced Management: „Es wird sehr viel mehr in Richtung Effizienz sowie zwischenmenschlicher Kontakte geschehen. Daß beides in unmittelbarem Zusammenhang steht, hat man zwar in der Vergangenheit immer wieder erkannt. Aber erst in jüngster Zeit werden wirkungsvolle Management-Methoden angewendet, die dies berücksichtigen. Damit ist eine der wesentlichen Aufgaben modernen Managements erfüllt: Die Frage nach der richtigen Art und Weise der Motivation. Wenn das Vertrauensniveau zwischen Unternehmensführung und den einzelnen Mitarbeitern sowie den Mitarbeitern untereinander erhöht wird, wird gleichzeitig der Faktor Motivation gebessert. Gute Kommunikation zwischen Führungskräften und Mitarbeitern ist einer der motivierendsten Faktoren zur Leistungssteigerung! Anders ausgedrückt: Kommunikation und das Überbrücken zwischenmenschlicher Barrieren ist eines der wichtigsten Mittel, mit dessen Hilfe die Führungskraft die Produktivität ihrer Mitarbeiter und die innerbetriebliche Zusammenarbeit erhöhen und das Arbeitsklima erheblich verbessern kann. Eine solche Kommunikation muß jedoch ein kontinuierlicher Prozeß sein. Deshalb wird man in Zukunft auch mehr und mehr neben den fachlichen Qualifikationen Wert auf die persönlichen Eigenschaften des Bewerbers legen. Ein hierin erfahrener Berater und Trainer ist ein wesentlicher Baustein, der bei zukünftiger Management-Strategie ebensowenig wegzudenken sein wird wie der Steuer- oder Finanzberater des Unternehmens. Im Erkennen der wertvollen Mitarbeiter, im richtigen Umgang mit ihnen und in der Verbesserung der Leistung liegt unsere Unterstützung. Wie in jedem anderen Bereich sind auch hier Spezialisten gefragt, die ihre Tätigkeit mit dem gleichen Maß an Präzision ausüben, wie ein Ingenieur die seine. Dieses Selbstverständnis zu schaffen ist eine Aufgabe, der wir uns ebenfalls zugewandt haben, wobei wir keinerlei Abhängigkeiten aufbauen wollen."

„Was ist das Ziel Ihrer Arbeit?“

Advanced Management: „Letztendliches Ziel muß es sein, die Fähigkeiten der Führungskräfte so hervorzuheben, daß sie noch besser als bisher die Unternehmensideen verwirklichen können.“

TRAININGS-BEDARF-ANALYSE
(Auszug)

1. Bezeichnung des infrage stehenden Bereichs/Personen. Wieviel Personen betreffend?
2. Momentaner ‚Ist-Zustand' des Bereichs?
3. Was ist die ‚Ideale Szene' Ihres Unternehmens in bezug auf zukünftige Trainings-Aktivitäten in diesem Bereich?
4. Sollen wir ein Konzept erarbeiten oder besteht bereits eines, dem wir folgen sollen?
5. Welche Art von Training wäre Ihrer Meinung nach optimal? Seminare oder Einzeltraining oder eine Kombination aus beidem?
6. Welcher Zeitrahmen ist vorgesehen für das Training? Welche Häufigkeit?
7. Wo soll es optimalerweise stattfinden? Halten Sie es für sinnvoll, das Training im Unternehmen durchzuführen?
8. Wie lautet die genaue Aufgabenstellung an die Trainer im Detail?
9. Typischer Tagesablauf in dem betreffenden Bereich?
10. Welche Problematik soll durch den Bereich/die Person gelöst werden?
11. Woran liegt es aus der Sicht der Betroffenen, daß sie in ihrem Bereich nicht optimal arbeiten?
12. Zielsetzung der Stelle/genauer Soll-Zustand?
13. Bisherige Posten-Inhaber und deren Ausbildung?
14. In welchen Gebieten muß noch Erfahrung erarbeitet werden?
15. Fehlende notwendige Fachkenntnise, die nachgeholt werden sollten?
16. Wünschenswerte Fähigkeiten, die erarbeitet werden sollten?
17. Andere spezielle Kenntnisse, die wünschenswert wären?
18. Gab es Zeiten, wo dieser Bereich/diese Person sehr erfolgreich war?
19. Könnte man sagen, dieser Bereich ist im Wechsel mal erfolgreich und wirkt dann wieder sehr problematisch?
20. Welche Weiterbildungs-Aktivitäten oder Trainings-Aktionen haben aus Ihrer Sicht Erfolg gezeigt?

Dr. Heinz Joachim Bless
BDVT

„Der immer mehr zunehmende Einsatz von Laptops und Notebooks als Instrument der Verkaufsförderung erfordert eine ganz besondere Art von Training."

Bei unseren Recherchen zum Thema „innovatives Verkaufen" hatten wir das Glück, einen Spezialisten kennenzulernen, der sich stark dem Metier „Einsatz von Laptops, Notebooks und Pen-Computern als Mittel der Verkaufsförderung" widmet. Dabei, so war im Vorwege zu erfahren, handelt es sich um einen „alten Hasen" der Vertriebsbranche. Beleuchten wir also, wie üblich, zunächst einige Fakten aus seinem Lebenslauf.

Nach volks- und betriebswirtschaftlichem Studium in Köln trat er in die väterliche Handelsagentur im Lebensmittelhandel ein, die er von 1952 bis 1984 selbst mit großem Erfolg leitete.

In den Jahren 1974 bis 1987 war er Vorsitzender des *Forschungsverbandes für den Handelsvertreter und Handelsmaklerberuf* und von 1980 bis 1986 Vizepräsident der

Centralvereinigung Deutscher Handelsvertreter- und Handelsmakler-Verbände (CDH).

Zu einem Zeitpunkt, da andere bereits resigniert die Waffen strecken und nach Mitteln und Wegen der frühzeitigen Pensionierung Ausschau halten, reagierte Dr. Heinz Joachim Bless auf die einschneidenden strukturellen Veränderungen im Lebensmittelhandel, die ihn zur Aufgabe seiner Handelsagentur CDH im Jahre 1985 zwangen, mit dem Start in einen neuen und für ihn bis dato fremden Beruf: Seine Markt- und Vertriebskenntnisse machte er fortan anderen Firmen zugänglich, trainierte branchenübergreifend Vertriebs- und Marketingleute unterschiedlichster Art.

Bereits 1981 hatte er als Co-Autor des „Handbuch Verkaufsförderung" von sich reden gemacht; seine Beiträge zu den Themen Marketing und Verkauf in verschiedenen Fachzeitschriften waren gefragt und beliebt.

Seit 1986 ist er Partner im *MM-Institut für Analyse, Marketing und Absatzförderung* in Meerbusch bei Düsseldorf; 1986 als Seminarleiter zur Ausbildung von Führungskräften in der KFZ-Branche, von 1986 bis 1990 als Seminarleiter für Verkaufstraining an der Werbefachlichen Akademie Köln; seit 1989 ist er Dozent für Verkaufsförderung an der inzwischen umbenannten WAK, Westdeutschen Akademie für Kommunikation e.V.

1989 referierte er am Universitätsseminar der Wirtschaft auf Schloß Gracht zum Thema „Qualifizierung des Verkaufspersonals"; in den Jahren 1987 bis 1992 hielt er Seminarreihen für namhafte Unternehmen der deutschen Lebensmittel-, EDV-, Fertighaus-, Bekleidungs- und Elektroindustrie.

Seit 1991 ist er Referent für Verhandlungs- und Verkaufstechnik der *Marketing Akademie Hamburg* sowie Seminarleiter am *Bildungszentrum der Wirtschaft* in Bremen.

Wir hoffen, das genügt, um Ihnen einen kleinen Vorgeschmack auf unseren nächsten Gesprächspartner zu vermitteln. Dr. Heinz Joachim Bless, Düsseldorf, stand uns zu einem kurzen, dennoch hochinformativen Gespräch zum Thema „Der Einsatz von Laptops und Notebooks zur Verkaufsförderung" zur Verfügung.

„Herr Dr. Bless, welche Möglichkeiten des Einsatzes von mobilen PC's bieten sich heute im Vertrieb? Welche Probleme kann diese Neuerung zugleich mit sich bringen?"

Dr. Heinz Joachim Bless: „Als ich 1988 den gesamten Verkaufsaußen- und Innendienst eines bekannten Computer-Unternehmens trainierte, erlebte ich erstmals, daß Außendienstmitarbeiter mit Laptops als Hilfsmittel im Verkauf ausgestattet waren. Gemeint ist, wenn wir hier von EDV-Einsatz sprechen, übrigens nicht der Vertriebsmann, der sozusagen sein ‚erweitertes Büro' im Auto mit sich führt. Nein, gemeint ist, daß hier der Vertrieb bewußt mit einem System ausgestattet wurde, das in das Verkaufsgespräch mit einbezogen werden sollte. Ich erkannte schon recht bald, daß diese Neuerung sowohl zum Nutzen als auch zum Verderb für den Außendienstler werden konnte."

„Woran lag dies?"

Dr. Heinz Joachim Bless: „Der Verkäufer ist hier mit einem neuen Medium konfrontiert. Wenn er bei der Gesprächsführung mit dem Kunden das Gerät als Barriere zwischen sich und seinem Kunden aufbaut, ist das Gespräch sehr schnell zerstört. Ebenso, wenn er mit dem Instrument nicht wirklich zurechtkommt. Aus dieser Problematik heraus entwickelte ich eine spezielle Schulung, die aufzeigt, wie ein Laptop oder Notebook während der Gesprächsführung im Verkauf wirklich zum Nutzen des Verkäufers eingesetzt werden kann."

„Was bietet dieses Gerät überhaupt an Vorteilen für den Vertrieb? Wird es nicht von den meisten alteingesessenen Verkäufern ohnehin als lästig empfunden?"

Dr. Heinz Joachim Bless: „Nicht notwendigerweise. Um etwas über den Hintergrund dieser Entwicklung zu erzählen: Ursprünglich erhofften sich Marketing-Strategen und Vertriebsmanager davon die Möglichkeit der perfektionierten Vertriebssteuerung. Sie wollten sozusagen vom Schreibtisch aus ihre Vertriebsorganisationen steuern können. Diese Zwangsjacke der Vertriebsüberwachung ließen sich die Außendienstler jedoch nicht ohne weiteres überstülpen; sie reagierten daher zunächst ein wenig allergisch auf diese Neuerung. Erst als ein Umdenken stattfand und der Computer als Vertriebs-Hilfsmittel und Verkaufs-Förderungsinstrument gesehen wurde, begann sich Akzeptanz zu verbreiten. Immerhin wird hier dem Verkäufer die Möglichkeit geboten, schnell und unkompliziert dem jeweiligen Kunden ein für ihn maßgenaues Angebot zu unterbreiten und zu kalkulieren; dazu erachte ich vor allem zwei Ausbildungsschritte, als eine Art Umgangstraining mit der neuen Gerätschaft, für unumgänglich."

„Wir dürfen gespannt sein!"

Dr. Heinz Joachim Bless: „Erstens: Der Laptop muß in seinen Funktionen und dem Abruf des in ihm gespeicherten Wissens vom Verkäufer beherrscht werden. Hier machte sich bei einigen Unternehmen bereits der erste Fehler breit: Software-Spezialisten, deren Fach-Sprache die Verkäufer nicht verstanden, schulten den Außendienst, der nur wenig davon behalten konnte. Die Geräte verschwanden in großem Stil in irgendeiner Ecke; spätestens dann, wenn die ersten Probleme mit der Bedienung aufgetreten waren. Niemand wollte sich nach außen hin eine Blöße geben, und man ließ diese Art von ‚Schulung' mit Gleichmut über sich ergehen. Fazit: Zunächst sollte man innerhalb eines Seminares den Verkäufern und Beratern vermitteln, welch intelligentes Verkaufsförderungsmittel ihnen hier an die Hand gegeben wird. Sie sollten verstehen, daß der Einsatz des Laptops Vorteile für den Kunden bringt, weil er jederzeit aus dem darin gespeicherten Datenmaterial mit allen für ihn wichtigen Angaben bedient werden kann. Dem Verkäufer bringt es einen Vorteil, weil er sein Gedächtnis nicht unnötig belasten oder viele Seiten an Unterlagen wälzen muß, wenn es um Detailfragen geht."

„Damit ist es aber nicht getan?"

Dr. Heinz Joachim Bless: „Nein. Jetzt folgt die eigentliche Ausbildung: Zuerst einmal muß der Außendienst eine ihm angemessene Schulung in der Bedienung des Gerätes erhalten, sowie genügend Zeit, um den Umgang damit zu üben. Und zwar üben mit fachkundiger Anleitung, bis er es wirklich so beherrscht, daß er jederzeit jene Daten aus dem Gerät abrufen kann, die er gerade benötigt, und nicht versehentlich das einspielt, was in diesem Gespräch nichts zu suchen hat.

Zweitens: Hat der Verkäufer diesen Schritt gemeistert, muß er als nächstes die Verwendung des Gerätes im tatsächlichen Gespräch mit dem Kunden üben. Hier kommt es vor allem darauf an, viele alte Gewohnheiten abzulegen. Denn: Nimmt der Außendienstler wie üblich gegenüber von seinem Kunden Platz und klappt dann den Laptop auf, dann wirkt dieses Gerät als optische Barriere zwischen ihm und seinem Kunden. Der Kunde sieht nicht, was auf dem Display stattfindet und wird unter Umständen mißtrauisch. Als nächstes beginnt der Verkäufer, an dem Gerät herumzufingern, und ist nicht mehr mit seinem Kunden beschäftigt. Der Gesprächspartner klinkt sich geistig aus dem Verkaufsgespräch aus. Er schaut zum Fenster hinaus, wird vielleicht ungeduldig und ist mit seinen Gedanken schon ganz woanders, bis der Verkäufer das Gespräch wiederaufnimmt."

„Aus dieser Situation heraus haben Sie ein anderes Setup entwickelt, wenn wir Sie richtig verstehen?"

Dr. Heinz Joachim Bless: „So ist es. Als erstes muß bei dieser Art von Setup der Verkäufer eine Position *seitlich* von seinem Kunden einnehmen, so daß beide das Computer-Display vor sich sehen können. Nun kann der Kunde jederzeit verfolgen, was abläuft, und kann in den Vorgang aktiv mit einbezogen werden. Die Frage- und Antworttechnik des Verkäufers muß nun aber auch darauf ausgerichtet sein, das Instrument mit einzubeziehen; der Kunde wird so auch während des Verkaufsgesprächs an der Bedienung beteiligt. Das Gerät ist also jetzt nicht mehr trennender Faktor, sondern Katalysator zweier unterschiedlicher Standpunkte, die schließlich auf dem Display zu einer Übereinstimmung kommen sollen. Und zwar zu beider Zufriedenheit."

„Man könnte also sagen, daß sich die gesamte Art der Kommunikation zwischen Kunde und Verkäufer dadurch verändert?"

Dr. Heinz Joachim Bless: „Richtig. Das neue Medium schafft eine Dreier-Beziehung. Während die Verkäufer seit Jahrzehnten darin geschult wurden, ihrem Gesprächspartner gegenüber zu sitzen und möglichst den Augenkontakt aufrecht zu halten, richtet sich beider Aufmerksamkeit nunmehr während eines Teils des Gespräches auf das Medium Computer. Dennoch darf der Verkäufer hier den roten Faden des Gesprächs nicht verlieren; nach wie vor gelten die alten Regeln des erfolgreichen Verkaufsgesprächs, allen voran der Grundsatz ‚Wer fragt, der führt'. Wenn an dieser Stelle beispielsweise der Verkäufer sich dadurch blamiert, daß er im Adlersuchsystem eine Fehlermeldung nach der anderen auf dem Display auslöst, ist natürlich seine Gesprächsführung dahin.

Eine weitere Falle könnte darin bestehen, daß der Verkäufer das Gerät als eine Art Rettungsanker benutzt, wenn er ins Schwimmen gerät. In der Hoffnung, dem Computer noch einige Zahlen oder Konstellationen zu entlocken, die seinen Kunden möglicherweise umstimmen könnten, sucht er Zuflucht bei der Technik, statt die richtigen Argumentations- und Fragetechniken einzusetzen. Wichtig ist, solche Gesprächssituationen durch entsprechendes Rollenspiel vorher in den Griff zu bekommen."

„Das leuchtet ein, wenngleich wir gestehen müssen, daß wir mit derlei Problemen bislang noch nicht konfrontiert wurden. Wahrscheinlich war es uns ebensowenig bewußt wie vielen Unternehmen, die über kurz oder lang damit zu tun haben werden."

Dr. Heinz Joachim Bless: „Bedenken Sie, daß die gesamte Art der Gesprächsführung durch den Einsatz des elektronischen Mediums einen anderen Charakter erhält. Der Kunde wird bei Abfrage und Eingabe in das Gerät mit in das Gespräch einbezogen. Er muß durch konkrete Hinweise des Verkäufers jederzeit mitverfolgen können, was dieser beabsichtigt und was gleich auf dem Bildschirm erscheinen wird. Doch noch ein weiteres Element ist hierbei zu beachten."

„Sie machen uns neugierig, offen gestanden!"

Dr. Heinz Joachim Bless: „Der Trainer muß gemeinsam mit den Vertriebsleitern und Verkäufern festlegen, welchen Anteil das Gerät am Gespräch mit dem Kunden überhaupt einnehmen darf. Keinesfalls sollte jetzt der Computer im Mittelpunkt des Verkaufs stehen! Der Verkäufer muß also für sich sehr genau wissen, *wann* er das Gerät zum Einsatz bringt und an welchem Punkt des Gespräches er es wieder zur Seite stellt. Oder, in welchen Kundengesprächen er es überhaupt nicht einzuschalten braucht, denn auch diese Situationen wird es nach wie vor geben."

„Nach welchen Kriterien wird dies beurteilt? Ist das nicht eher subjektiv?"

Dr. Heinz Joachim Bless: „Hier müssen möglichst präzise Kriterien für den Gesprächsverlauf im vorhinein festgelegt werden, damit es in der Praxis reibungslos funktioniert. Das wichtigste Element für den Verkauf ist und bleibt der persönliche Kontakt, das persönliche Gespräch mit dem Kunden. Das soll und darf auch durch den Laptop nicht verdrängt werden! Manche Verkäufer könnten jedoch der

Verlockung der Technik erliegen und das Gespräch und somit den Verkauf an eben dieser Technik scheitern lassen. Im Mittelpunkt steht der Kunde, nicht der Computer! Das zu vermitteln ist Aufgabe eines Trainings."

„Wo sehen Sie den größten Bedarf für den Einsatz solcher Geräte im Vertrieb? Welchen Branchen wird es den größten Nutzen bringen?"

Dr. Heinz Joachim Bless: „Überall dort, wo im Verkauf eine große Menge an Daten benötigt wird. Sei es, weil das Sortiment sehr umfangreich ist, sei es, weil verschiedene technische Varianten durchgespielt und kalkuliert werden sollen. Hier kann ich gerade aus der Fertighausbranche Gutes vermelden; derzeit wird an einer Software-Lösung für den Vertrieb gearbeitet, so daß der Verkäufer im Gespräch mit dem Kunden verschiedene Bauvarianten auf dem Bildschirm vorführen und gleichzeitig möglichst verbindlich kalkulieren kann. Der Verkaufsvorgang wird hierdurch enorm beschleunigt, das Unternehmen hat deutliche Wettbewerbsvorteile mit Hilfe dieses Gerätes. Doch der Einsatz ist auch in zahlreichen anderen Branchen nutzbringend möglich. Insbesondere im Investitionsgüterbereich kann ich mir vorstellen, daß hier eine gewaltige Lawine ins Rollen kommt. Mit Hilfe der EDV können schon im Verkaufsgespräch Kundenwünsche sehr speziell berücksichtigt werden, so beispielsweise können Konstruktionsänderungen an Maschinen schon am Bildschirm genau demonstriert und daraus resultierende Preisveränderungen exakt kalkuliert werden. Langwierige Rückfragen und zwei, drei Kundenbesuche werden eingespart. Das Gerät dient also ganz konkret der Beschleunigung des Entscheidungsprozesses. Zahlreiche Gespräche mit Verkäufern, die ich in den letzten Jahren geführt habe, unterstrichen den Vorteil, der sich dadurch ergibt. Der Kunde kann innerhalb eines einzigen Gespräches komplett und umfassend beraten werden, sofern der Vertrieb darin optimal geschult ist. In der Versicherungsbranche arbeiten z.B. längst einige Gesellschaften im Außendienst mit guten Software-Programmen beim Kundengespräch."

„Muß denn dann der Trainer, der diese Art von Ausbildung liefert, in der Bedienung des Computers nicht auch geschult sein?"

Dr. Heinz Joachim Bless: „Er sollte natürlich über Grundkenntnisse verfügen. In der Zukunft wird dies ohnehin kein gravierendes Thema mehr sein, da die jüngere Generation mit EDV aufwächst wie die früheren Generationen mit Radfahren, Schwimmen und Tanzen. Trainer, die heute einsteigen, müssen eben ihren eigenen Nachholebedarf im Eigenstudium abdecken."

„Worauf liegt der Schwerpunkt des Trainings? Umgang mit dem System oder Umgang mit der Technik im Verlauf des Gesprächs?"

Dr. Heinz Joachim Bless: „Zuerst muß der Umgang mit dem Programm geschult werden. Egal, ob dies einen oder zwei Tage dauert; diese Investition lohnt sich auf jeden Fall, denn das Unternehmen investiert meist sechsstellige Summen in die Anschaffung einer EDV-Ausstattung für den Vertrieb. Da sollte man am Training nicht sparen. Nur wenn der Vertrieb imstande ist, das System voll zum Funktionieren zu bringen, wird es sich auch als rentabel erweisen. Das Training des eigentlichen Verkaufsgesprächs mit Computereinsatz dauert ebenfalls etwa zwei Tage.“

„Wie groß ist derzeit der Bedarf an dieser Art von Training, und wie schätzen Sie die Aussichten für die weitere Zukunft ein?“

Dr. Heinz Joachim Bless: „Nach Schätzungen der Hardwareindustrie wird mit einem enormen Bedarf an Laptops, Notebooks und ähnlichen Geräten gerechnet. Es besteht allgemein die Überzeugung, daß hier große Marktchancen bestehen. Mein Terminkalender jedenfalls kann diese Schätzungen nur unterstreichen. Der Trainingsbedarf an dieser neuen Art von Verkaufsgespräch wird in der Zukunft enorm zunehmen. Wichtig ist jedoch, daß nun Vertriebsorganisationen nicht ihren Außendienst mit dieser Technik ausstatten, ohne ihnen die genauen Anleitungen mit auf den Weg zu geben. Ansonsten könnte diese Technik zu einer Verunsicherung und Verwirrung führen.“

„Eine ganz andere Frage: Nach welchen Kriterien sollte Ihrer Empfehlung nach ein Trainer ausgewählt werden? Egal, zu welchem Zweck, was sind die wichtigsten Merkmale eines guten Trainers?“

Dr. Heinz Joachim Bless: „In allererster Linie ist es natürlich eine Frage des persönlichen Vertrauens. Der Unternehmer sollte den Trainer auswählen, von dem er persönlich glaubt, daß er bei seiner Mannschaft aufgrund seiner Erfahrung und Persönlichkeit wohl am besten ankäme. Primär ist also die Frage zu beantworten: Wie paßt die Persönlichkeit des Trainers zum Kreis derer, die er zu trainieren hat? Heute stehen wir häufig vor der Situation, daß die Vertriebsmannschaft aus zwei Generationen besteht; der Trainer muß in diesem Falle ganz besonders gut von beiden Altersgruppen akzeptiert werden. Danach erst folgt die Frage nach den Methoden, deren sich der Trainer bedient.“

„Nach welchen Kriterien verfahren Sie selbst als Trainer, wenn Sie sich mit bestimmten neuen Techniken oder Methoden auseinandersetzen?“

Dr. Heinz Joachim Bless: „Ich darf vorausschicken, daß ich ein Mensch bin, der ausgesprochen gerne und viel liest. Ich befasse mich also intensiv mit Neuerungen und aktuellen Strömungen. Manches davon ist Modeerscheinung, nicht selten finden wir Altbewährtes in neuem Gewande wieder. Ich persönlich halte mich gewöhnlich an die Frage: Was von diesem Thema kann ich einem Auftraggeber gegen bares Geld für seine Mannschaft verkaufen? Allein durch diese Frage reduziert sich gewöhnlich das Angebot beträchtlich. Zusätzlich jedoch finde ich die Aufgabe faszinierend, junge Menschen an bevorstehende Führungsaufgaben heranzuführen, denn das erlernen sie im Zuge ihrer akademischen Ausbildung kaum. Aus diesem Grunde widme ich einen Teil meiner Zeit der Tätigkeit als Dozent an der *Westdeutschen Akademie für Kommunikation* in Köln und als Gastreferent an zwei Universitäten, mit denen ich bislang zusammenarbeite. Ich denke, gerade hier besteht ein großer Bedarf, aus der Praxis für die Praxis wertvolle Hinweise und Erfahrung zu vermitteln, und ich wünsche mir, daß mehr erfahrene Fachkräfte aus Industrie und Handel mit entsprechenden Vertriebserfahrungen ihre Zeit und ihr Know-how dafür zur Verfügung stellen."

Elke Conradi

„Erfolg ist die beste Motivation.“

„Auf der Suche nach Spitzenleistungen“ könnte auch die Überschrift unseres folgenden Beitrages lauten. Immerhin ist es nicht ganz alltäglich, daß eine Pädagogin als Trainerin Karriere macht, und das in einem Sektor, der im Training echtes Neuland ist. Gemeint ist das weitgehend unbekannte Feld der *Ästhetik*, vor allem, wenn sie gezielt zum Zwecke der Verkaufsförderung eingesetzt wird; sowie die Frage, wie sie geschult, trainiert, systematisch gelehrt werden kann. Der Duden definiert Ästhetik als „Wissenschaft vom Schönen“. Forschen wir weiter, um diesen Begriff etwas besser zu erfassen, werden wir in einem englischsprachigen Wörterbuch fündig.

In „Webster's New World Dictionary of the American Language" heißt es unter dem Begriff

„aesthetics: the study or theory of beauty and of the psychological responses to it; specif. the branch of philosophy dealing with art, its creative sources, its forms and its effects."

Zu deutsch:

Ästhetik: Die Lehre oder Theorie vom Schönen und von der psychologischen Reaktion darauf. Speziell: Jener Zweig der Philosophie, der sich mit Kunst, ihren schöpferischen Ursprüngen, ihren Formen und ihren Wirkungen befaßt.

Damit sind wir bereits mitten im Lieblingsthema unserer nächsten Gesprächspartnerin, deren Leben mindestens ebenso spannend war wie es das Training ist, das sie heute vermittelt. Doch tragen wir schnell noch die Herkunft des Wortes Ästhetik nach, denn auch diese ist aufschlußreich für das Verständnis des folgenden Beitrags. Bemühen wir hier noch einmal Webster's:

aestethic: *griechisch* empfindsam; *aisthanesthai* wahrnehmen. *aisthetes* eine Person, die wahrnimmt.

Immerhin eine verblüffend einfache Definition, reduziert man sie auf das Wesentliche: Ästhetik hat einfach zu tun mit Schönheit und mit Wahrnehmung.

In welchem Zusammenhang all dies mit erfolgreichem Training, Verkaufen und Management steht, erfahren Sie im folgenden Gespräch mit *Elke Conradi*, die nach ihrer pädagogischen Ausbildung mit Staatsexamen zunächst zehn Jahre lang an buchstäblich allen Schularten unterrichtete: Von der Sonderschule für Lernbehinderte bis hin zum Gymnasium. Ferner war sie zwei Jahre lang im Libanon am dortigen Goetheinstitut tätig (ein Sprachinstitut, an dem Schüler und Erwachsene in einem anderen Land deutsch lernen können mit dem Ziel, dann in Deutschland zu studieren). Sie war Lehrerin am deutschsprachigen Gymnasium in Beirut bis 1970. Für die Pädagogischen Hochschulen in Saarbrücken und München betreute sie als Mentorin die Studentinnen/en in ihren Praktika. Nebenbei war sie in der Erwachsenenbildung an Volkshochschulen aktiv; in München gründete und leitete sie neben ihrer Tätigkeit als Lehrerin schließlich einen Verein zur aktiven Lernhilfe für intelligente Schüler, die in der Schule Schwierigkeiten hatten. Später bildete sie auch Lehrer in diesem Zentrum auf besondere pädagogische Maßnahmen aus.

„Frau Conradi, seit wann sind Sie selbständige Trainerin, und vor allem: Warum wird eine Pädagogin Trainerin?"

Elke Conradi: „Ich befasse mich eigentlich seit dreißig Jahren mit dem Thema ‚Wie man effektiv, mit Erfolg und Freude lernt'. Bereits bei meinen Schülern an den unterschiedlichen Schulen konnte ich beobachten, daß die Fähigkeit zu lernen und die Intelligenz einer Person mit Talent und Erbanlagen eigentlich nur bedingt zu tun haben. Stattdessen gilt: *Lernen ist dann erfolgreich, wenn die Person Spaß und Freude dabei hat.* Diese Beobachtung, die ich, wie gesagt, bei allen Arten von Schülern – Sonderschülern, Volksschülern, Gymnasiasten, Erwachsenen, In- und Ausländern – machen konnte, hat mich dazu bewogen, mich diesem Thema des Lernens und vor allem des *effektiveren* Lernens intensiv zu widmen. So kam es zunächst zur Gründung des privaten Vereins zur aktiven Lernhilfe, später dann zur Selbständigkeit als Trainerin."

„Provokativ gefragt: Haben denn Schüler und Erwachsene in unserem Bildungssystem keinen Spaß und keine Freude am Lernen?"

Elke Conradi: „Meistens ist Lernen etwas Mühsames, etwas, zu dem man sich zwingen muß oder das in irgendeiner Weise mit Anstrengung und Druck assoziiert wird. Warum dies so ist, ist eine andere Frage, die wir hier nicht diskutieren können; Tatsache ist aber, daß es eine Art und Weise des Lernens gibt, die die Lernenden dazu befähigt, leicht und angenehm neues Wissen binnen kurzer Zeit aufzunehmen und – vor allem – dieses Wissen auch ins *Tun* zu übertragen."

„Werden wir konkret. Was ist das Besondere an der Art des Trainings, wie Sie es vermitteln?"

Elke Conradi: „In den allermeisten Fällen können wir beobachten, daß viele Leute nur deshalb an Fortbildungsveranstaltungen oder Trainings teilnehmen, weil sie es müssen. Für die meisten Teilnehmer ist ein solches Training entweder eine Gelegenheit, sich auszuruhen, oder eine nette Abwechslung. Lernen findet selten statt, und schon gar nicht *Lernen mit Spaß*. – Ziel meines Trainings ist dagegen, Menschen fähiger zu machen, und zwar auf eine Art und Weise, daß sie Spaß daran haben. Das bedeutet *erfolgreiches Lernen*. Und wenn man Erfolg hat, ist man motiviert. *Erfolg ist die beste Motivation*! Wenn eine Person irgendeine Tätigkeit besser beherrscht als vor dem Seminar, hat sie mehr Spaß an dem, was sie tut; sie erhält positive Resonanz, das wiederum motiviert sie. Das ist das *Perpetuum Mobile* modernen Trainings: Ein Positiv-Kreislauf, der niemals aufhört, wenn er einmal in Bewegung gesetzt wurde."

„Wie machen Sie das? Worauf legen Sie dabei besonderen Wert – aus pädagogischer Sicht?"

Elke Conradi: „Zunächst einmal ist es wichtig, *multimedional* zu trainieren. Das heißt, Training findet immer *unter Einsatz aller möglichen Medien* statt. Dadurch werden sämtliche *Sinneskanäle* beim Teilnehmer angesprochen, man setzt alle Sinneswerkzeuge ein. Das beginnt bei der Art des Vortrages: Keine langweilige Rhetorik, kein heruntergespultes Trainerprogramm, sondern eine lebendige, spannende, unterhaltsame Sprache. In unterschiedlichem Tonfall, wechselnder Lautstärke und unterstützt durch entsprechende Mimik und Gestik. Flipcharts, Overheads und Dias zum Beispiel verdeutlichen optisch, was der Teilnehmer verstehen soll. Wesentlich ist dann aber die *Umsetzung*, das *Tun*. Praktische Übungen, die immer bis zum einem *positiven Ergebnis* durchgeführt werden, und zwar für jeden *einzelnen* Teilnehmer."

„Sie gestatten: Welche Methodik des Unterrichtens gibt es denn alternativ, Ihrer Erfahrung nach?"

Elke Conradi: „Leider ist immer noch der ‚Frontalunterricht' sehr verbreitet, der jedoch im Ergebnis ziemlich wirkungslos ist. Vorne steht der Dozent, spult sein Programm ab und interessiert sich überhaupt nicht dafür, ob der einzelne Teilnehmer davon etwas behält, ob er es umsetzen kann oder ob er – grob gesagt – vor sich hin döst. Egal, in welche Ausbildungsstätten Sie hierbei Einblick nehmen – ich glaube, etwas 80 Prozent des Unterrichts ist bis heute dieser mehr oder minder nützliche Frontalunterricht. Aus modernen pädagogischen Erkenntnissen heraus ist es heute möglich, Fertigkeiten und Sachverhalte in wesentlich kürzerer Zeit und für den Einzelnen viel effektiver zu trainieren, als das der Frontalunterricht erlaubt."

„Sie meinen also individuelles Training? Ist das nicht in den meisten Fällen viel zu aufwendig?"

Elke Conradi: „Ich meine nicht nur individuelles Training. Auch Trainingsmaßnahmen mit und in Gruppen können sehr wirkungsvoll sein, wenn die Übungen so aufgebaut sind, daß der einzelne Teilnehmer gemäß seiner Lernfähigkeit, seiner individuellen Lerngeschwindigkeit und seinem vorhandenen Wissen und Können gefördert wird. Das ist sicherlich aufwendiger, als sich vor eine Gruppe zu stellen und einen Vortrag zu halten. Aber es ist die einzig *lohnenswerte* Art und Weise, wie neue Fertigkeiten vermittelt werden können. Und darauf kommt es schließlich einzig und allein an."

„Sind Sie aus dem Schuldienst ausgeschieden, weil Sie diese Vorstellungen dort nicht verwirklichen konnten?"

Elke Conradi: „Sicher mag das mit eine der Ursachen dafür gewesen sein, warum ich mich als Trainerin selbständig machte. Aber der viel wichtigere Grund lag eher in der Tatsache, daß ich gerade im Bereich der Erwachsenenschulung gewaltige Defizite sah, und ganz speziell im Bereich des Einzelhandels, der heute einer meiner Trainingsschwerpunkte darstellt."

„Sie haben das Stichwort Einzelhandel genannt. Kommen wir einmal konkret auf die Inhalte Ihrer Trainings zu sprechen. Worauf haben Sie sich spezialisiert?"

Elke Conradi: „Darf ich zunächst einmal nachtragen, daß ich mich vor zwölf Jahren, als ich selbständig wurde, zunächst einmal in den Verkauf begab. Ich wollte, bevor ich damit beginne, im Einzelhandel Trainings zu liefern, eigene Verkaufserfahrungen sammeln. So schloß ich mich einer Agentur an und verkaufte einige Zeit lang im Textilbereich an den Einzelhandel. Im Zuge dessen besuchte ich zahlreiche unterschiedliche Verkaufstrainings; immerhin war das ein Bereich, über den ich bis dahin recht wenig wußte. Ich war zwar in der Lage, effektives Lernen zu vermitteln; vom Verkaufen hatte ich, offen gestanden, so gut wie keine Ahnung. – Ich besuchte also Verkaufsseminare, lernte verschiedene bekannte Trainer kennen und erfuhr durch die Praxis, worauf es beim Verkauf vorrangig ankommt."

„Was war das?"

Elke Conradi: „Um einige wesentliche Beispiele zu nennen, die ich bis heute beherzige und auch in meinen Trainings immer wieder in die Übungen ‚einbaue': Als Verkäufer nicht so viel reden; den Mund rechtzeitig verschlossen halten können. Dem anderen nichts verkaufen, was er nicht gebrauchen kann. Dem Kunden den Nutzen dessen, was er kauft, darstellen. Freundlich sein, dem Kunden mit guten Manieren begegnen. Das gehört zum ABC für einen Verkäufer, aber es ist erstaunlich, wie wenige Verkäufer bis heute gerade im Einzelhandel auf diese simplen Grundprinzipien gezielt geschult werden."

„Das ist jedoch nicht Schwerpunkt Ihres Trainings?"

Elke Conradi: „Nein, denn durch die intensive Beschäftigung mit *Mode und Stil* bin ich eigentlich auf eine ganz andere Sache gestoßen, die meines Erachtens *noch* einschneidender ist als die erwähnten Schritte des Verkaufs-ABC. Die meisten Verkäuferinnen und Verkäufer stehen völlig hilflos da oder verhalten sich falsch, wenn es darum geht, die Kundin oder den Kunden im Hinblick auf Stil und *Ästhetik* zu beraten."

„Was ist denn damit konkret gemeint?"

Elke Conradi: „Ich setze voraus, daß eine Verkäuferin oder ein Verkäufer dem Kunden etwas verkaufen möchte, was diesem Kunden einen Nutzen bringt, worin er oder sie besser aussieht, worin er sich oder anderen gefällt. Mit anderen Worten, für jeden Menschen, der in ein Textilfachgeschäft, eine Boutique oder die entsprechende Abteilung eines Kaufhauses kommt, gibt es einen *individuell richtigen Stil*, der bei dieser Person ästhetisch wirkt, der die Person verschönert, der ihre Persönlichkeit unterstreicht."

„Aber das ist doch Mode?"

Elke Conradi: „Darf ich Sie korrigieren: Mode ist Ausdruck einer Epoche. Mode ist das, was zu einer bestimmten Zeit in einer bestimmten Gesellschaft überwiegend bevorzugt wird. Oder was ‚Modemacher' entworfen und auf den Markt lanciert haben. Das hört sich sehr vereinfachend an; ich werde es erläutern. Ich habe mich einige Jahre lang mit der Frage beschäftigt, was eigentlich der Unterschied zwischen Mode und Ästhetik ist. Mit anderen Worten, es gibt Mode, die zugleich bei bestimmten Personen ästhetisch wirkt, bei anderen wiederum nicht. Man kann Mode ‚machen'; ich habe eine Zeitlang sogar gelernt, wie man selbst Mode schaffen kann. Die Techniken des Designs und der Dessins (Muster), die Gestaltung, Form und so weiter kann man lernen. Ich habe diese Techniken, wie man Mode macht, sogar zu einem eigenen Ausbildungsprogramm weiterentwickelt, aufbauend auf den pädagogischen Prinzipien, die ich aus meiner Tätigkeit als Pädagogin kannte. – Doch zurück zur Frage, was der Unterschied zwischen Mode und Ästhetik ist: Ästhetik ist alles, was die einzelne Person verschönert. Was ihr ein besseres Aussehen, eine harmonische Ausstrahlung verleiht. Was sie in ihrer Art, ihrem Wesen, unaufdringlich, aber effektiv betont, was ihre Wesensmerkmale unterstreicht, ohne auffallend zu wirken. Mit anderen Worten: Mode kann bei einer Person eine ästhetische Wirkung ausüben, aber sie muß es nicht. Mode ist Zeitgeist, aber wie dieser Zeitgeist umgesetzt werden kann für die Kundin, die vielleicht Konfektionsgröße 46 hat, ist eine ganz andere Frage. Damit sind wir bei Fragen des individuellen Stils, der Farbe und der Form."

„Was ist unter Stil zu verstehen?"

Elke Conradi: „Stil ist laut Wörterbuch der *Ausdruck der Persönlichkeit*. Das, was ihn von anderen abhebt, ist sein persönlicher Stil. Das, was eine bestimmte Richtung ausmacht, ist ein bestimmter Stil. Ich kann mich klassisch kleiden – das ist ein bestimmter Stil, der auch modisch ist. Oder ich kleide mich sportlich, weil der sportliche Stil zu meinem Wesen paßt, und suche mir dann in der gegenwärtigen Mode aus, was mir am besten steht. Ich kann aber auch meinen ganz eigenen Stil tragen, der vielleicht völlig aus dem Rahmen fällt; ein Künstler kann ein typisches Beispiel dafür sein."

„Aber was hat das jetzt mit Verkaufen zu tun?"

Elke Conradi: „Sehen Sie, eines der grundlegenden Probleme im Einzelhandel ist die *Beratung des Kunden*. Dafür steht oft denkbar wenig Zeit zur Verfügung, eine einzige Frage kann über Erfolg oder Mißerfolg entscheiden. Wenn Verkäuferinnen und Verkäufer in der Lage sind, die Kundin oder den Kunden schnell einzuschätzen, ihm eine fundierte Beratung in *kürzester* Zeit zu vermitteln und sofort die richtigen Teile vorzulegen, dann kann dadurch der Verkaufserfolg um mehrere hundert Prozent gesteigert werden!

Ich hatte als Verkäuferin mit zahlreichen Einkäufern zu tun und lernte dabei eines ihrer zentralen Handicaps kennen: Die Entscheidung darüber, welche Kollektionsteile beim Kunden wohl gut ankommen würden, und wie die Beratung der Kunden aussehen muß, damit diese Kollektion auch verkauft wird. Ich erkannte, wie wenig im Fachhandel tatsächlich über die Gesetze von *Ästhetik, Farbe und Stil* bekannt ist, während vieles über Form und Mode gelehrt wird. Also baute ich meine Beratung schon als Verkäuferin auf Ästhetik (Farbe, Form und Stil) auf und machte die Erfahrung, daß die Ware in der nachfolgenden Saison sehr viel leichter abgeflossen war."

„Was ist denn nun das Besondere, daß Sie dem Handel, dem Verkäufer beizubringen versuchen?"

Elke Conradi: „Kurz gesagt: Wie man über Kompetenz in Sachen Farbe, Form und Stil zu *besseren Verkaufsergebnissen* gelangt. Mode und Ästhetik sollten – wie gesagt – als zwei getrennte Fachgebiete betrachtet werden. Es sind zwei völlig unterschiedliche Dinge. Mode ist Kreation, sie ist offen für alle möglichen Arten von schöpferischen Ideen. Der Ästhetikbereich hat zu tun mit sehr strengen Gesetzen, mit eindeutigen Kriterien. Modemacher unterwerfen sich diesen Kriterien nicht unbedingt. Sie machen Mode, die nicht in jedem Falle bei der Person, die heute einen Shop betritt, auch anwendbar ist. Der Verkäufer muß also etwas über die Gesetze der Ästhetik wissen, muß darin geschult werden, das geht sogar bis in die Mathematik hinein, in die Optik – ich erwähne hier beispielsweise das Element der ‚optischen Täuschung', das eingesetzt werden kann, um bestimmte Merkmale im Aussehen der Kundin zu betonen und andere geschickt zu kaschieren. Das alles kann mit Hilfe der Gesetzmäßigkeiten der Ästhetik durchgeführt werden."

„Ihr Training baut also darauf auf?"

Elke Conradi: „Ich habe speziell für den Verkäufer und die Verkäuferin im Einzelhandel des Textilbereiches eine Vorgehensweise entwickelt, die es ermöglicht, mit wenigen, aber treffenden Fragen binnen kürzester Zeit den richtigen Stil für den Kunden oder die Kundin in Erfahrung zu bringen. Das wird auf einem Verkaufstraining geschult, nachdem die Verkäuferinnen selbst diese Methode der Beratung in der Theorie kennengelernt haben.

Alles in allem machen wir nichts anderes, als den Kunden *persönlichkeitsbezogen* zu beraten, statt nur von der aktuellen Mode her, wie das üblich ist. Ein Finanzkaufmann, der sich nicht nur *modisch* kleidet, sondern auch *optisch* äußerst geschickt anzieht, bei dem Mode und Stil also im Einklang stehen, wird mit Sicherheit bei seinen Kunden einen sehr viel besseren Eindruck machen. Von daher hat diese Art der Beratung auch einen sehr praktischen Nutzen für den Kunden oder die Kundin."

„Aber eine solche Art der individuellen Beratung des Kunden oder der Kundin dauert doch bestimmt lange? Hat denn die Verkäuferin überhaupt die Zeit dazu?"

Elke Conradi: „Die Beratung dauert in den meisten Fällen nicht viel länger als üblich; davon abgesehen wird es Ihnen kein Kunde verübeln, wenn Sie ihm einige Fragen stellen, die ihm oder ihr helfen sollen, besser auszusehen! Vorausgesetzt, es sind die *richtigen* Fragen, vorausgesetzt, Sie geben die *richtigen* Argumente, und vor allem vorausgesetzt: Sie sind selbst entsprechend Ihrer Beratung gekleidet. Womit wir gleich beim nächsten Thema sind..."

„Sie gestatten, daß wir unterbrechen: Sind Sie damit nicht sehr weit entfernt von Verkaufs- und Argumentationstechniken? Sprich: Eröffnet sich hier nicht ein großes Feld willkürlicher Meinungen über das, was ‚schön' ist und was nicht?"

Elke Conradi: „Leider besteht dieses Gebiet bislang zu 99 Prozent nur aus Meinungen! Mit der Folge, daß Verkäuferinnen oder Verkäufer ihre Meinung dem Kunden gegenüber äußern, dieser eine andere Meinung vertritt, und der Verkauf nicht zustandekommt oder übermäßig lange dauert. – Es geht in dieser Art von Schulung nicht um Meinung, im Gegenteil, es geht dabei um *klare Gesetze* der Ästhetik und der Mathematik; es geht darum, welche Haarfarbe zu welchem Hauttyp paßt, welche Schuhe zu welchem Körpertyp, welcher Schnitt zu welcher Figur. Das hat nichts mit Meinung zu tun, sondern mit den unabänderlichen Regeln der *Harmonie*, wie sie seit vielen hundert Jahren bekannt sind. Nur: Leider wurden diese Regeln kaum oder selten in die Verkaufsberatung mit einbezogen; irgendjemand behauptete sogar einmal, ich sei eine der ersten Trainerinnen, die sich um dieses Thema bemühen. Ob das stimmt, will ich dahingestellt sein lassen; Fakt ist, daß Sie mit Verkaufstechniken überhaupt nichts anfangen können, wenn Sie dieses Fachgebiet als Verkäuferin nicht gemeistert haben. Daher beschäftigen sich die Seminare zuerst einmal mit diesen Themen; und dazu gehört auch, wie ich schon erwähnte, wie die Verkäuferinnen selbst gekleidet und ‚gestyled' sind!"

„Mehr dazu!"

Elke Conradi: „Eine alte Regel im Verkauf lautet: Zuerst muß der Verkäufer sich selbst verkaufen, bevor er seine Ware verkaufen kann. Wie macht er das? Nicht durch Reden, sondern durch den ersten optischen Eindruck. Das kann sehr unauffällig geschehen; die richtige Art der Kleidung ist in vielen Fällen sogar unauffällig. Es sieht einfach schön aus. Bei näherem Hinsehen merkt man jedoch, daß jede Farbe, jeder Schnitt, die gesamte Form, die Frisur und die Brille – falls vorhanden – mit sehr viel Überlegung und nach Gesetzen der Harmonie ausgewählt wurden. Wenn sich allein die Verkäuferinnen und Verkäufer – egal in welcher Branche – diesen Gesetzmäßigkeiten entsprechend ‚stylen' würden, dann würde der Verkaufserfolg um ein Vielfaches gesteigert. Ist dieser Schritt vollzogen, dann beschäftigen wir uns erst mit der nächsten Stufe des Verkaufens, der Frage nämlich, *wie man mit Menschen umgeht!*"

„Sie gestatten den Einwand: Wird hier nicht das Äußere eines Menschen ein wenig überbetont? Es spielt sicherlich eine Rolle, aber ist es wirklich derart wichtig?"

Elke Conradi: „Sie kennen das Sprichwort: ‚Für den ersten Eindruck gibt es keine zweite Chance.' – Sicher kennen wir alle den begnadeten Verkäufer, der allein kraft seiner Persönlichkeit verkauft, der angezogen sein kann wie er will, ohne daß sein Erfolg darunter leidet. Aber wieviele solcher Verkäufer gibt es tatsächlich, bei denen die Persönlichkeit stärker ist als alle äußeren Elemente? Und selbst diese beachten in aller Regel bestimmte ästhetische Gesetzmäßigkeiten, wenngleich sie sich dabei größere Spielräume erlauben dürfen. Aber wenn ich junge Verkäufer sehe, die mit Pullover und Jeans zu einem Arzt gehen, um ihm eine Finanzdienstleistung zu verkaufen, dann mag das zwar viel mit Individualismus zu tun haben; es hat mit Sicherheit nichts mit Verkaufserfolgen gemein. Die Statistiken werden es belegen. – Viele, viele Verkäufer machen sich ihre Chancen dadurch zunichte, daß ihr Äußeres kein Spiegel der Kompetenz ist. Positiv ausgedrückt: Wer sich entsprechend dem Wert seines Produktes und seiner Beratung kleidet, wer weder ‚overdressed' noch ‚underdressed' ist, der hat die besten Chancen."

„Können Sie uns ein Beispiel dafür geben, was mit ‚over- und underdressed' gemeint ist?"

Elke Conradi: „Overdressed wäre beispielsweise ein Finanzberater, der seinen Kunden, einen durchschnittlich verdienenden Arbeiter, mit einer 15.000-Mark-Uhr am Arm besucht. Er teilt dem Kunden durch seine Kleidung mit: Sieh, was ich an euch verdiene! – Underdressed ist zum Beispiel ein Anlageberater, der mit einem im Auto zerknautschten, billigen Anzug einen Kunden besucht, dessen Jahresgehalt im Durchschnitt über 120.000 Mark beträgt. Ich betone nochmals: Die Kleidung muß dem *Wert des Produktes angemessen* sein, und bei der Zielgruppe, mit der ich zu tun habe, *akzeptiert* werden. Das herauszufinden ist Aufgabe einer speziellen Beratung, die übrigens für bestimmte Gruppen von Verkäufern jeweils auf individueller Basis stattfinden muß."

„Sicher interessant. Wie kommt diese Art des Trainings bei Verkäuferinnen an?"

Elke Conradi: „Aus zahlreichen Gesprächen weiß ich, daß Verkäuferinnen dieses Training lieben. Sie haben mehr Spaß an ihrer täglichen Arbeit haben wirkliches Wissen darüber, wie sie besser mit dem Kunden argumentieren können. Dieses Wissen, diese Sicherheit führt zu *mehr Erfolg*, und der Erfolg motiviert sie. Gerade im Modebereich, finde ich, sollte Verkaufen eine Menge Spaß und Freude bereiten!"

„Sie erwähnten, daß Sie auch andere Zielgruppen trainieren? Welche sind das?"

Elke Conradi: „Weitere Zielgruppen, auf die wir uns hier im Team spezialisiert haben, sind Friseure, Optiker sowie Textileinkäufer. Nehmen wir das Beispiel Friseure: Hier kommt es vor allem darauf an, daß der Friseur der Kundin eine fachgerechte Beratung im Hinblick auf Farbe und Stil zukommen läßt. Die Haarfarbe muß zum Teint der Haut passen, die Form der Frisur zur Gesichtsform, zum Profil und vor allem zur Persönlichkeit. Noch strenger als im Textilbereich gilt hier, daß Mode und individueller Stil zwei unterschiedliche Dinge sind. Meist mangelt es in diesem Bereich an fachgerechter Beratung; allenfalls sucht man mit der Kundin eine Frisur aus einem Fachjournal oder einer Modezeitschrift aus und wählt die Farbe aus, die nun einmal gerade ‚in' ist.

Bei Optikern stehen wir vor dem Problem, daß diese meist hervorragend ausgebildete Techniker sind, die jedoch über den individuellen Stil bislang wenig erfahren haben. Vor Jahrzehnten konnte man damit auskommen; damals kamen Kunden/innen zum Optiker, um besser zu sehen. Heute kommen sie, um besser auszusehen, und die Branche steht vor der Aufgabe, hier im Sinne einer *ganzheitlichen Ästhetikberatung* unterstützend für die Persönlichkeit zu verkaufen. Man muß ihnen, einfach ausgedrückt, die Denke des Kunden vermitteln.

Eine weitere wichtige Zielgruppe unseres Trainings sind alle, die im Bereich des *Selfmarketing* erfolgreich sein möchten...."

„Was ist darunter zu verstehen?"

Elke Conradi: „Unter *Selfmarketing* versteht man all die Aktionen, die eine Person unternimmt, um sich selbst zu verkaufen. *Produktmarketing* bedeutet alle Aktionen, die das Produkt verkaufen. *Selfmarketing* ist überall dort ein Thema, wo ein einzelner Verkäufer darauf angewiesen ist, daß seine Person praktisch auf Anhieb beim Kunden gut ankommt. Also der Einzelhandel, zahlreiche Dienstleistungsgewerbe, die gesamte Finanzbranche zum Beispiel. Verkauf ist Vertrauenssache; der Kunde hat in erster Linie dann Vertrauen, wenn das Auftreten und Aussehen des Verkäufers einfach ‚paßt'. Über das Styling haben wir bereits gesprochen; ein weiterer Bereich, der unter *Selfmarketing* fällt, sind Höflichkeitsformen, sind Verhaltensregeln, sind kleine, aber wichtige Dinge, die die Achtung vor dem anderen Menschen zum Ausdruck bringen. Es ist tatsächlich so, daß man diese Dinge heute wieder trainiert!"

„*Selfmarketing* hat also mit Verkaufstechniken nichts zu tun..."

Elke Conradi: „Diese folgen erst in der nächsten Stufe des Trainings. Das sind Verkaufstechniken, das ist Einwandbehandlung, das ist Kommunikation. Alles, was das eigentliche Verkaufsgespräch und den erfolgreichen Abschluß beinhaltet. Zur Einwandbehandlung ein einziges kurzes Wort: Hier kommt es in erster Linie darauf an, die Einwände zu trainieren, die bei der spezifischen Zielgruppe am häufigsten auftauchen. So wird ein Friseur ganz andere Einwände zu hören bekommen und muß sie beantworten, als eine Verkäuferin in einem Warenhaus oder ein Verkäufer in einem Top-Schuhsalon in bester City-Lage. Der Verkäufer im Finanzbereich wiederum muß mit völlig anderen Argumenten umgehen können. Hier ist sehr unterschiedliches Training gefragt, das auch jedes Mal auf die zu trainierende Gruppe abgestimmt wird."

„Welche weiteren Trainings geben Sie? Immerhin haben Sie uns bereits mit einigen Innovationen überrascht!"

Elke Conradi: „Zwei weitere Bereiche, mit denen wir uns beschäftigen, sind Führungskräftetraining und Training, wie man Vorträge hält."

„Also Rhetorik-Training?"

Elke Conradi: „Der Begriff wird mitunter mißverstanden. Daher ziehe ich die Bezeichnung vor: *Training, wie man Vorträge hält.* Das bedeutet *freies Sprechen* vor Gruppen aller Größe über *jedes Thema.* Und: So sprechen, daß die Zuhörer während des gesamten Vortrages gefesselt sind. Das heißt, die Zuhörer werden mit einbezogen in den Vortrag. Es beinhaltet, daß der Vortragende Gestik und Mimik beherrscht, daß er mit dem Werkzeug der Lautstärke ebenso umgehen kann wie mit dem Tonfall der Stimme. In erster Linie aber heißt es: Eine klare, deutliche Sprache, die jeden einzelnen Zuhörer erreicht. Wir trainieren dies vor Gruppen so lange, bis der Vortragende locker und frei reden kann."

„Und was hat es mit dem Führungskräftetraining auf sich?"

Elke Conradi: „In den Führungsseminaren wird in erster Linie das Thema *Kontrolle* behandelt. Kontrolle nicht im herkömmlichen Sinne, daß man sich neben eine Person stellt und ihr auf die Finger schaut. Kontrolle bedeutet hier: Dinge zu Ende führen. Etwas getan bekommen. Beharrlich sein können. Darauf achten, daß Anweisungen verstanden werden. Hier gibt es so zahlreiche Möglichkeiten, wie Führungskräfte und Mitarbeiter aneinander vorbeireden können, daß wir der Kontrolle viel Aufmerksamkeit widmen.

Ferner beinhalten die Seminare für Führungskräfte die Frage: ‚Wie man delegiert'. Das ist ein besonders großes Problem unter Führungspersonal. Die meisten meinen, sie müßten alles selbst machen und könnten es selbst am besten. Vordergründig ist das sicherlich richtig, sonst wären sie keine Führungskräfte. Langfristig gesehen ist es jedoch sicher ein Fehler! Loslassen können, die Hände in den Taschen behalten, nicht die Geduld verlieren und dem anderen *das Lernen zu erlauben* – das ist ein wichtiger Punkt.

Weiterhin das Thema: ‚Wie eine Führungskraft mehr Zeit gewinnt'. Es erübrigt sich, hierüber viele Worte zu verlieren; es ist ein großes Problem.

Dann das Kapitel: ‚Wie man Mitarbeiter zu besseren Mitarbeitern ausbildet'. Eine Führungskraft benötigt bestimmte pädagogische Fähigkeiten und Techniken, die sie nicht von Haus aus mitbringt. Das wichtigste Element: Den anderen Erfolge haben zu lassen. Auch das wird im Führungskräftetraining geschult.

Last but not least vermitteln wir in diesem Training wichtige *Hilfsmittel* für Führungskräfte, die in vielen kleinen Dingen die *Effizienz steigern* helfen. Dazu gehört beispielsweise ein ausgefeiltes System schriftlicher Mitteilungen innerhalb der Organisation, oder eine Kontrollmöglichkeit, um sicherzustellen, daß Anweisungen auch erledigt werden."

„Fassen wir zusammen. Was ist Ihrer Erfahrung nach das wichtigste Element beim Training?"

Elke Conradi: „Wie die Definition von Erziehung heißt: Das *Herausziehen von Fähigkeiten.* Dabei kommt es in erster Linie darauf an, sich nicht auf negative Dinge zu konzentrieren, sondern die *positiven Eigenschaften zu fördern*, ähnlich wie bei einer Pflanze, die man gießt und düngt. Dadurch hat der Trainierte Erfolgserlebnisse, er erhält Bestätigung und ist motiviert. Denn Erfolg ist die beste Motivation. Das bedeutet Erfolg schon in kleinen Dingen. Aus diesem Grunde kann jedes Training nur *individuell* stattfinden. Das versuche ich auch in Gruppentrainings umzusetzen, indem die Übungen der Teilnehmer immer so lange gemacht werden, bis jeder einzelne das Gefühl hat, er hat es wirklich verstanden und beherrscht die Übung.

Es gehört zu meinen ganz persönlichen Zielen, Menschen fähiger zu machen, indem das, was sie können, immer mehr verstärkt wird. Leute verfolgen gewöhnlich ein Ziel mit dem, was sie tun. Wenn man darauf aufbaut und ihnen dabei hilft, daß sie es besser können, dann sind sie motiviert, dann braucht man sich gewöhnlich keine besonderen Gedanken mehr über das Kapitel Motivation zu machen.

Training bedeutet aber auch eine Herausforderung für den Trainer. Nur wer sein Training ständig verfeinert, wer selbst dazulernt, wer bereit ist, auf die Bedürfnisse jedes einzelnen Menschen einzugehen, wird wirklich gutes Training liefern. Jedes Training sollte also als eine ganz neue Aufgabe gesehen werden."

„Welche Methoden sind am erfolgreichsten?"

Elke Conradi: „Methoden, die *direkt auf Anwendung zielen.* Ich vermittele eine einzige neue Sache, dann geht es sofort ans Üben. Wenige Dinge, gründlich verstanden und umgesetzt, sind viel mehr wert als ein Übermaß an Theorie."

„Was sollte man bei der Auswahl eines Trainers beachten?"

Elke Conradi: „Ob er das, was er sagt, auch selbst praktiziert. Ob er Erfahrung hat mit seinem Training. Am besten Referenzen geben lassen. Vor allem gilt: Nicht jeder, der in einem bestimmten Fach kompetent ist, ist dadurch automatisch ein guter Trainer. Training hat mehr zu tun mit dem Wissen darüber, *wie* man etwas vermittelt, als mit Fachkompetenz in dem Gebiet, das man trainiert. Wenn Sie Ihrem Teilnehmer zeigen können, wie sie schneller und besser lernen und umsetzen können, dann ist das ungleich viel mehr wert, als wenn Sie alles über ein Fachgebiet wissen. Die *Methodik* des Unterrichtens ist also für einen Trainer noch wichtiger als die Kenntnis eines Gebietes."

„Legen Sie auch auf Nachbetreuung wert?"

Elke Conradi: „Das ist selbstverständlich! Der gesamte Bereich der Betreuung nach dem Training spielt heute eine große Rolle; hier geht es schließlich um die Umsetzung. Oft werden Menschen durch ein Training erst sensibilisiert für bestimmte

Problematiken, die sie vorher gar nicht erkannten. Dann kann man in Folgeseminaren gezielt darauf eingehen. Mit einer guten Portion Erfahrung und pädagogischem und methodischem Wissen ist es möglich, fast alles zu trainieren, durch Training praktisch für alle Berufs- und Altersgruppen zur Problemlösung beizutragen."

„Wer kann sich konkret an Sie wenden?"

Elke Conradi: „Jeder! Wir trainieren sowohl Einzelpersonen als auch Firmen, führen Tagesseminare und auch langfristiges Firmentraining durch."

„Eine abschließende Frage: Was waren Ihre schönsten Erfolge als Trainerin?"

Elke Conradi: „Am schönsten für mich ist das Erlebnis, wenn ich sehe, daß Menschen das, was sie gelernt haben, anwenden. Beispiele: Ich habe in einem Textilhaus das Thema: , Die Farbe als wichtiger Faktor im Ein- und Verkauf des Handels' trainiert. Der Inhaber erzählte mir daraufhin, daß er vermutlich auf den Modemessen falsch eingekauft habe: Er hatte sich nur nach den ‚gängigsten Modefarben', eben nach jenen Farben gerichtet, die alle anderen auch kauften. Leider – wie er dann während der Saison feststellen mußte! Beim nächsten Einkauf verwendete er die bei uns erworbenen ‚Werkzeuge', kaufte gezielt ein und hatte deutlich bessere betriebswirtschaftliche Ergebnisse.

Eine Einzelhändlerin teilte mir mit, daß ihre Verkäuferinnen das begeistert umsetzten, was sie über Ästhetik gelernt hatten; erstens bei sich selbst und zweitens bei den Kundinnen. Jede Verkäuferin wurde dadurch zu einem stillen Werbeträger; sie selbst entwickelte einen enormen Spaß an ihrem Beruf.

Ich habe es im übrigen noch nicht ein einziges Mal erlebt, daß Menschen diesem Thema der Ästhetik gleichgültig gegenüberstanden. Wer es einmal verstand, der entwickelte ein Höchstmaß an Begeisterung und Spaß am Kreieren. Vielleicht ist es der Künstler in jedem einzelnen, den man damit anspricht; Tatsache ist, daß Menschen durch diese Schulungen einfach mit mehr Freude und Spaß an ihre tägliche Arbeit gehen."

Prof. Renate Doering

„Aufgabe von Ausbildung und Training heute ist die Begleitung des *Individuums*."

Training, das ist leicht nachvollziehbar, ist trotz aller Fortschritte in Richtung Gleichberechtigung nach wie vor fast reine Männersache. Daß wir in diesem Buch einige Ausnahmen vorstellen können, bestätigt eigentlich nur die Regel. Dabei sind nicht nur die Trainer gemeint, sondern auch die Trainierten. Konflikte sind hier geradezu vorprogrammiert; die Möglichkeiten für Frauen, in Wirtschaft, Politik und Wissenschaft Karriere zu machen, sind dabei doch *scheinbar* besser denn je. Frau Professor Renate Doering von der Fachhochschule Niederrhein beschäftigt sich unter anderem mit dieser Problematik seit vielen Jahren. Sie ist nicht nur Hochschullehrerin, sondern, wenn gewünscht, auch Trainerin für Unternehmen oder arbeitet mit Institutionen zusammen, die Fortbildung oder auch Lebenshilfe für ihre Mitglieder suchen. Obwohl sie ihre größten Erfolge, wie sie selbst zu berichten weiß, ganz eindeutig im unternehmensinternen Führungstraining eines fast reinen Männerunternehmens (Stahlindustrie) erzielte, widmet sie sich als Dozentin im Bereich Persönlichkeitsentwicklung mit besonderer Hingabe den speziellen Problemen von Frauen im Beruf. Warum haben wir sie für dieses Buch interviewt? Wir wollten zwei Antworten in Erfahrung bringen: Erstens, was wird in den Hochschulen unternommen, um Studentinnen und Studenten auf die neuen Anforderungen in der beruflichen Praxis einzustimmen? Zweitens, was macht Professorin Renate Doering anders als viele andere Dozenten und Trainer, wenn sie sich ganz speziell für die Probleme des jungen Führungsnachwuchses und hier ganz besonders der Frauen engagiert?

Vielleicht meinen Sie zunächst, ein solcher Beitrag gehöre ja wohl nicht in ein Buch, in dem quasi aus dem Nähkästchen privater *Top Trainer* geplaudert wurde. Lassen Sie sich vom Gegenteil überzeugen, denn für uns war Frau Doering nicht nur selbst eine angenehme Persönlichkeit, sondern zugleich eine sehr wichtige Gesprächspartnerin. Denn: Wenn wir von *ganzheitlicher Unternehmensführung*, vom Hinwenden zum Menschen und Abwenden von rigiden Strukturen und Bürokratismen sprechen, dann müssen wir damit eigentlich genau dort beginnen, wo die Führungskräfte der Zukunft ausgebildet werden: an den Hochschulen. Was geschieht dort? Welche Änderungen stehen bevor oder wurden vielleicht sogar schon vollzogen?

Der Lebenslauf unserer Gesprächspartnerin in Stichworten:

Sprachstudium und Studium der Wirtschafts- und Sozialwissenschaften in Köln, Bonn, Poitiers, Birmingham und Brüssel. Nach Tätigkeit als Vorstandsassistentin in einem Bundesverband Übernahme organisatorischer Aufgaben in einer internationalen Organisation mit Sitz in Brüssel und erste Aufgaben im Zusammenhang mit der sich im Aufbau befindlichen EG. Als Konferenzdolmetscherin und Übersetzerin war sie längere Zeit in Brüssel tätig. Nach der Fortführung des Studiums in Deutschland Aufbau und Leitung einer Sekretärinnenfachschule in Baden-Baden. Langjährige Tätigkeit als Dozentin in der Erwachsenenbildung. Beratungstätigkeit, Führungs- und Verhaltenstraining, Projektbegleitung in der Industrie. Daneben auch Mitarbeit in zahlreichen berufsständischen Organisationen sowie in der Europäischen Gesellschaft für Ingenieurausbildung im Ausschuß *Innovation und Neue Technologien*. Das ständig wachsende Interesse an der Trainingstätigkeit führte zum Aufbau und zur Mitarbeit im Leitungsteam von Organisationsentwicklungs-Institutionen wie der Arbeitskonferenz Friedewald oder der Odenspiel-Konferenz über „Menschliches Verhalten in Institutionen", die zweimal im Jahr stattfindet und von der hier noch die Rede sein wird. Im Zusammenhang dazu steht auch ein Studienaufenthalt in China sowie die Teilnahme an einer Delegationsreise der Landesregierung von Nordrhein-Westfalen in die Partnerschaftsprovinz Jiangsu und die Sonderwirtschaftszone Shenzen.

Seit 1973 hat Frau Doering eine Professur an der Fachhochschule Niederrhein, Abteilung Mönchengladbach, der bekanntesten und größten Lehrstätte Europas für den Textilbereich. Ihr Lehrgebiet: Organisationsentwicklung.

Zur Zeit ist Prof. Renate Doering mit der Leitung des EG-Projektes „TexCAD-Qualifizierung von Frauen in der Bekleidungsindustrie in industriell wenig entwickelten Ländern der europäischen Gemeinschaft" (mit den Schwerpunkten Portugal und Griechenland) betraut. Dabei geht es um die Ausbildung an CAD-Systemen (CAD = computeraided, computerunterstütztes Design) mit Hilfe von computerunterstütztem Lernen. Besonderer Höhepunkt: Beratung und Mitorganisation der CeBIT-Sonderveranstaltung *Chancen 2000 Bildung – Beruf – Karriere*, wo sie ihr TexCAD-Projekt einem breiten Publikum vorstellen konnte. Genau dort wurden wir auf Frau Doering aufmerksam.

„Frau Professor Doering, es fällt auf, daß Sie mit einer besonderen Veranstaltung auf der CeBIT vertreten sind – einer multimedialen Modellpräsentation. Hat dies einen bestimmten Grund?"

Prof. Renate Doering: „Ich möchte speziell auf die CAD-Technologie für den Textil- und Bekleidungssektor aufmerksam machen. CAD-Systeme bieten sehr innovative Möglichkeiten für Entwurf und Entwicklung von Textilien und Bekleidung. Wir sind dabei, diese Technologie – computerunterstützt und methodisch auf die Zielgruppe Frauen in der Bekleidungsindustrie abgestellt – in Portugal, Griechenland und vielleicht auch anderen Partnerländern zu vermitteln. Auch das entspricht genau dem Motto *Chancen 2000 Bildung – Beruf – Karriere*."

„Um die Gestaltung dieser speziellen Veranstaltung innerhalb der CeBIT haben sich aber nach unseren Informationen eine ganze Reihe von Bewerbern bemüht? Und: Der Kostenfaktor ist ja auch nicht gerade gering. Wie haben Sie das geschafft?"

Prof. R. Doering: „Es war, zugegeben, ein Stückchen harter Arbeit. Ich habe mich genauso wie alle anderen mit einer Präsentation um die Teilnahme beworben. Letztlich kam es dann zu einer Lösung, die geradezu ideal war: Ich konnte meine Vorstellungen in Zusammenarbeit mit der Unternehmensberatung Arno Evers, München, die auf Messen spezialisiert ist, realisieren. Was das Finanzielle anbelangt: Die EG trug die Hälfte der Kosten, die Messe hat uns ebenfalls großzügig unterstützt und großen Dank schulde ich natürlich vor allem auch den Sponsoren aus der Bekleidungsindustrie."

„Daraus können wir schlußfolgern, daß Sie einen intensiven Kontakt zur Industrie pflegen?"

Prof. R. Doering: „Ohne diesen Kontakt wäre Fachhochschularbeit gar nicht möglich. In meiner Funktion als Vorstandsmitglied der GABAL e.V. (Gesellschaft für angewandte Betriebswirtschaft und aktive Lernmethoden e.V. in Speyer), die sich speziell der Verbindung zwischen Hochschule und Wirtschaft verschrieben hat, ist es eines meiner Hauptanliegen, die Beziehung Hochschule-Wirtschaft weiter zu verbessern. Das ist auch eins der Anliegen des TexCAD-Projektes. Vor allem möchte ich mithelfen, noch bestehende Berührungsängste abzubauen. Ein breitgefächertes Engagement der Wirtschaft für die Studentinnen und Studenten kommt in jedem Falle allen Beteiligten zugute."

„Das läßt darauf schließen, daß hier noch immer einiges im argen liegt?"

Prof. R. Doering: „Nun, da besteht durchaus noch Spielraum für Verbesserungen. Einige Unternehmen gehen hier mit gutem Beispiel voran und haben eigentlich durchweg positive Erfahrungen damit gemacht. Hierzu zählt beispielsweise, Studenten eine Diplomarbeit in der Praxis eines Unternehmens anfertigen zu lassen, wie es ja heute schon in vielen Fällen geschieht. In meinen Augen ist es durchaus realistisch, daß Firmen solche Diplomarbeiten in Zukunft auch finanzieren und die Studentin/der Student auf diese Weise sehr viel früher als sonst üblich in den wirtschaftlichen Produktionsprozeß integriert wird. Umgekehrt erfährt auch die Hochschule dadurch praxisnahe Anregungen, ohne ihre Unabhängigkeit als wissenschaftliche und Forschungsinstitution aufzugeben. Immerhin sollten wir daran denken, daß wir auf den Hochschulen die Führungsverantwortlichen, die Entscheidungsträger von morgen ausbilden; je früher also Studenten in die innerbetrieblichen Vorgänge, in die pragmatische Seite des Berufs eingeweiht werden können, umso besser."

„Sie haben selbst auch in der Industrie trainiert?"

Prof. R. Doering: „Ich werde gelegentlich von Unternehmen dazu eingeladen, Schulungen und Seminare auch innerhalb von Firmen durchzuführen. So habe ich vor einigen Jahren das mittlere Management eines großen Konzerns geschult; das waren etwa 600 Gruppenleiter im Verlauf von mehreren Jahren. Das Ergebnis meiner ersten Schulungen dort war, daß der Betriebsrat für jeden, der befördert werden sollte, dieses Seminar als Teil des Qualifikationsnachweises empfahl."

„Nun machen Sie uns neugierig: Was wurde in diesem Seminar gelehrt, daß das Interesse daran derart stark war? Immerhin ist es doch etwas ungewöhnlich, dazu eine Hochschulprofessorin einzuladen."

Prof. R. Doering: „Ich befaßte mich im Rahmen meines Lehrgebietes von Anfang an mit Fragen der Führungslehre, da in meinen Augen die Kompetenz, Mitarbeiter zu führen, *den gleichen Stellenwert* wie die Fachkompetenz hat. Wenn man davon ausgeht, daß Führung im unteren und mittleren Management ‚Konzeptionales Arbeitsverhalten' bedeutet (so heißt das Modell, das ich entwickelt habe), dann wird Menschenführung lehr- und lernbar. Das Neuartige daran war vor allem auch die Art und Weise, *wie* in jedem Seminar methodisch auf den *einzelnen* Teilnehmer eingegangen wurde. Die Gruppenleiter waren erstaunt, welch ungeahntes Potential in der Gestaltung zwischenmenschlicher Beziehungen steckte, und manche kamen zu der Erkenntnis, daß sie eigentlich gar nicht wußten, wie sie mit Mitarbeitern umgehen sollten, wenn zwischenmenschliche Probleme auftauchten. Teilweise krankt die Industrie noch heute daran, daß Führungskräfte zwar technisch oder betriebswirtschaftlich hochqualifiziert sind, aber der zwischenmenschliche Faktor einfach in der Ausbildung zu kurz kommt. Viel schlimmer: Weil das so ist, wird dem auch im betrieblichen Alltag zu wenig Bedeutung beigemessen. Ich habe es mir zur persönlichen Aufgabe gemacht, in meinem Lehrgebiet Organisationsentwicklung Themenbereiche wie Neue Technologien, Europäischer Markt, Umstrukturierung von Unternehmen nicht nur im Hinblick auf die anstehenden Sachfragen abzuhandeln, sondern auch die Auseinandersetzung mit der Reaktion von Betroffenen anzuregen. Wie werden sich Menschen verhalten, wenn bestimmte Veränderungen auf sie zukommen? Dieser Fragenkomplex erscheint mir mindestens ebenso wichtig wie andere Bereiche. Meist tendiert man ja dazu, Veränderungen zu planen und in die Wege zu leiten und das Verhalten, die Reaktionen der Menschen dabei zu vernachlässigen. Ich denke, man sollte sich bei jeder geplanten Veränderung auch fragen: Was bedeuten diese Veränderungen für die beteiligten Menschen? Wie werden sie darauf reagieren? Wie kann man sie dabei begleiten? Wie kann man ihnen helfen, damit umzugehen? Hier wird leider vielfach noch in veralteten Kategorien gedacht, und man macht sich oft nicht klar, daß man genau dadurch den angestrebten Erfolg gefährdet. Ich nenne Ihnen noch ein Beispiel aus meiner Erfahrung: Es ging um die Arbeit von Ausbildern in einem großen Unternehmen. Was war dort geschehen? Man hatte Ausbildern die fachlichen Voraussetzungen vermittelt, bei bestimmten Aufgabenstellungen die *Projektmethode* anzuwenden. Zielgruppe waren Auszubildende im gewerblich-technischen Bereich, zum Beispiel Schlosser. Die Ausbilder erfuhren nun also, die Projektmethode sei *die* neue Sache! Doch der Haken war: Die Projektmethode geht von einem ganz anderen Rollenverständnis der am Ausbildungsprozeß Beteiligten aus, als die konventionellen Vermittlungsmethoden. Ein wesentliches Element ist zum Beispiel *Teamarbeit* der Auszubildenden, die Arbeit des Ausbilders vollzieht sich eher als begleitende Beratung. Leute selbständig im Team arbeiten zu lassen, ihnen das zu vermitteln, bedeutet enormen Zeit- und Krafteinsatz seitens der Ausbilder; auch eine andere Form der Ausbildungsmaterialien wird verlangt. Aber nichts geschah, um die Projektmethode einzuführen. Die Ausbilder wußten zwar alles über die Projektmethode und wie man sie implementiert, aber de facto setzten sie ihr Wissen nicht um. Nun wurde ich also darum gebeten, ein Seminar für die Ausbilder zu halten, um ihnen zu vermitteln, daß es sinnvoll und nützlich ist, die Projektmethode anzuwenden. Als ich den Seminarraum betrat, wurde ich zunächst mit sehr viel Skepsis empfangen. Um einen interessanten Einstieg in das Thema zu finden, baute ich drei Moderationswände auf und bat die Teilnehmer, separat auf jeder Wand zu notieren, welche Vor- und welche Nachteile die Projektmethode dem Unternehmen, den Auszubildenden und den Ausbildern bringt."

„Das Ergebnis?"

Prof. R. Doering: „War sehr aufschlußreich! Um ehrlich zu sein: Es war geradezu ein Lehrbuchbeispiel zur Organisationsentwicklung. Auf der Moderationswand über das Unternehmen hielten sich Vor- und Nachteile die Waage; bei den Auszubildenden standen jedoch nur Vorteile und bei den Ausbildern nur Nachteile! Mit anderen Worten, eine Maßnahme, die einem selbst nur Nachteile bringt, taugt nicht dazu, sich mit ihr zu identifizieren. Hier wirkte sie geradezu als Sperre für Veränderungen. Ein Beispiel dafür, wie Pläne durch Reaktionen der daran beteiligten Menschen zum Scheitern gebracht werden können, weil man sich nicht die Frage stellte: Welche Begleitung benötigen die Menschen, die von dieser Veränderung betroffen sind? Wir sprachen dann sehr ausführlich darüber, ich ließ die Gruppe daran arbeiten, und das Ergebnis war, daß alle am Ende von der Projektmethode überzeugt und begeistert waren und sie auch in der Praxis anwendeten. Keinem war die Gestaltung dieses Begleitprozesses, der ja für alle neu war, schwergefallen, aber er mußte erst einmal erlernt und erfahren werden. Der Plan, der am grünen Schreibtisch in bester Absicht entwickelt worden war, war erst durchsetzbar, als jeder einzelne der davon Betroffenen sich mit dem Neuen daran persönlich auseinandergesetzt hatte."

„Das Beispiel Projektmethode ist sicher nur eines unter vielen, denn die Umsetzung in die Praxis ist eines der Hauptprobleme bei Trainings aller Art. Nun verraten Sie uns noch, wie *Sie* die Projektmethode auf der Hochschule anwenden?"

Prof. R. Doering: „Führen Sie sich zunächst noch einmal vor Augen, welches Ausbildungssystem bei uns jahrhundertelang üblich war: Vorne steht der Dozent, das Auditorium ist mehr oder weniger gefüllt mit Studenten, die mehr oder weniger interessiert den Ausführungen folgen. Bei der Projektmethode lernen die Studenten, in kleinen Gruppen von sechs oder sieben Leuten ein Thema zu erarbeiten. Der Dozent moderiert, hilft oder zieht sich zurück – je nachdem, wie es die Situation erfordert. Die Gruppen lernen, eigenständig Aufgaben zu lösen und die Lösung dann im Team zu präsentieren. Es ist ein Stückchen harter Arbeit für den Dozenten, entspricht aber den Anforderungen moderner Lehre und – in die Praxis transferiert – natürlich auch den Ansprüchen moderner Betriebsführung."

„Es liegt also nahe, daß diese Art der Ausbildung von Unternehmen sehr begrüßt werden sollte."

Prof. R. Doering: „Umso mehr, als wir ja längst wissen, daß starre hierarchische Strukturen in der heutigen Welt meist zum Scheitern verurteilt sind. Sowohl in mittelständischen Betrieben als auch innerhalb großer Konzerne sind kleine, eigenständige Einheiten mit kreativem Potential und entsprechender Handlungskompetenz heute notwendig und gewollt. Die Menschen, vor allem die Führungskräfte in diesen Einheiten, müssen jedoch mit dieser neuen Art von Freiraum umzugehen gelernt haben, müssen sich darauf einstellen, daß wir keine starren Befehlsstrukturen mehr vorfinden, die früher alles so schön einfach machten."

„Leider wird das aber weitgehend noch wenig akzeptiert, wie wir vermuten."

Prof. R. Doering: „Mangels Schulung! Eine Umstellung erfordert Schulung und Eingehen auf jeden einzelnen. Das ist mühsame Detailarbeit; wir Dozenten erleben dies ja auch in unserer täglichen Hochschulpraxis. Auch hier beschäftige ich mich als Lehrkraft sehr stark mit der einzelnen Studentin oder dem Studenten, was zugegebenermaßen sehr viel Energie kostet. Ich meine aber, daß wir alle hier eine Verantwortung tragen, und zu dieser Verantwortung gehört nun einmal, sich mit dem *einzelnen* Menschen zu befassen. Schließlich bilden wir hier – ich betone es immer wieder – die künftigen Entscheidungsträger und Führungsverantwortlichen unserer Wirtschaft aus. Wie soll ich von einem jungen Menschen erwarten, daß er mit anderen Menschen auf die richtige, persönliche und menschliche Weise umgehen kann, wenn man ihm nicht als gutes Beispiel vorangegangen ist und ihm die dazu notwendigen Werkzeuge an die Hand gegeben hat?"

„Das sind wohl neuartige Perspektiven für die Hochschularbeit. Worin sehen Sie denn die *gemeinsamen* Aufgaben, die heute für Hochschulen und Unternehmen in diesem Punkt bestehen?"

Prof. R. Doering: „Ich erwarte, daß der Wandel von der statischen zu einer dynamischen Berufsauffassung von beiden Seiten erkannt und gemeinsam gefördert wird. Daraus resultiert letztlich die Handlungskompetenz des einzelnen. Handlungskompetenz erwächst aus der geglückten Kombination von theoretisch vermitteltem Wissen, praktischer Erfahrung und persönlichem Streben nach Selbstverwirklichung. Praxisnahe Ausbildung heißt also nichts anderes als kooperative Vermittlung von Handlungskompetenz."

„Können Sie das etwas konkretisieren?"

Prof. R. Doering: „Nun, das ist ein weites Feld, aber vielleicht reicht es, einige Schwerpunkte zu nennen. So wie Fachkompetenz ihre Grundlagen hat und ständig wächst, muß auch Sozialkompetenz erworben werden. Angeregt, überzeugend gefordert und gefördert werden müssen zum Beispiel:

1. die ständige Bereitschaft zum Lernen
2. die Fähigkeit, mit immer schneller stattfindenden Veränderungen leben zu können
3. die Fähigkeit, im Team effektiv zu arbeiten
4. die Fähigkeit, mit einem wachsenden Maß an Verantwortung umzugehen
5. die Grundhaltung ‚Selbstverständlichkeit' zur Gleichstellung der Frau in allen Bereichen und auf allen Ebenen des Arbeitslebens
6. das Einstellen auf einen schnell wachsenden Zukunftsmarkt Europa."

„Das ist eine sehr vielfältige Aufgabenstellung!"

Prof. Doering: „Kennzeichnend für die Arbeit, wie ich sie mache, *ist* die Vielfalt! Das ist mitunter nicht leicht darzustellen; denn es beinhaltet eine unendliche Anzahl von Möglichkeiten, wie man mit Menschen umgeht, wie man auf sie eingeht. Der Hauptanspruch besteht heute wohl darin, viele altverwurzelte Gewohnheiten über Bord zu werfen. Damit können wir beinahe in jedem Bereich beginnen."

„Kommen wir konkret auf die von Ihnen erwähnten sechs Punkte zu sprechen!"

Prof. R. Doering: „Der Mensch muß heute in sehr viel größerem Maße in der Lage sein, überraschend eintretende Veränderungen und die Schnelligkeit von Entwicklungen hinzunehmen. Die Halbwertzeit unseres Wissens verkürzt sich laufend, nicht nur im technischen Bereich überholt die Geschwindigkeit des Fortschritts den Ausbildungsstandard mehrmals innerhalb einer einzigen Generation. In früheren Zeiten war das undenkbar; ein Buchhalter, ein Sachbearbeiter, ein Handwerker, der einmal sein Metier gelernt hatte, konnte mit diesem Wissen bis an sein Lebensende zurechtkommen. Heute muß er praktisch in jedem Jahr einen neuen Computer-Lehrgang besuchen; dabei kann noch lange nicht jeder von ihnen mit einem Computer umgehen. Das heißt, die Hauptanforderung besteht nicht mehr darin, seine tägliche Arbeit gut zu machen, sondern mit den *technischen Veränderungen* Schritt zu halten. Daraus resultiert dann eine der Hauptängste vieler Menschen: Daß sie von der Technik überholt, ja überrollt werden und somit als Versager abgestempelt werden könnten, obwohl sie es eigentlich gar nicht verdient haben. Hier besteht ein enormer Bedarf an Schulung und Training, der zu –, keineswegs aber abnehmen wird. Das, denke ich, gilt für jeden Bereich fachlicher Aus- und Weiterbildung."

„Das leuchtet ein. Thema Teamarbeit und Verantwortung: Was wird sich hier ändern? Was hat sich bereits geändert?"

Prof. R. Doering: „Viele setzen als selbstverständlich voraus, daß Menschen in Gruppen problemlos zusammenarbeiten können. In Wahrheit sieht es so aus, daß ein Team ohne ein entsprechendes Verhaltenstraining zur Gestaltung des zwischenmenschlichen Bereichs gar nicht funktionieren kann; wenn es dennoch einmal geschieht, dann ist dies ein Glücksfall. Ein Team muß nicht nur in fachlicher Hinsicht, sondern auch in bezug auf die *Gestaltung der persönlichen Beziehungen* geschult sein. Die Hochschule bietet hierzu ausgezeichnete Gelegenheit; aber auch innerhalb von Unternehmen ist immer ein gezieltes Teamentwicklungstraining notwendig, wenn innerhalb einer bestimmten Zeit effizientes Arbeiten und ein konkretes Ergebnis erwartet werden. Ich nenne einmal ein Beispiel: Im Rahmen des TexCAD-Projektes schulen wir derzeit nach dem *Tandem-Modell*: Eine Person ist Fachmann oder -frau im CAD-Bereich, der zweite im Tandem ist perfekt in der Sprache, in der die Schulung durchgeführt wird. Dieses Zweier-Team führt dann Schulungen in europäischen Ländern durch, in denen die Sprache des Computers nicht verstanden wird; wenn Sie Frauen schulen in Griechenland oder Portugal, dann muß das in der Landessprache geschehen. Hier gilt es, Ängste abzubauen, Vertrauen zu bilden und den Know-how-Transfer möglichst problemlos zu gestalten. Das Tandem-Modell funktioniert in der Praxis sehr gut, setzt aber voraus, daß das Team geschult ist im Hinblick auf die persönliche Beziehung zueinander, so daß sich keiner der beiden benachteiligt oder in den Hintergrund gedrängt fühlt, oder einer von beiden gar das eigene Wissen als Macht ausspielt. Ich erzähle dies bewußt: Ein Beispiel dafür, wie es in der Praxis aussehen kann, haben wir erst kürzlich erlebt, als ein solches Team – eine EDV-Studentin und ein griechischer Student – nach Griechenland gingen, um eine CAD-Schulung in einem textilverarbeitenden Unternehmen zu vermitteln. Eine Aufgabe dabei war, eine Befragung durchzuführen; die Studentin hatte sie ausgearbeitet, am nächsten Morgen war ihr Teampartner alleine mit der Umfrage im Betrieb verschwunden und hatte seine Partnerin ‚vergessen'. Das sind oft die ‚Kleinigkeiten', an denen teure Projekte in der Praxis ganz einfach scheitern oder beinahe scheitern. Da ist Arbeit im zwischenmenschlichen Bereich angesagt; es genügt eben nicht, Technologiekenntnis und betriebswirtschaftliches Verständnis zu lehren. Ein wesentlicher Teil der Ausbildung auf den Hochschulen heute besteht darin, daß jeder Student auch lernt, sein Teil an Verantwortung im Team zu übernehmen. Ich denke, das zu wissen, ist für die Industrie sehr wichtig."

„Ist das ein spezielles Training, das Sie persönlich vermitteln?"

Prof. R. Doering: „Es ist ein mehrstufiges Programm, das eigens für das jeweilige Team ausgearbeitet wird. In Betrieben wird es in der Regel als Entwicklungstraining für ein Projektteam oder die Führungskräfte einer bestimmten Hierarchieebene intern durchgeführt. Um ein Beispiel zu nennen: Für jede Form des miteinander Arbeitens ist notwendig, was man eine *Beziehungsklärung* nennt. Dazu gehört unter anderem, herauszufinden, wie man den anderen erlebt, wie man sich selbst erlebt, oder Gründe dafür, warum man den anderen nicht einfach so akzeptieren kann, wie er ist – mit seinen Stärken und Schwächen. Es geht um das Erleben des gruppendynamischen Prozesses, wie er sich in der *praktischen*, aktuellen Arbeitssituation zeigt."

„Sie vermitteln Lehrinhalte also gleichzeitig in Form eines Teamprozesses, um auf diese Weise Teamverhalten zu schulen?"

Prof. R. Doering: „So könnte man es ausdrücken. Auf diese Weise führe ich beispielsweise ein Projekt ‚Textverarbeitung' durch; die Studenten lernen dabei nicht nur den reinen Umgang Hardware und Software, sie lernen eigentlich viel mehr noch den Umgang miteinander. Wer nicht mitmacht, lernt sehr schnell, daß er dadurch nicht nur sich selbst isoliert, sondern dem ganzen Team Nachteile bringt. – Leider müssen wir vielfach erst wieder umdenken. Aber ich denke, gerade wenn wir von Führungsmannschaft sprechen, dann können wir uns nicht leisten, hier ein Klima des ‚Jeder für sich' zu fördern. Mehr als das: Nicht nur die Verantwortung für Menschen ist größer geworden, jeder einzelne hat heute eine viel größere Verantwortung für *Sachwerte innerhalb des Unternehmens*. Man denke nur etwa an die finanziellen Konsequenzen, wenn eine Software nicht richtig gepflegt, falsch gewählt oder nicht ausreichend genutzt wird. Da stehen Werte auf dem Spiel! Das bedingt aber gleichzeitig, daß ich als Führungskraft den einzelnen Mitarbeiter in seiner Verantwortlichkeit wahrnehme, mich dafür interessiere, wie es ihm bei der Bewältigung seiner Aufgaben ergeht. Für jede Führungskraft ist diese Komponente des Führens heute unentbehrlicher denn je. Aus diesem Grunde ist mir so viel daran gelegen, daß unsere Studenten dies heute schon sehr früh im Studium lernen. Und beim Mitarbeiter hört es ja nicht auf: Wie gehe ich mit Kunden und Geschäftspartnern des Unternehmens um? Wie repräsentiere ich mein Unternehmen nach außen? Wie reagiere ich in schwierigen Situationen?

Hinzu kommt, daß man als Führungskraft auch in der Lage sein muß, Verantwortung abzugeben, zu delegieren, Aufgaben zu verteilen, das Vertrauen zu haben, daß der andere diese Aufgabe auch erfüllen wird; zu kontrollieren, ohne den anderen zu reglementieren. All das sind komplexe Bereiche, die eigentlich nur der meistern kann, der seine Beziehung zu sich selbst, zu anderen Menschen und zu seinem Leben ins reine gebracht hat."

„Darauf müssen wir noch einmal zu sprechen kommen. Lassen wir aber ein wichtiges Thema nicht außer acht: Sie erwähnten die zunehmenden Probleme der Frau in der Arbeitswelt heute. Das in einer Zeit, wo doch der Emanzipationsprozeß in vieler Hinsicht gewaltige Fortschritte gebracht hat?"

Prof. R. Doering: „Ich denke, die Beziehung zwischen Mann und Frau in der Arbeitswelt ist noch nicht ausgereift. Viele Männer können es sich gar nicht vorstellen oder fürchten sich geradezu davor, eine weibliche Vorgesetzte zu haben, während auf der anderen Seite nicht wenige Frauen aus ihrer Rolle, dem Mann untergeben zu sein, nicht herauskommen. Ich bin weder ein Verfechter der einen noch der anderen Position; ich denke, hier vollzieht sich ein Entwicklungsprozeß, der noch nicht abgeschlossen ist. Jeder muß im Ablauf dieses Prozesses seinen Beitrag dazu leisten, daß Frauen in jeder Position der Arbeitswelt selbstverständliche Wirklichkeit sind. In meinen Lehrveranstaltungen lege ich sehr viel Wert darauf, daß sich männliche Studenten darauf einstellen, später einmal weibliche Vorgesetzte zu haben, und daß Frauen mit männlichen Vorgesetzten umzugehen lernen. Das Problem muß eben auch von allen Beteiligten auf zwischenmenschlicher, nicht nur auf intellektueller Ebene gelöst werden; damit wird das unterstrichen, was ich bereits gesagt habe.

Mir fällt dazu aber noch etwas anderes ein: Nicht selten geschieht es, daß eine Frau im Alter zwischen 30 und 35 Jahren und in durchaus angesehener Position plötzlich von ihrem Mann nahegelegt bekommt, zu Hause zu bleiben; der Partner möchte Kinder, die Frau fragt sich, ob sie an diesem Punkt ihre berufliche Karriere unterbrechen soll und muß. Das ist nicht nur eine schwierige Frage-Antwort-Situation, die wir in unserem *Life-Styling-Seminar* ansprechen und dann nach Lösungen suchen. Hier ergibt sich aber für die Frau auch wieder eine Doppelbelastung: Die Auseinandersetzung im partnerschaftlichen Bereich und im beruflichen. Gerade in einem solchen Seminar zeigt sich immer wieder, daß Fragen der Karriere, der Kinderwünsche, der Trennung, des Alters für Frauen einen ganz anderen Stellenwert haben – weil sie von ganz anderer Lebenskonsequenz sind – als für den Mann. Es ist sehr zu bedauern, daß solche Fragenkomplexe – abgesehen von Frauenförderprogrammen – selten Thema der betrieblichen Personalentwicklung sind.

In diesem Zusammenhang ein interessantes Beispiel, das ebenfalls oft Thema eines Life-Styling-Seminars ist: Die Frage des beruflichen und in Zusammenhang damit des sozialen Aufstiegs. Mir wird als Referentin beim *Bund Deutscher Sekretärinnen* immer wieder die Frage gestellt, welche Möglichkeiten der Verbesserung von Status, Image oder Position einer Sekretärin heute gegeben sind. Sicherlich kann man diese Frage nicht pauschal beantworten; Tatsache ist eigentlich, daß viele erfolgreiche selbständige Frauen ihre Karriere einmal als Sekretärin oder Chefsekretärin begonnen haben. Sie benutzten ihre Position als Sprungbrett zu einer großen beruflichen Laufbahn. Ich sehe also eher, daß hier für manche Frauen großartige Chancen liegen; andere wiederum möchten sich innerhalb ihrer beruflichen Stellung gerne persönlich in stärkerem Maße weiterentwickeln. Daher versuchen die Life-Styling-Seminare, hier Hilfestellung und mehr persönliche Sicherheit zu vermitteln."

„Über dieses Seminar möchten wir gerne an dieser Stelle noch etwas mehr wissen."

Prof. R. Doering: „Immer wieder kommen Institutionen auf mich zu und möchten für ihre Mitglieder ein Life-Styling-Seminar veranstalten. Oder Firmen, die die Vorteile von *persönlichkeitsfördernden* Maßnahmen erkannt haben. Daneben gehört es aber auch zu jenen Veranstaltungen, die ich im Rahmen meiner Hochschultätigkeit regelmäßig halte. Um auf den Inhalt zu kommen: Lebensqualität, Selbstverwirklichung, Wertewandel, Neuorientierung sind Schlagworte der heutigen Zeit, die uns auffordern, unser Lebensbewußtsein und unsere Lebensinhalte einmal kritisch zu betrachten und neu zu überdenken. Im Berufsleben haben wir ja oft überhaupt keine Zeit dazu, uns einmal auf das zu besinnen, was wir im Leben eigentlich möchten. Und gerade für Frauen ist es wichtig, hier eine Veranstaltung zu finden, die ihnen diese Gelegenheit eröffnet, die ihnen unter Umständen auch Mut macht, neue Wege zu gehen.

Ich zitiere in diesem Zusammenhang immer wieder gerne Wilhelm Raabe: ‚Die Zeiten gehen hin, und für jeden kommen einmal die Jahre, wo er merkt, daß sie hingegangen sind und er sich wundert, daß er nichts getan hat, sie aufzuhalten'."

„Pardon, die Zeit aufzuhalten wünschen wir uns vielleicht, doch wie soll das möglich sein?"

Prof. R. Doering: „Wir können sie nicht aufhalten, aber wir können dazu beitragen, sie sinnvoller zu gestalten, sie bewußter zu erleben und zu leben, sie für uns ganz persönlich in Anspruch zu nehmen, statt uns den Ereignissen und Menschen um uns herum ausgeliefert zu fühlen."

„Dabei hilft dieses Seminar Life Styling?"

Prof. R. Doering: „Life Styling soll dem einzelnen Teilnehmer helfen, die Fähigkeit zur aktiven Auseinandersetzung mit dem Leben zu entwickeln. Es ist eine Methode zur *ganzheitlichen Lebensgestaltung*; ein Weg, um die einzelnen Lebensbereiche in Einklang miteinander zu bringen, sie aufeinander abzustimmen. Zuerst einmal geht es darum, die Vorstellungen über das eigene Leben zu verwirklichen, mit anderen Worten: Eine Lebensweise anzustreben, die den eigenen Wünschen, Möglichkeiten und Voraussetzungen entspricht."

„Mit Verlaub gesagt: Hört sich das nicht etwas zu idealistisch an? Vor allem dann, wenn man es auf die realen Chancen in der Berufs- und Arbeitswelt bezieht?"

Prof. R. Doering: „Ich möchte es so beantworten: Life Styling leitet dazu an, die Fähigkeiten zur *aktiven Auseinandersetzung mit dem Leben* zu entwickeln. Das bedeutet nun nicht, daß vom einen auf den anderen Tag alle Probleme aus der Welt sind; es ist ein Weg, eine Richtung. Ein Weg, um die einzelnen Bereiche des Lebens zu einem Ganzen zusammenzufügen und aufeinander abzustimmen, damit der Mensch – und darauf kommt es letztlich an – den Anforderungen des Umfeldes genauso entsprechen kann wie den eigenen Bedürfnissen."

„Einmal mehr: Es ist erstaunlich, daß Sie sich als Hochschulprofessorin so intensiv mit diesen persönlichen Bereichen auseinandersetzen!"

Prof. R. Doering: „Letztlich geht es doch auch im Studium darum, daß ein Mensch *Ziele erreichen* will. Und zwar Ziele für seine berufliche Karriere *und* Ziele im persönlichen Bereich. Also betrachte ich es als eine lohnenswerte und wichtige Aufgabe, das Lehrangebot zu erweitern und auch auf Fragen der Lebensführung einzugehen."

„Unternehmer interessieren sich also auch dafür, als eine Art innerbetriebliches Personalentwicklungskonzept?"

Prof. R. Doering: „Das Management heute weiß: Es genügt nicht, auf die Qualifikation allein zu schauen. Wenn keine persönliche Perspektive vermittelt werden kann, leiden Mitarbeiter darunter. Das schlägt sich in Desinteresse nieder, führt zu fehlendem Engagement bis zu innerer Kündigung. Bürokratische Strukturen werden von jüngeren, oft hochqualifizierten Mitarbeitern als wenig attraktiv empfunden. Die Folge: Gute, aufstrebende Mitarbeiter verlassen das Unternehmen. Oder wir müssen feststellen, daß Auseinandersetzungen im privaten, persönlichen Bereich dazu führen, daß der Einsatz im beruflichen Sektor beeinträchtigt ist. Konkreter Fall: Ein Unternehmen bietet einer Mitarbeiterin eine ausgezeichnete Karrierechance, die diese sich aber nicht wahrzunehmen traut, weil sie sich gerade mit ihrem Partner uneinig ist, ob sie nicht Kinder bekommen sollen. Die innere Zerrissenheit, der Konflikt führt dazu, daß die ‚Performance' im Beruf erheblich beeinträchtigt ist."

„Das ist einleuchtend. Wie wirkungsvoll sind die Life-Styling-Seminare dabei?"

Prof. R. Doering: „Sehr wirkungsvoll, wenn man sich vorher intensiv mit den einzelnen Teilnehmern auseinandergesetzt hat. Denn hier muß der Seminarleiter wirklich auf die Probleme jeder einzelnen Person eingehen, darf keine ‚Konfektion' anbieten. Ich lege bei innerbetrieblichen Seminaren aller Art (es gibt ja auch andere Veranstaltungen, nicht nur Life-Styling-Seminare) sehr viel Wert darauf, zunächst einmal ein Vorgespräch zu führen, auf dem dann das Seminar aufbaut. Auf diese Weise bringt man als Trainerin oft Dinge in Erfahrung, die die gesamte betriebliche Situation, das Betriebsklima oder die Unternehmenskultur beleuchten. Diese intensive Auseinandersetzung mit der Thematik im Seminarvorfeld ermöglicht es, dem Teilnehmer ein auf die Alltagsproblematik abgestimmtes Seminar anzubieten. Vertraute Beispiele erleichtern die Akzeptanz des Neuen."

„Sie sehen also offenbar die wichtigste Aufgabe in der persönlichen Auseinandersetzung mit dem einzelnen?"

Prof. R. Doering: „Es ist sicherlich eine äußerst anstrengende Angelegenheit, aber ich sehe ja auch in der täglichen Arbeit mit Studentinnen und Studenten, wie wichtig dies ist."

„Was hat es mit der sogenannten *Arbeitskonferenz Odenspiel* auf sich?"

Prof. R. Doering: „Diese Veranstaltung findet zweimal jährlich in Odenspiel bei Olpe statt. Sie ist vor allem für Studentinnen und Studenten gedacht, die sonst kein Angebot auf dem Trainingssektor wahrnehmen können. Aber auch Berufstätige, die neben ihrem Beruf Aufbaustudiengänge absolvieren, nehmen diese Gelegenheit wahr. Dabei geht es um Themen wie beispielsweise ‚Menschliches Verhalten in Institutionen'. Das ist für jeden wichtig, zu dessen Aufgabe Mitarbeiterführung in Institutionen gehört oder gehören wird. Das Seminar bietet zunächst eine Lernsituation, in der eigenes Verhalten erfahren, analysiert und erprobt werden kann. Diese Lernsituation besteht darin, daß in gemeinsamer Arbeit eine Institution oder Organisation ersonnen, aufgebaut, weiterentwickelt und abgeschlossen wird. Dabei werden verschiedene Prozesse sichtbar und erlebbar, so etwa die Zusammenarbeit, die Rollenwahl, die Beziehungsgestaltung und so weiter. Jeder Teilnehmer kann dabei für sich herausfinden, wieviel soziales Engagement und soziale Verantwortung er übernehmen möchte und kann, und was er tun sollte, um seine Kompetenzen weiterzuentwickeln."

„Welche konkreten Lernziele werden dabei verfolgt?"

Prof. R. Doering: „Der Teilnehmer soll seine Wahrnehmungsfähigkeit für das eigene Verhalten und das anderer Teilnehmer schärfen; er soll für die Gestaltung menschlicher Beziehungen und ihre Störungen sensibilisiert werden, soll die Fähigkeit entwickeln, soziale Situationen zu analysieren und Konfliktspannungen zu lösen. Er soll seine Handlungsflexibilität erhöhen, selbständiges und kreatives Handeln entfalten lernen, mit emotionalen Faktoren umgehen und Verständigungsschwierigkeiten bewältigen können."

„Das ist eine ganze Menge. Wie ist das Seminar organisiert?"

Prof. R. Doering: „Das Seminar untergliedert sich in Kleingruppen, Großgruppen, Gruppenkommunikation, Organisationsveranstaltungen und Anwendungsgruppen. Im wesentlichen geht es darum, die Schwerpunkte persönliche Identität, Autorität und Führung im eigenen Erleben zu bearbeiten und Ansätze und Perspektiven zur Verhaltensänderung zu erkennen."

„Sie sagten, dieses Angebot kann jeder Student wahrnehmen?"

Prof. R. Doering: „Studenten und Berufstätige, die sich in einer Weiterbildung befinden. Die Zahl der Teilnehmer ist jedoch begrenzt."

„Kommen wir zum Schluß noch einmal auf die von Ihnen erwähnte Perspektive Europa zu sprechen. Sie sind in und für die EG tätig, neben Ihrer beruflichen Arbeit an der Hochschule. Mit welchen Zielen?"

Prof. R. Doering: „Im wesentlichen möchte ich innerhalb der Hochschule den Europa-Gedanken aktivieren. Es besteht großer Bedarf an Aufklärungsarbeit darüber, was ‚gemeinsamer Markt' bedeutet. In einem Europaseminar möchte ich in den gemeinsamen Markt einführen; die Bekleidungsindustrie ist ganz besonders von diesem Markt betroffen. Europäischer Markt bedeutet aber auch, daß Studenten heute mehr denn je eine zweite und dritte europäische Sprache lernen müssen. Karrierechancen werden sich in Zukunft vor allem demjenigen bieten, der bereit und imstande ist, irgendwo in Europa eingesetzt zu werden. Gerade in den weniger entwickelten Mitgliedsländern, vom Osten noch ganz zu schweigen, besteht ein gewaltiger Schulungsbedarf; einerseits sind dies großartige Aufgaben, die hier auf uns zukommen, andererseits aber auch eine Verantwortung, die in sehr viel größerem Maße das persönliche Engagement eines jeden einzelnen fordert. Die gesamte Einstellung wird sich künftig mehr und mehr auf Europa ausrichten. Je früher man dies Menschen vermittelt, umso besser für deren eigene Zukunft."

„Womit die Probleme im persönlichen Bereich aber auch nicht unbedingt weniger werden?"

Prof. R. Doering: „Ich glaube doch! Diese Herausforderungen bedeuten ja eine riesige Chance, eine Perspektive, wie man sie in Deutschland alleine nie wahrnehmen könnte."

„Gestatten Sie eine letzte Frage: Wo würden Sie heute die Priorität Nr. 1 setzen in bezug auf Schulung und Training?"

Prof. R. Doering: „Die absolute Priorität Nr. 1 ist heute weniger das Vermitteln von Wissen als vielmehr das *Begleiten von Veränderung*. Wir leben in einer sich rapide verändernden Welt, und man muß die Menschen auf diese Veränderung *individuell* vorbereiten. Ich kann in großen Gruppen, einer Vorlesung zum Beispiel, eine gewisse Vermittlung von Wissen leisten, aber ich kann die Menschen mit diesem Wissen dann nicht alleine lassen, ich muß den Transfer ermöglichen und das, was in der Anwendung des Wissens geschieht, erlebbar machen. Die Veränderung der Arbeitswelt und die individuellen Möglichkeiten des Umgangs mit dieser Situation müssen in der anwendungsorientierten Lehre im Vordergrund stehen; genauso sollte aber auch die Führungskraft im betrieblichen Alltag Veränderungen am Arbeitsplatz *mitarbeiterorientiert* handhaben, sollte dem Mitarbeiter bei Veränderungen am Arbeitsplatz persönlich helfen. Das bedeutet nicht – wie manche Manager fürchten – daß der Mitarbeiter nun das Maß aller Dinge ist; damit ist gemeint, daß das Verhältnis zwischen unternehmerischen Zielsetzungen und Aufgaben auf der einen und dem zwischenmenschlichen Bereich auf der anderen Seite ausgewogen sein sollten. Dies kommt übrigens der Führungskraft zugute, denn es bewirkt mehr Engagement der Menschen, die unter seiner Leitung arbeiten. Denn der Arbeitsplatz macht einen hohen Prozentsatz unseres Lebens aus; wenn der Mensch an seinem Arbeitsplatz sich mit den Zielen und seinen Aufgaben voll identifizieren kann, wird er motiviert, erfolgreich und glücklich sein und auch im privaten Bereich in hohem Maße Glück und Zufriedenheit erleben."

Philip Kreindler

„Verkaufen setzt Fähigkeit und die richtige Strategie voraus.“

Beginnen wir diesen Beitrag mit einer leicht zu überprüfenden These: „Das beste Produkt und die beste Verkaufstaktik nützen nichts, wenn der Verkäufer den Entscheidungsprozeß beim Kunden nicht versteht oder falsch einschätzt.“ Man kann fast sagen, hier wird ein Problem beschrieben, das weit verbreitet ist, aber nur selten gelöst wird. Wir versuchten, diesem Problem auf den Grund zu gehen. Konkret begegnen wir dieser Schwierigkeit insbesondere immer dort, wo es um komplexe, in mehreren Stufen ablaufende Kaufentscheidungen geht. Nicht notwendigerweise um komplexe Produkte bzw. Dienstleistungen, aber um komplexe, oft komplizierte Kaufvorgänge. Ein Beispiel: Ein Software-Unternehmen ist bestrebt, einer großen Bank ein neues Applikations-Paket zu verkaufen. Das Unternehmen ist sich sicher, für den Kunden das Beste anzubieten, was es auf dem Markt gibt. Selbst der Preis kann sich sehen lassen. Die Verkaufsbemühungen werden angekurbelt, Kontaktbesuche und Präsentationen finden statt, Zigtausende von Mark werden aufgewendet, um die Informatik-Abteilung durch ein möglichst attraktives Angebot zu überzeugen. Der Auftrag „sieht gut aus", „kommt bestimmt in zwei Monaten unter Dach und Fach", ist „zweimal besser als der der Konkurrenz" und „der Leiter der Informatik-Abteilung ist über unser Angebot begeistert". Doch am Tage, als der Vorstand des potentiellen und „ach so sicheren Kunden" tagt, schlägt die Stunde des Schicksals. Und leider nicht zu Gunsten des Verkäufers. Erst einige Monate nach der Absage erfährt dieser, wer wirklich im Entscheidungsprozeß maßgeblich beteiligt war und wie wenig Einfluß der Informatik-Leiter dabei hatte.

Man kann daraus auf jeden Fall ein Fazit ziehen: In zahlreichen Unternehmen wird sehr viel Geld für aufwendige Akquisitionsvorgänge aufgewendet, ja buchstäblich verschwendet, das nutzbringender eingesetzt werden könnte. Irgendwie wird die Rechnung schon bezahlt, ist nicht selten die Mentalität bei Verkäufern, während Vorstände und Geschäftsleitungen sich die (grauen) Haare raufen.

Während viele Diskussionen um Verkaufstraining sich überwiegend mit dem Faktor *Verkaufstaktik* auseinandersetzen, wollen wir an dieser Stelle einmal beleuchten, welche Rolle der Faktor *Strategie* in der Akquisition spielt. Es mag auf den ersten Blick abwegig erscheinen, Verkaufen mit den Operationen einer Armee zu vergleichen. Dennoch sind bestimmte Ähnlichkeiten nicht von der Hand zu weisen. Im einen wie im anderen Falle gilt es, eigenes Territorium zu verteidigen und, soweit es legitim ist, auch neues Territorium zu erobern. Keine Armee kann diese Aufgabe ohne gute taktische Kenntnisse erfüllen. Gleiches gilt für ein Verkäuferteam. Doch was nützt auf der einen Seite die beste Taktik, wenn andererseits die einzelnen Aktivitäten nicht eingebettet sind in eine koordinierte, übergeordnete Akquisitionsstrategie? Oder nehmen Sie eine Fußballmannschaft zum Vergleich: Hier wurde so manches Match von der schwächeren Mannschaft gewonnen, weil die Strategie die bessere war! Es sei durchaus erlaubt, diese Vergleiche einmal anzuführen, um den folgenden Beitrag richtig zu positionieren. Denn hier geht es nicht so sehr darum, wie man den einzelnen Verkäufer „besser macht", wie man ihn motiviert, wie man seine menschlichen Fähigkeiten steigert oder seine Unzulänglichkeiten abbaut. Nein, es geht in erster Linie darum, wie man eine treffsichere *Akquisitions-Strategie* „auf die Beine stellt", die allen, angefangen bei Verkäufern und Vertriebschefs, technischen Spezialisten und bis hin in die Vorstandsetagen, dabei hilft, „an einem Strang zu ziehen" und gemeinsam zum Erfolg zu kommen.

Wir sprechen jedoch auch nicht davon, irgendwelchen weltfremden Philosophien nachzuhängen in der Hoffnung, daß daraus der Umsatz schon kommen werde. Umsatz, das steht fest, ist das Ergebnis *konkreten und ergebnisbezogenen Tuns*. Damit das Tun möglichst effektiv und effizient ist, ist es erforderlich, der *übergeordneten Akquisitions-Strategie* gebührende Aufmerksamkeit zu schenken.

Unser folgender Gesprächspartner hat sich mit dieser Problematik intensiv auseinandergesetzt. Während er das Fördern grundlegender verkäuferischer Qualitäten und individueller Nuancen als Voraussetzung für seine Arbeit betrachtet, ja geradezu voraussetzt, widmet er sich in seinen Workshops primär der übergeordneten *Strategie*. Dabei wird jedoch nicht nach Gutdünken verfahren, sondern nach einem ganz bestimmten, erprobten System. Stellen wir unseren Interviewpartner kurz vor:

Philip David Kreindler, Jahrgang 1955, schweizerischer Staatsbürger, berufliche Ausbildung zum Diplom-Betriebsökonom. Seine zwölfjährige Verkaufserfahrung sammelte er in der Computerbranche. Hier war er zuerst für die Akquisition und Betreuung von Großkunden verantwortlich, später für den Erfolg eines Verkaufsteams. Dabei stand die Pflege von Management-Kontakten auf höchster Ebene in den Bereichen Banken, Versicherungen und industriellen Großbetrieben im Vordergrund seiner Vertriebstätigkeit. 1984 lernte Philip Kreindler erstmals ein Akquisitionssystem kennen, das in den USA unter der Bezeichnung *Strategic Selling* (Strategisches Verkaufen) bekannt war. Seine daraufhin rapide steigenden Verkaufserfolge untermauerten die Umsetzbarkeit dieses Systems. Gewappnet mit diesem Wissen und darauf bedacht, dieses praxiserprobte System an andere Unternehmen weiterzuvermit teln, schloß er sich 1990 dem europäischen Lizenznehmer des „Strategischen Verkaufssystems" als *Verkaufsprozeß-Berater* an: der *Infoteam AG* in Zürich-Kloten, gegründet 1971 mit Schwerpunkten Unternehmensentwicklung, Führungskräftetraining, Persönlichkeitsbeurteilung und Verkaufsprozeßberatung. Letzteres ist der Geschäftsbereich unseres Gesprächspartners.

Zum Kundenkreis von *Infoteam* gehören neben deutschen und schweizerischen Unternehmen aller Branchen und Größenordnungen auch international tätige Gruppen; einige von den persönlichen Kunden Philip Kreindlers sind Digital Equipment, Sulzer, Landis & Gyr, Software AG, Suter & Suter und Price Waterhouse, eines der sechs führenden Wirtschaftsprüferunternehmen in der Welt.

Genug der einführenden Worte, wechseln wir den Stil und das Tempo und hören uns einmal im Originalton an, was unser Gesprächspartner zu bieten hat. Wir versprechen Ihnen eines: Verkaufs- und Marketing-Know-how vom Feinsten.[1)]

„Herr Kreindler, was ist unter dem Begriff ‚Strategisches Verkaufen' eigentlich zu verstehen? Was kann man sich darunter konkret für die Praxis vorstellen?"

---

1) Vgl. hierzu auch: Robert B. Miller/Stephen E. Heiman: Strategisches Verkaufen. Landsberg 1991[3.].

Philip Kreindler: „Strategisches Verkaufen ist das Gegenteil von ‚shooting in the dark' (zu deutsch: im Dunkeln drauflosschießen). Es handelt sich um einen *systematischen Akquisitionsprozeß*, um

- Projekte zu qualifizieren,
- den Kaufprozeß in allen Dimensionen zu erfassen
- eine überzeugende Verkaufsstrategie zu entwickeln sowie
- die Maßnahmen für einen erfolgreichen Abschluß zu bestimmen und zu überwachen."

„Können Sie uns dies anhand eines Beispieles näher erläutern?"

Philip Kreindler: „Lassen Sie mich zunächst einen persönlichen Erfolg schildern, der veranschaulicht, *was* strategisches Verkaufen bewirkt. Anschließend möchte ich fünf Schlüsselelemente des strategischen Verkaufens erläutern. Doch beginnen wir mit einer sehr beeindruckenden Erfahrung eines meiner persönlichen Kunden, eines großen Softwarehauses in der Schweiz. Dieses EDV-Unternehmen stand vor dem Problem eines hart umkämpften Marktes mit immer teuerer Produktentwicklung. Die Erfolgsquote des Unternehmens lag bei 11:3 im Jahr, weniger als 30 Prozent. Die acht Projekte, die nicht gewonnen wurden, kosteten das Unternehmen in jedem einzelnen Falle eine sechsstellige Summe, die in die Offerte investiert wurde. Man kann sich leicht ausrechnen, daß hier nicht nur viel Geld verloren wurde, sondern auch zahlreiche Köpfe im Unternehmen rollten; immer dann nämlich, wenn ein scheinbar ‚heißer' Auftrag am Ende doch noch an die Konkurrenz ging."

„In dieser Situation haben Sie Ihren Workshop durchgeführt?"

Philip Kreindler: „Danke, daß Sie das Stichwort *Workshop* genannt haben. Ich möchte gleich an dieser Stelle betonen, daß wir *kein Training* vermitteln in dem Sinne, wie Training gewöhnlich verstanden wird. Wir führen Workshops durch, die dazu dienen,

a) die Grundelemente des strategischen Verkaufens kennen- und anwenden zu lernen
b) die heutige Position in aktuellen, wichtigen Verkaufsprojekten kritisch zu analysieren und bessere Aktionspläne zu erarbeiten
c) einen systematischen Akquisitionsprozeß zu definieren und zu implementieren."

„Wie sind Sie bei diesem Softwarehaus vorgegangen?"

Philip Kreindler: „Vor dem Workshop setzte ich mich mit dem Geschäftsführer, dem Verkaufsleiter, ausgewählten Verkäufern und dem technischen Leiter des Unternehmens an einen Tisch und erstellte ein sogenanntes *sales audit*."

„Das müssen Sie erklären!"

Philip Kreindler: „Ein *sales audit*, zu deutsch: Überprüfung des heutigen Vorgehens im Verkauf, ist Teil meines eigenen Akquisitionsvorganges. Dabei geht es darum, die Schwachstellen der Verkaufsprozesse im Unternehmen zu analysieren. Alle vorhandenen Probleme, die die Verkaufseffektivität und -effizienz beeinflussen, werden in einem Problemkatalog zusammengefaßt. Aus diesem Problemkatalog erstelle ich ein *Lösungskonzept*. Ziel ist die Ausarbeitung eines *operativen Akquisitionsprozesses*: eines funktionierenden Systems des systematischen schrittweisen Vorgehens, bei dem die Abschlußquote erhöht, der Verkaufszyklus reduziert und die Verkaufsressourcen effizienter genutzt werden."

„Auch das wird weiterer Erläuterung bedürfen, aber führen wir zunächst die Geschichte mit dem Softwarehaus zu Ende. Wie ging es weiter?"

Philip Kreindler: „In mehreren Workshops merzten wir alle Schwachstellen des derzeitigen Akquisitionsvorganges in diesem Unternehmen aus. Das Ergebnis: die Abschlußquote in den letzten 12 Monaten liegt bei 15:9."

„Von 15 Angeboten neun Aufträge erhalten?"

Philip Kreindler: „Erstens das, zweitens und ganz wichtig: Die sechs verlorenen Kontakte wurden bereits so früh im Verkaufszyklus durch eine saubere Qualifikation vom Softwareunternehmen selbst ausgesiebt, daß dem Unternehmen *keine hohen Kosten* im Vorfeld mehr entstanden."

„Jetzt sollten wir aber konkret werden und die Katze aus dem Sack lassen, wenn Sie gestatten. Erläutern Sie, aus welchen *Elementen* das strategische Verkaufen eigentlich besteht!"

Philip Kreindler: „Damit ich die Schlüsselelemente möglichst verständlich und praxisnah erklären kann, erlaube ich mir hin und wieder, meinen eigenen Akquisitionsprozeß als Beispiel anzuführen."

Akquisitionsprozeß von Infoteam AG
Geschäftsbereich Verkaufsprozeß-Beratung

ZIEL: Optimierung des Akquisitionsprozesses im Kundenunternehmen

Schritt 1: *Erste Besprechung* zwischen dem Geschäftsführer oder Vertriebsdirektor des Kundenunternehmens und dem Infoteam Verkaufsprozeß-Berater

Ergebnis: Kunde stimmt zu, daß als nächstes mit Schritten 2 und 3 weitergemacht werden kann

Schritt 2: *Individuelle Interviews* mit den Mitgliedern der Geschäftsleitung, dem Verkaufsmanagement und ausgewählten Verkäufern

Ergebnis: Die „Key Issues" (Schlüsselprobleme) im derzeitigen Verkaufsvorgang sind identifiziert

Schritt 3: *Präsentation* vor der Geschäftsleitung mit folgenden Inhalten:

a) Die „Key Issues" werden dargestellt

b) Der *potentielle Nutzen* eines systematischen Akquisitionsprozesses, basierend auf den Denk- und Werkzeugen von Miller-Heiman (MH), wird aufgezeigt

c) Die Investitionskosten werden aufgeschlüsselt

d) Das weitere Vorgehen wird besprochen

Ergebnis: Zustimmung zu einem Pilot-Workshop

Schritt 4: Ein *Pilot-Workshop* wird für die Geschäftsleitung und ausgewählte Teams durchgeführt, und zwar anhand eigener, wichtiger Akquisitionsvorgänge

Ergebnis: Die Geschäftsleitung und führende Verkaufsteam-Mitglieder gewinnen Vertrauen in die MH-Methode

Schritt 5: Die Ergebnisse des Pilotworkshops werden mit der Geschäftsleitung und den Team-Leitern besprochen. Der neue Akquisitionsprozeß wird erarbeitet.

Ergebnis: Der Kunde stimmt zu, den Akquisitionsprozeß zu implementieren und Folgeworkshops durchzuführen.

Schritt 6: *Folgeworkshops* mit folgenden Zielen:

a) Alle Verkaufsteams lernen die MH-Methode durch Anwendung auf eigene, wichtige Akquisitionsvorgänge kennen

b) Der neue Akquisitionsprozess wird auf breiter Ebene implementiert

Ergebnis: Jeder am Verkaufsvorgang beteiligte Mitarbeiter ist mit der MH-Methode vertraut und weiß, wie sie in die Praxis umgesetzt wird

Schritt 7: *Anwenden* des neuen Akquisitionsprozesses in der täglichen Verkaufspraxis (kann auf Wunsch durch den Infoteam Verkaufsberater begleitet werden)

Schritt 8: *Laufendes Feedback* von den Verkaufsteams zur Geschäftsleitung und zum Infoteam-Berater, um den Akquisitionsprozess noch mehr zu optimieren

Schritt 9: Die Geschäftsleitung überwacht und kontrolliert Fortschritte und konkrete Ergebnisse der neuen Verkaufsmethode in der Praxis

„Wie gehen Sie dabei vor?"

Philip Kreindler: „Damit es überhaupt zu einer ersten Besprechung kommt, ist es sehr wichtig, die *richtigen Unternehmen* und die *richtigen Personen* als Ansprechpartner zu identifizieren. Diese kann man dann systematisch angehen, beispielsweise durch Mailings, Infoseminare und Telefonakquisition. Ich nenne diese Phase des Verkaufens ‚Wildschwein auf Trüffelsuche'. Dabei hilft uns das erste Schlüsselelement des strategischen Verkaufens: das *Ideal-Kundenprofil*."

„Erklären Sie dies!"

Philip Kreinder: „Im Ideal-Kundenprofil wird zum Ausdruck gebracht, welche Eigenschaften für den ‚idealen Kunden' typisch sind, durch welche er sich von anderen Kundentypen unterscheidet. Um in der Startphase des Verkaufsvorganges den Zielkunden bestimmen und das Kundenunternehmen qualifizieren zu können, ist ein Ideal-Kundenprofil unentbehrlich: Man vergleicht alle darin aufgeführten Punkte mit dem ins Auge gefaßte Kundenunternehmen.

Dazu zwei Beispiele: (In der hinteren Spalte ‚Muß/Soll' ist angegeben, ob das jeweilige Merkmal ein Muß- oder ein Soll-Kriterium ist. Muß-Kriterien *müssen* erfüllt sein, Soll-Kriterien sollten idealerweile erfüllt sein.)"

Beispiel 1: Ideal-Kundenprofil von Infoteam AG
Geschäftsbereich Verkaufsprozeß-Beratung

	Muss/Soll
Der Ziel-Kunde	
1. hat einen komplexen Verkaufsprozeß	M
2. sieht die Notwendigkeit, seinen Verkaufsprozeß zu verbessern	M
3. hat definierte Märkte und eine darauf ausgerichtete Organisation	M
4. Das Management will sich für die Implementation engagieren (im Management)	M
5. sucht einen systematischen Prozeß, nicht Training	S
6. hat mehr als 50 Verkäufer/Berater	S
7. will eine langfristige Partnerschaft	S

Beispiel 2: Ideal-Kunden-Profil des erwähnten Software-Hauses

		Muss/Soll
1.	Der Interessent gehört zu unserer Haupt-Zielgruppe „Technischer Großhandel"	M
2.	Mit der geschätzten Offertensumme können wir einen Deckungsbeitrag von mindestens SFr. 100.000 erwirtschaften (Summe aller Lizenzen und 25 % des Manpower-Umsatzes)	M
3.	Die Interessenten-Firma beschäftigt mehr als 150 Mitarbeiter	S
4.	Das Management hat eine klare und von uns nachvollziehbare Problemstellung	M
5.	Der Entscheider akzeptiert uns als Busineß-Partner	M
6.	Das Interessenten-Unternehmen weist klare Entscheidungswege auf und verfügt über kompetente Ansprechpartner	M
7.	Wir verfügen über eine Standardlösung mit hohem Abdeckungsgrad	M
8.	Der Interessent braucht kundenspezifische Anpassungen/Erweiterungen	S
9.	Das Interessenten-Unternehmen hat komplexe organisatorische oder geografisch dezentrale Strukturen	S
10.	Der Interessent ist bereit, eine Problemlösung gemeinsam mit uns zu erarbeiten	M

„Sehr interessant! Wie gelangt man zu einem solchen Ideal-Kundenprofil?"

Philip Kreindler: „Dieses Ideal-Kundenprofil wird erstellt, indem die Workshop-Teilnehmer selbst untersuchen, mit welchen bestehenden Kunden eine *Gewinner-Beziehung* vorhanden ist. Mit Gewinner-Beziehung bezeichnen wir eine Geschäftsbeziehung, von der beide, Kunde und lieferndes Unternehmen, langfristig profitieren, eben *Gewinner* sind! Ich werde darauf noch zurückkommen. – Man listet alle diejenigen Eigenschaften oder Merkmale auf, die diese Kunden von anderen unterscheiden. So gelangt man schließlich zu einer konsolidierten Liste von fünf bis zehn Kernpunkten, die man das *Ideal-Kundenprofil* nennt. Der Nutzen dieses strategischen Elementes ist folgender: Wenn Sie sehr früh im Verkaufsvorgang Ihre potentiellen Kunden dahingehend untersuchen, inwieweit sie mit Ihrem Ideal-Kundenprofil übereinstimmen, dann können Sie sehr schnell jene herausfiltern, bei denen selbst aufwendige Akquisitionsbemühungen zu keinem erfolgreichen und gewinnbringenden Abschluß führen würden. Oder Sie erkennen frühzeitig bestimmte Warnsignale, die wir im strategischen Verkaufen *rote Flaggen* nennen. Möglicherweise kann es sich vielleicht trotz allem lohnen, durch das Einleiten entsprechender Maßnahmen das Unternehmen als Zielkunden zu verfolgen."

„Was meinen Sie genau mit dem Begriff ‚rote Flagge'?"

Philip Kreinder: „Rote Flaggen sind die Schwächen, Unsicherheiten und Gefahren in Ihrer heutigen Position in einem Verkaufsprojekt. Der Ausdruck hat sich aus unseren Workshops entwickelt, wo die Teilnehmer die Aufgabe erhalten, alle kritischen Punkte in ihrem Projekt auf dem darüber erstellten Berichtsblatt mit einer kleinen roten Flagge zu markieren. Rote Flaggen sind *Warnsignale*, die dem Verkäufer oder Verkaufsteam aufzeigen, wo Probleme und potentielle Schwierigkeiten stecken. Sie signalisieren unter anderem folgende Punkte:

- Der Zielkunde erfüllt ein oder mehrere wichtige Kriterien des Ideal-Kundenprofils nicht
- Zu wichtigen Kaufbeeinflussern, beispielsweise dem Entscheider, fehlt der direkte Kontakt
- Der Verkäufer hat zu wenig Kenntnisse über die Bedürfnisse aller im Entscheidungsprozeß beteiligten Personen
- Es besteht Ungewißheit über den Entscheidungsprozeß und den Zeitpunkt des Entscheids
- Das Kundenunternehmen ist mit dem eigenen Unternehmen aufgrund negativer Erfahrungen nicht zufrieden
- Es stehen Organisationsänderungen bevor, die das Projekt tangieren.

Man kann diese Liste beliebig verlängern: das Obige sind lediglich einige der am häufigsten auftauchenden roten Flaggen. Gute strategische Verkäufer suchen ständig nach roten Flaggen, wie der Radar nach feindlichen Flugobjekten Ausschau hält. Sie benutzen diese Signale, genannt rote Flaggen, als wichtige Hinweise auf die nächsten Schritte, die unternommen werden müssen. Darauf, wie man rote Flaggen ‚beseitigt', werde ich später noch einmal zurückkommen."

„Lassen Sie uns die einzelnen Schlüsselelemente des strategischen Verkaufens weiter beschreiben! Was ist das nächste nach dem Ideal-Kundenprofil?"

Philip Kreindler: „Das zweite Schlüsselelement besteht darin, alle relevanten Personen im Entscheidungsprozeß zu identifizieren. Diese Personen nennen wir die *Kaufbeeinflusser*. Sobald wir mit einem Kaufvorgang zu tun haben, an dem direkt oder indirekt mehr als eine einzige Person beteiligt ist (also sogenannte *komplexe Verkaufsvorgänge*) müssen wir exakt wissen, wer im Kundenunternehmen im Hinblick auf die Kaufentscheidung *welchen Einfluß* hat. Wir müssen Veränderungen dieser Konstellationen wahrnehmen. Wenn eine Bank ein EDV-System kaufen möchte, dann wird dies höchstwahrscheinlich von einer Reihe von Personen geprüft und begutachtet. Angebote werden unter die Lupe kritischer Anwender genommen, die dem Entscheider, der letztlich ja oder nein zu einem Angebot sagt, *ihre Meinung* kundtun. Mit anderen Worten: In zahlreichen Fällen macht der Verkäufer den Fehler, nicht alle Kaufbeeinflusser zu kennen, an *jeden einzelnen* von ihnen zu verkaufen (oder ihre Unterstützung zu gewinnen) und dann den Verkauf *als Ganzes* erfolgreich abzuschließen."

„Leuchtet ein. Wie kann er herausfinden, wer die Kaufbeeinflusser für ein bestimmtes Projekt sind?"

Philip Kreindler: „Bevor ich diese Frage beantworte, möchte ich die *vier Kategorien* von Kaufbeeinflussern (die sehr unterschiedlich sind) vorstellen: den *Entscheider*, den *Wächter*, den *Anwender* und den *Coach*.

Der *Entscheider* – Der Entscheider ist der wichtigste Kaufbeeinflusser unter den vier Kategorien. Er gibt nicht die letzte Empfehlung, sondern das Ja-Wort und die Unterschrift. Der Entscheider ist in den meisten Fällen nur eine Person. Er hat den Zugriff zum Geld, bewilligt die Investition und hat ein Vetorecht. Er kann zum Projekt ja sagen, selbst wenn alle anderen sich querlegen. Wo sich der Entscheider in der Unternehmenshierarchie befindet, hängt ganz von der Höhe des Auftragswertes ab, ebenso wie von der wirtschaftlichen Lage des Unternehmens, der Auswirkung der Investition sowie der Erfahrung, die man mit Ihrem Unternehmen oder Ihrem Produkt gemacht hat.

Der (die) *Wächter* – jene Person(en), die die verschiedenen Anbieter auf Herz und Nieren prüfen und dann Empfehlungen aussprechen. Ein Wächter hat zwar Einfluß auf den Entscheid, aber selbst keine Entscheidungsbefugnis. Wer die Wächter sind, hängt vom jeweiligen Projekt ab. Typische Beispiele von Wächtern: die Finanzabteilung, die Personalabteilung, die EDV-Abteilung oder die Einkaufsabteilung.

Der (die) *Anwender* – jene Person(en), die nach dem Entscheid damit leben müssen. Der Kauf beeinflußt ihren Tätigkeitsbereich unmittelbar. Mit zunehmender Entwicklung von Organisationen in Richtung strategische Geschäftseinheiten wird der ‚oberste Anwender' immer mehr auch gleichzeitig zum Entscheider. Es ist sehr wichtig, die relevanten Anwender frühzeitig im Verkaufsvorgang kennenzulernen und sie für Ihr Angebot zu gewinnen.

Der (die) *Coach(es)* – hierbei handelt es sich um eine Schlüsselperson. Im Gegensatz zu den anderen drei Rollen, die immer in einem komplexen Verkaufsprozeß vorhanden sind (manchmal stecken zwanzig bis dreißig Einzelpersonen hinter diesen drei Rollen) gibt es nicht automatisch einen Coach. Ein Coach ist ein Ratgeber, der von Ihnen ‚aufgebaut', ‚entwickelt' werden muß. Aufgrund der vom Verkäufer gut formulierten Fragen wird der Verkäufer mittels der Antworten des Coaches durch den Verkaufsvorgang geführt. Coaching-Informationen helfen dem Verkäufer dabei, kritische rote Flaggen zu beseitigen. Es ist aber wichtig, daß der Job des Verkäufers nicht an den Coach delegiert wird. Die Informationen, die der Verkäufer vom Coach erhält, helfen ihm dabei, seinen eigenen Akquisitionsplan zu optimieren. Aber er behält immer die Kontrolle über den Verkaufsvorgang."

„Das ist hochinteressant! Welche Art von Informationen kann man von einem guten Coach erhalten?"

Philip Kreindler: „Gute Coaches helfen dem Verkäufer, ‚shooting in the dark' zu minimieren. Vom Coach erfährt man, wer am Entscheidungsprozeß beteiligt ist: Wer ist der Entscheider? Wer sind die Anwender? Wer sind die Wächter? Der Verkäufer erhält laufend wichtige Informationen über den aktuellen Stand des Projektes."

„Welches sind die Kriterien eines guten Coaches?"

Philip Kreindler: „Ein guter Coach genießt das Vertrauen der anderen Kaufbeeinflusser. Der Fragende muß bei dieser Person Glaubwürdigkeit genießen. Ein Coach muß nicht unbedingt im Kundenunternehmen tätig sein; es kann sich auch um einen externen Berater handeln, der das Kundenunternehmen gut kennt. Am besten ist es natürlich, wenn es Ihnen frühzeitig im Verkaufsvorgang gelingt, den Entscheider selbst als Coach ‚aufzubauen'."

„Das ist also auch möglich?"

Philip Kreindler: „Sicher – es ist sogar optimal, weil der Entscheider dann natürlich selbst aktiv dabei helfen wird, die anderen Kaufbeeinflusser für einen positiven Entscheid zu gewinnen. Das ist übrigens in meinem eigenen Akquisitionsvorgang das Ziel meiner ersten Gespräche im Kundenunternehmen (siehe Schritt 1 im Akquisitionsprozeß von Infoteam AG). Ich schlage als nächsten Schritt eine Präsentation (Schritt 3) vor der gesamten Geschäftsleitung vor. Um sicherzustellen, daß diese Präsentation wirklich auf die Bedürfnisse des Kunden eingeht, sollen vorher (Schritt 2) individuelle Interviews stattfinden, um die ‚Key Issues' (Schlüsselprobleme) im derzeitigen Verkaufsvorgang zu identifizieren. Der Geschäftsführer bestimmt die anderen Personen (also die anderen Kaufbeeinflusser), mit welchen ich die Interviews durchführen soll. Er wird in diesem Vorgehen von mir unterstützt, indem ich einen Mustertext für die Einladung zur Präsentation und die individuellen Interviews vorbereite. Aus der Sicht des Entscheiders wird dieses Vorgehen positiv beurteilt. Nach meinem ersten Gespräch weiß ich, wer die anderen Kaufbeeinflusser sind und ich habe einen (mit dem Entscheider abgestimmten) Plan entwickelt, um die Bedürfnisse dieser Personen kennenzulernen. All das gehört zum zweiten Schlüsselelement strategischen Verkaufens: dem Identifizieren aller relevanten Personen im Entscheidungsvorgang."

„Bedeutet das, daß nur der Entscheider als Coach geeignet ist?"

Philip Kreindler: „Nein, das wiederum nicht. Jeder Kaufbeeinflusser und auch unbeteiligte Personen können als Coaches entwickelt werden. Nur ist der Wert von Coaching-Informationen, die man von einem Entscheider bekommt, in der Regel viel höher als bei anderen Personen."

„Ist jeder Verkaufsvorgang, bei dem der Kaufentscheid durch mehr als eine Person beeinflußt wird, auf diese Weise zerlegbar?"

Philip Kreindler: „Jeder! Natürlich gibt es Varianten davon, und für jedes Unternehmen muß aufgrund eines Organigramms und von Coaching-Informationen erarbeitet werden, wer die derzeitigen Kaufbeeinflusser im Projekt sind. Unumstößlich ist jedoch folgende Tatsache: Viele Verkäufer scheitern in komplexen Verkaufssituationen, weil sie nicht sorgfältig recherchiert haben, wer die Kaufbeeinflusser sind und ihre Verkaufsbemühungen zu stark auf die Wächter fokussieren."

„Kommen wir nun zum nächsten Schlüsselelement strategischen Verkaufens!"

Philip Kreindler: „Sicherlich haben Sie aufgrund der ersten beiden Schlüsselelemente erkannt, um was es sich beim strategischen Verkaufen eigentlich handelt: Sich selbst durch eine optimale Zugangsstrategie so zu positionieren, daß die späteren *taktischen Maßnahmen* wie Offerten, Präsentationen usw. eine höhere ‚Treffsicherheit' haben. Ein wesentlicher Bestandteil dessen ist das Wissen um das dritte Schlüsselelement: die Ermittlung der *Haltung jedes einzelnen Kaufbeeinflussers.* Auch dies hat sehr viel mit einer optimalen Zugangsstrategie für ein Verkaufsprojekt zu tun."

„Was ist unter dem Begriff *Haltung eines Kaufbeeinflussers* zu verstehen?"

Philip Kreindler: „Damit ist die Einstellung der einzelnen Kaufbeeinflusser zur derzeitigen Situation im Unternehmen bzw. in dem Bereich gemeint, für den Ihre Produkte oder Dienstleistungen angeboten werden. Entscheidend ist dabei die Frage, ob der einzelne Kaufbeeinflusser für diesen Bereich die Notwendigkeit einer Verbesserung wahrnimmt. Das muß ich vielleicht etwas präzisieren. Es geht hier nicht um eine Bewertung Ihres Angebotes oder Ihres Unternehmens, sondern um das Maß an Bereitschaft, überhaupt etwas zu kaufen. Dieser Bereitschaftsgrad kann nämlich im gleichen Projekt bei den einzelnen Kaufbeeinflussern ganz unterschiedlich sein! Zudem kann sich die individuelle Bereitschaft während eines Akquisitionsvorganges verändern."

„Welche Haltungen sind für den Verkäufer von Bedeutung? Und: Wie geht er mit den unterschiedlichen Haltungen der Kaufbeeinflusser um?"

Philip Kreindler: „Wir unterscheiden beim strategischen Verkaufen grundsätzlich zwischen vier Haltungen:

1. Die Problemhaltung: Ein Kaufbeeinflusser hat eine Problemhaltung dann, wenn er die heutige Situation als so gravierend einstuft (ein gewisser ‚Leidensdruck'), daß er etwas unternehmen muß. In meinem Zielmarkt sind typische Symptome einer Problemhaltung: eine unbefriedigende Abschlußquote, zu hohe Verkaufskosten oder ungenaue Verkaufsprognosen. In einer solchen Haltung besteht beim Kaufbeeinflusser ein sehr hoher Grad an Bereitschaft, die Situation zu verbessern. Wenn meine Dienstleistung einen Beitrag zur Lösung dieser Probleme leisten kann, dann stehen die Chancen sehr gut, daß es zu einer Zusammenarbeit kommen wird.
2. Die Wachstumshaltung: Ein Kaufbeeinflusser befindet sich in einer Wachstumshaltung, wenn er die heutige Situation zwar als zufriedenstellend einstuft, jedoch an weiteren Verbesserungen und Optimierungsmöglichkeiten interessiert ist. Hier sind zwar echte Bedürfnisse vorhanden, aber der ‚Leidensdruck' einer Problemhaltung fehlt. Bei guter wirtschaftlicher Lage des Käuferunternehmens kann es zu einem Entscheid kommen; dieser Vorgang kann jedoch eine Weile dauern. In schwierigen Zeiten werden meist solche Projekte verschoben oder sogar gestrichen.
3. Die dritte Haltung läßt einen Kaufentscheid sehr unwahrscheinlich werden. Befindet sich ein Kaufbeeinflusser momentan in einer Alles-Okay-Haltung, dann besteht für ihn kein Grund, die Situation durch eine Veränderung zu verbessern. In meinem Zielmarkt sind ‚eine sehr hohe Abschlußquote' sowie ‚gute Aussichten, daß es so bleiben wird' typische Symptome einer Alles-Okay-Haltung. Es besteht in dieser Situation für den Käufer kein Anlaß, seinen Akquisitionsvorgang durch eine Investition in meine Dienstleistungen zu verbessern. Wenn ein Verkäufer seine Akquisitionsstrategie auf Kaufbeeinflusser aufbaut, die eine latente Alles-Okay-Haltung haben, dann sind seine Erfolgschancen sehr klein.

4. Die vierte Haltung ist die Euphorie-Haltung; der Kaufbeeinflusser schätzt die heutige Situation falsch ein. Er bildet sich ein, alles sei in bester Ordnung, auch wenn die Realität anders aussieht (Zweckoptimismus). Ähnlich wie bei der Alles-Okay-Haltung reagiert ein Kaufbeeinflusser, der sich in einer Euphorie-Haltung befindet, negativ gegenüber sämtlichen Verkaufsbemühungen. Manchmal nützt in diesem Falle abwarten und in Kontakt bleiben. Vielleicht ist bereits nach wenigen Monaten aus einer Euphorie-Haltung eine Problem-Haltung geworden und die gleiche Person wird zu einem ‚heißen Kontakt'."

„Wie und wann im Verkaufsvorgang soll ein Verkäufer die Haltung herausfinden?"

Philip Kreindler: „Die Haltung kann man nur durch gut vorbereitete Fragen herausfinden. Offene Fragen, die den Kaufbeeinflusser dazu auffordern, über die heutige Situation und die Notwendigkeit einer Veränderung zu sprechen. Durch eine gute Fragentechnik kann die Haltung effizient ermittelt und sogar gemeinsam im Gespräch entwickelt werden.

Ihre zweite Frage möchte ich wie folgt beantworten: So früh wie möglich und bei möglichst allen Kaufbeeinflussern sollte der Verkäufer die Haltung erfragen. Und in jedem Falle, *bevor* aufwendige Offerten und Präsentationen erarbeitet werden. Damit wollen wir folgendes Szenario vermeiden: Ein Verkäufer pflegt intensive Kontakte zu den Wächtern aufgrund einer scheinbaren Problemhaltung. Der Verkäufer investiert viel Zeit und Geld in seine Anstrengungen und gewinnt die Unterstützung der Wächter für sein Angebot. Er weiß nicht, daß der Entscheider sich gegenüber dem gesamten Projekt in einer Alles-Okay-Haltung befindet und erfährt dies vom Wächter erst nach dem ablehnenden Entscheid! Da sich die Haltung einzelner Kaufbeeinflusser auch während der verschiedenen Akquisitionsphasen verändern kann, ist ständiges Überwachen und entsprechendes Reagieren während des gesamten Verkaufsvorganges wichtig."

„Welche Bedeutung hat die Haltung in einer optimalen Akquisitionsstrategie?"

Philip Kreindler: „Ihre Akquisitionsstrategie sollte sich vorrangig auf solche Personen fokussieren, die sich gegenüber der Situation in dem Bereich, für den Sie Ihre Produkte oder Dienstleistungen anbieten, in einer latenten *Problem-Haltung* befinden. Deren Unterstützung können Sie sehr viel leichter gewinnen als die der Kaufbeeinflusser in einer latenten Wachstums-, Alles-Okay- oder Euphorie-Haltung. Und: Dieser Ansatz ist nicht nur dann wichtig, wenn es bereits um ein konkretes Projekt geht, sondern schon sehr viel früher, beispielsweise bei Einladungen zu einem Seminar oder bei einer Mailing-Aktion."

„Herr Kreindler, kommen wir zum vierten Schlüsselelement des strategischen Verkaufens!"

Philip Kreindler: „Das vierte Schlüsselelement ist das *Ermitteln und Erfüllen von Gewinner-Resultaten.* Es ist tatsächlich mit das wichtigste Element des strategischen Verkaufens. Dazu muß man wissen, daß Verkauf und Verkauf nicht ein und dasselbe sind. Nicht mit jedem Kunden werden Sie glücklich! Ein Vertragsabschluß zwischen Kunde und Verkäuferunternehmen kann grundsätzlich zu vier unterschiedlichen Ergebnissen führen:

1. Der Verkäufer und der Käufer gewinnen beide durch den Abschluß
2. Der Verkäufer gewinnt, der Kunde ist der Verlierer
3. Der Kunde gewinnt, der Verkäufer oder sein Unternehmen sind Verlierer
4. Der Verkäufer und der Käufer verlieren beide durch den Abschluß

Der Clou dabei ist: Nur das erste Ergebnis ist überhaupt akzeptabel! Konkret bedeutet das: Der Abschluß muß sowohl für den Käufer als auch für den Verkäufer und sein Unternehmen einen Gewinn bringen! Wie oft erleben wir einen der drei anderen Fälle mit dem Resultat, daß Kunden nicht für Folgeaufträge gewonnen werden können oder daß ein Produkt mit überdimensionalen Rabatten verkauft wird, daß der Verkäufer draufzahlt und die Freude verliert oder der Einkäufer ihn, den Verkäufer, niedermacht und über den Tisch zieht. Über kurz oder lang sind dann immer sowohl Kunde als auch Verkäufer auf der Verliererstraße; langfristig kann man nur mit einer Gewinner-Beziehung überleben. Nur wenn Käufer und Verkäufer beide beim Abschluß gewinnen, ist der Abschluß überhaupt gerechtfertigt."

„Ein sehr sinnvoller Anspruch! Wie erreicht man dieses Ziel?"

Philip Kreindler: „Indem man die angestrebten *Gewinner-Resultate* im Gespräch mit den einzelnen Kaufbeeinflussern und über Coaches herausfindet und dann in den Präsentationen oder Offerten erfüllt. Kurz zur Erläuterung, mehr darüber ist im Buch von Miller/Heiman nachzulesen. Ein *Gewinn* ist immer die *Erfüllung eines persönlichen Bedürfnisses.* Er ist *subjektiv.* Beispiel: Durch die Anschaffung eines neuen EDV-Systems gewinnt der Leiter der Bilanzbuchhaltung täglich eine Stunde mehr Freizeit. Oder: Wenn der Entscheider mit diesem Training, das er für seine Vertriebsmannschaft veranstaltet, im nächsten Jahr den Umsatz um 20 Prozent steigert, liegt er weltweit in diesem Konzern an führender Stelle und wird befördert. Oder: Wenn diese Marketing-Strategie Erfolg hat, ist die Ursache des Niedergangs behoben und mein Job nicht länger gefährdet. Es ist immer etwas Persönliches, von Individuum zu Individuum verschieden.

Dagegen ist ein *Resultat* etwas *objektiv Meßbares.* Es ist die Auswirkung eines Produktes oder einer Dienstleistung, die Sie erbringen, auf einen oder mehrere betriebliche Prozesse Ihres Kunden. Resultate wirken sich stets auf mehrere Menschen aus, sie sind objektiv vorhanden.

Gewinner-Resultate sind objektive geschäftliche Resultate, die einem oder mehreren Kaufbeeinflussern einen subjektiven, persönlichen Gewinn bringen. An erster Stelle steht immer das Resultat für das Unternehmen, aus diesem ergibt sich dann für den einzelnen ein persönlicher Gewinn."

„Warum ist dieses Schlüsselelement so wichtig?"

Philip Kreindler: „Weil Sie nur dann, wenn Sie die angestrebten Gewinner-Resultate bei Ihren Kunden identifizieren und erfüllen, das übergeordnete Ziel eines jeden strategischen Verkaufsvorganges erreichen, das *Joint-Venture-Team*, bestehend aus Verkäuferorganisation und Käuferunternehmen. Aus einem solchen Verkaufsvorgang resultieren:

- Ein Vertragsabschluß zu Ihren Gunsten
- Hohe Kundenzufriedenheit
- Folgeaufträge
- Aktive Vollreferenzen

Sie erkennen sehr leicht, woran es Ihren eigenen Verkaufsvorgängen mangelt, wenn diese nicht auf einer Strategie beruhen, bei der *beide gewinnen.* Aus diesem Grund ist das Prinzip des Gewinnens derart wichtig!"

„Kommen wir zum fünften Schlüsselelement des strategischen Verkaufens, dem letzten, das wir in diesem kurzen Interview behandeln können: dem *Verkaufstrichter.*"

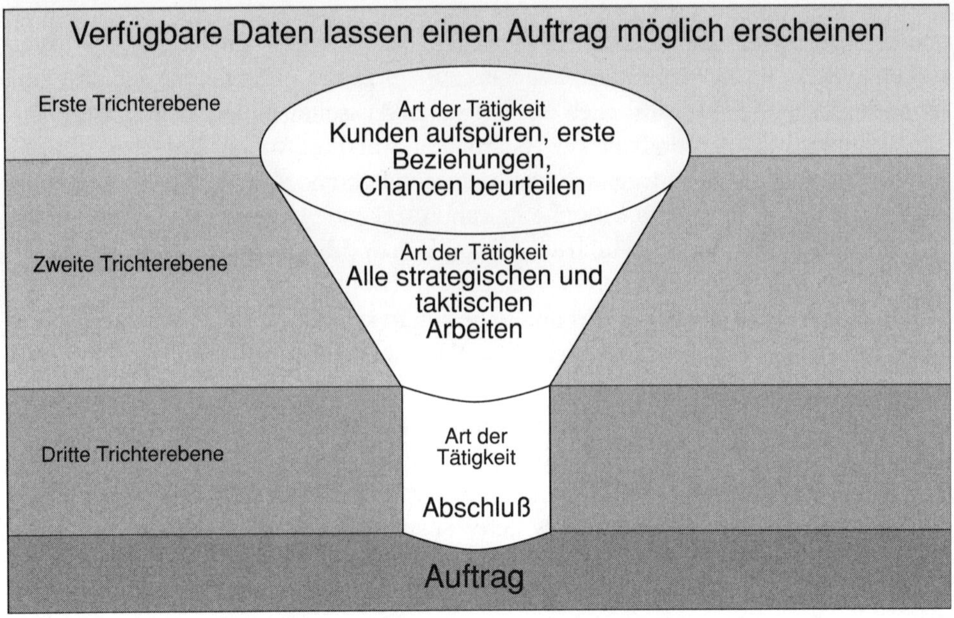

Philip Kreindler: „Ich habe die bisherigen vier Schlüsselelemente strategischen Verkaufens mehr oder weniger isoliert voneinander vorgestellt. In unseren Workshops lernen die Teilnehmer diese Zusammenhänge anhand ihrer eigenen Projekte kennen. Aus diesem Workshop resultiert ein neuer, optimierter Akquisitionsprozeß für das Kundenunternehmen (siehe Schritt 5 in der früheren Grafik über den Infoteam-Akquisitionsprozeß). Der *Verkaufstrichter* ist jenes Werkzeug, das dabei hilft, die einzelnen Verkaufsprojekte aktiv voranzutreiben. Durch die Aufteilung des Akquisitionsprozesses auf *drei Trichterebenen* und die monatliche Zuweisung aller Verkaufsprojekte (für jeden einzelnen Verkäufer oder Berater) auf die entsprechende Trichterebene erhält sowohl der Verkäufer wie auch der Verkaufsleiter ein wertvolles Instrument zur Prognose künftiger Umsatzentwicklungen. Mit seiner Hilfe kann der Manager sehr schnell erkennen, wie die Umsätze in den nächsten Monaten aussehen werden, wo sich die einzelnen Projekte eines Mitarbeiters im Verkaufstrichter gerade befinden und was die nächsten Aktivitäten im Akquisitionsprozeß sind. Der Verkaufstrichter hilft ferner, den bekannten Achterbahneffekt bei den Abschlüssen und Umsätzen zu vermeiden: dieser entsteht, wenn ein Verkäufer sich hauptsächlich auf jene Verkaufsprojekte konzentriert, die in der dritten Trichterebene kurz vor dem Abschluß stehen. Er kümmert sich in zweiter Linie um die Projekte, die in der zweiten Trichterebene angesiedelt sind und noch einiges an Aktion erfordern, bis eine Entscheidung stattfindet. Erst an dritter Stelle, mit niedriger Priorität, bemüht er sich um Neuakquisitionen, statt diese mit Prioritätsstufe Zwei zu versehen. Die drei Trichterebenen veranschaulichen also die Phasen des Verkaufszyklus und helfen, diese Prioritäten anders zu setzen: Erstens, alle Verkaufsvorgänge in Trichterebene drei zum Abschluß bringen; zweitens, nach Neuaufträgen Ausschau halten; drittens, die Verkaufsvorgänge in Trichterebene zwei bearbeiten. Auf diese Weise wird sichergestellt, daß der Nachschub an Aufträgen niemals ausgeht. Fehlende Verkaufsprojekte auf der ersten Trichterebene signalisieren heute schon sinkende Umsätze in einigen Monaten. Der Manager kann sehr viel früher eingreifen und die Situation verhindern."

„Lassen Sie uns abschließend noch auf einige spezielle Fragen zu Ihren Workshops zu sprechen kommen. Dienen diese Workshops dazu, die strategische Vorgehensweise zu erklären?"

Philip Kreindler: „Die Workshops vermitteln in jeweils zwei Tagen mit etwa 15 Teilnehmern die Elemente des strategischen Verkaufens. Dabei ist es ganz wichtig, daß diese Prinzipien von den Teilnehmern *direkt auf die derzeit laufenden, wichtigen Verkaufsprojekte* des Unternehmens aktiv angewendet werden. Die Aufgabe des Workshop-Leiters besteht darin, die Schlüsselelemente zu erläutern und darauf zu achten, daß die Teilnehmer das jeweils eingeübte Prinzip auf richtige Weise in die

Praxis übertragen. *Vor* jedem Workshop besteht ein wesentlicher Teil der Arbeit des Workshop-Leiters im bereits erwähnten sogenannten ‚sales audit' – dem exakten Ermitteln der Schlüssel-Probleme im heutigen Verkaufsvorgang des Unternehmens.

Nach Abschluß der Workshops erfolgt eine umfangreiche Betreuung, die unter anderem auch darin bestehen kann, daß der Berater mit der Vertriebsmannschaft gemeinsam die einzelnen Verkaufsprojekte zum Erfolg führen hilft. Nicht, indem er selbst zum Verkäufer wird, sondern indem er die Mannschaft darin leitet, die Werkzeuge und Elemente des strategischen Verkaufens in die Praxis umzusetzen. Mir ist an diesem Hinweis besonders viel gelegen, daß es sich nicht um ein Training mit Rollenspiel, Falldemonstrationen oder Videotraining etc. handelt, sondern daß hier tatsächlich aktiv an den aktuellen Verkaufsvorgängen gearbeitet wird und im Anschluß an die Workshops diese Vorgänge mit Unterstützung durch den Berater (wenn gewünscht) zum Abschluß gebracht werden."

„Wer soll an einem solchen Workshop teilnehmen?"

Philip Kreindler: „Jeder, der mit den ausgewählten Verkaufsprojekten aktiv zu tun hat. Das sind beispielsweise nicht nur Verkäufer, sondern vor allem auch Verkaufsleiter, technische Fachleute und Mitarbeiter aus Marketing und Verkaufsinnendienst. Beim ersten Workshop nehmen meistens sowohl der Geschäftsführer als auch der Vertriebsdirektor teil. Erfahrungsgemäß ist dies für die erfolgreiche Umsetzung des neuen Akquisitionsprozesses im Unternehmen sehr wichtig."

„Wie wurde dieses System entwickelt? Wer sind Miller und Heiman?"

Philip Kreindler: „Robert Miller war General Manager eines großen amerikanischen Beratungsunternehmens, das vornehmlich Kunden der ‚Fortune-500-Liste'[3]

, aber auch Behörden und Ministerien auf Bundes- und Landesebene betreute. Im Verlaufe seiner Tätigkeit stand er in engem Kontakt mit Verkäufern von Unternehmen wie Ford, Rolls Royce, General Motors, Citicorp etc. 1974 gründete er eine eigene Beratungsfirma für Verkaufssysteme und -programme. – Stephen E. Heiman war Verkäufer bei IBM und Mitglied der ‚Top 5 Percent', danach Marketing Director, Executive Vice President und General Manager in verschiedenen großen Unternehmen. Allein in seinem letzten Unternehmen mit einem Jahresumsatz von 150 Millionen US-Dollar, für die er voll verantwortlich zeichnete, erzielte er im Verlaufe von vier Jahren eine Ergebnis-Steigerung um 36 Prozent. 1978 wurde er Partner von Robert Miller. Beide trugen ihre eigenen und die Verkaufserfahrungen von zahlreichen anderen Verkäufern zusammen, die komplexe Verkaufsvorgänge abzuwickeln hatten, und kristallisierten das heraus, was erfolgreiche Verkäufer intuitiv richtig machten. Sie systematisierten diese Ergebnisse und entwickelten daraus die Mil-

2) Fortune 500-Liste: Liste der erfolgreichsten amerikanischen Unternehmen.

ler/Heiman-Methode, ein ‚sales operating system', das von der Praxis für die Praxis ist. Die Methode wird laufend weiterentwickelt und verbessert."

„Welche Berater vermitteln bei Ihnen dieses System? Welche Qualifikationen bringen diese mit?"

Philip Kreindler: „Es handelt sich ausnahmslos um Personen, die als Verkäufer beziehungsweise Verkaufsleiter mit dieser Methode bereits erfolgreich waren, die die Methode aus der Praxis kennen. Ich persönlich habe mehr als sechs Jahre mit diesem System gearbeitet und wußte, bevor ich in die Unternehmensberatung umstieg, daß dieses System hieb- und stichfest ist. Auch heute wende ich es bei meinen eigenen Akquisitionsvorgängen konsequent an; ich bitte den Kunden darum, zu beurteilen, wie er meine Art des Verkaufens ganz persönlich empfindet. Mein Motto lautet: ‚You have to walk what you talk'. Zu deutsch: ‚Praktiziere das, was du predigst'. Kann der Kunde meinen Akquisitionsprozeß nachvollziehen und sich damit identifizieren, dann ist es gewöhnlich nur noch ein kleiner Schritt zu der Entscheidung, auch seine eigene Vertriebsabteilung darin ausbilden zu lassen. Wenn er die Art, wie ich meine Dienstleistung an ihn verkaufe, als angenehm empfindet, dann hat er Vertrauen, daß dies auch bei seinen Verkäufern gut ankommen wird."

„Sie erwähnten, daß Sie auch die Mitglieder der Geschäftsleitung in Ihre Workshops einbeziehen?"

Philip Kreindler: „Die Erfahrung zeigt, daß der langfristige operative Nutzen der Miller-Heiman-Methode sehr stark vom Engagement des Managements abhängt. Die Fahne muß von der Geschäftsleitung getragen werden! Darum ist das Engagement des Managements ein Schlüsselkriterium in unserem eigenen Ideal-Kundenprofil."

„Nochmals das Stichwort Präsentation: Was halten Sie von Präsentationen?"

Philip Kreindler: „Offerten und Präsentationen sind wichtige Bestandteile des Verkaufsprozesses. Aber eine Offerte oder Präsentation zu machen, *bevor* man möglichst alle im Entscheidungsprozeß beteiligten Personen kennengelernt sowie sich eine Vorstellung darüber gemacht hat, was jeder einzelne von ihnen an Resultaten und Gewinnen erwartet, ist reines *shooting in the dark*, wie ich bereits sagte. Wenn Sie Offerten erarbeiten, Verträge entwerfen, Exposes erstellen oder irgendetwas anderes Aufwendiges unternehmen, bevor Sie den Entscheidungsprozeß beim Kunden verstanden haben, werfen Sie Ihr Geld zum Fenster hinaus! Das in unserem Beispiel erwähnte Softwareunternehmen wird regelmäßig ausdrücklich aufgefordert, ein Angebot zu machen, aber von Kontakten abzusehen. Das entspricht einer Einladung zum ‚shooting in the dark'! Wir haben es dennoch geschafft, den Spieß umzudrehen und den Verkäufer zur führenden Kraft zu machen. Heute finden zuerst Interviews, Betriebsbesichtigungen und Workshops mit den einzelnen Kaufbeeinflussern statt; die anschließende Präsentation der Lösung trifft dann erfahrungsgemäß voll ins

Schwarze. Bei vielen Kundenunternehmen erspart man sich eine aufwendige Ausarbeitung einer Softwarelösung und Präsentation, weil schon die Schritte in der ersten Trichterebene klar erweisen, daß diese Kunden vom Idealkundenprofil zu sehr abweichen und keine Gewinner-Beziehung auf lange Sicht zu erwarten ist."

„Kommen wir noch einmal kurz auf die erwähnten roten Flaggen zu sprechen. Können Sie ein konkretes Beispiel dafür nennen und auch, was man dagegen unternehmen kann?"

Philip Kreindler: „Nehmen wir an, daß ein Verkaufsleiter Zweifel über den Einfluß eines Kaufbeeinflussers in einem wichtigen Verkaufsprojekt hat (eine rote Flagge). Während der Verkäufer enthusiastisch von seinem Gespräch mit dieser Person erzählt, glaubt sein Chef nicht so recht daran. Als Maßnahme erkundigt er sich bei einem externen Berater (der das Kundenunternehmen gut kennt) und erfährt, daß eben diese Person, über die der Verkäufer so begeistert war, längst auf einem Abstellgleis steht. Er erfährt zudem, wer für solche Anschaffungen wirklich maßgebend ist. Diese wertvollen Coaching-Informationen helfen dem Verkäuferunternehmen, die Bemühungen auf die richtigen Personen zu fokussieren und damit die rote Flagge zu beseitigen."

„Wie baut man sich einen Coach auf? Wie erhält man die gewünschten Informationen?"

Philip Kreindler: „Zugegeben, diese Fragen führen sehr ins Detail, was auch konkret dann in unseren Workshops behandelt wird. Generell kann man aber sagen: Wenn Sie das Vertrauen eines Coaches genießen und der Coach nicht das Gefühl bekommt, daß *er* den Job des Verkäufers machen muß, dann werden Sie bei einer Bitte um Rat oder Hilfe keine Absage erhalten. Für die Verifizierung des Entscheidungsweges in sehr komplexen Projekten ist es sogar wichtig, mehrere Coaches zu haben."

„Wir haben in Ihren Unterlagen das beeindruckende Bild eines Mannes gesehen, der neben einem Eisberg in einem Boot sitzt. Was wollen Sie damit aussagen?"

Philip Kreindler: „Gut, daß Sie dieses Bild anschneiden. Der Mann in dem Boot ist der Verkäufer, und der Eisberg verdeutlicht die *trügerische Sicht.* Er versinnbildlicht den gesamten Kaufprozeß für ein Verkaufsprojekt beim Kunden. Nur ein geringer Teil davon ragt aus dem Wasser, und unter dem Wasser lauern die Haifische (z.B. die Mitbewerber) und viele rote Flaggen. Der Mann sitzt nichtsahnend im Boot und arbeitet sich einen aufwendigen Aktionsplan aus. Und das ist es doch gerade! Es kann sehr gefährlich sein, aufgrund einer Teilsicht des Entscheidungsprozesses zu handeln! Oft ist dieser Eisberg noch von einer dicken Nebelwand umgeben. Und so verliert man Geschäfte, ohne eigentlich zu wissen, warum. Mit Erklärungen ist man immer schnell bei der Hand: Preis, Funktionalität, Serviceabteilung, Konkurrenz. Aber das sind Vorwände, Rechtfertigungen des Verkäufers, der einfach seinen Job

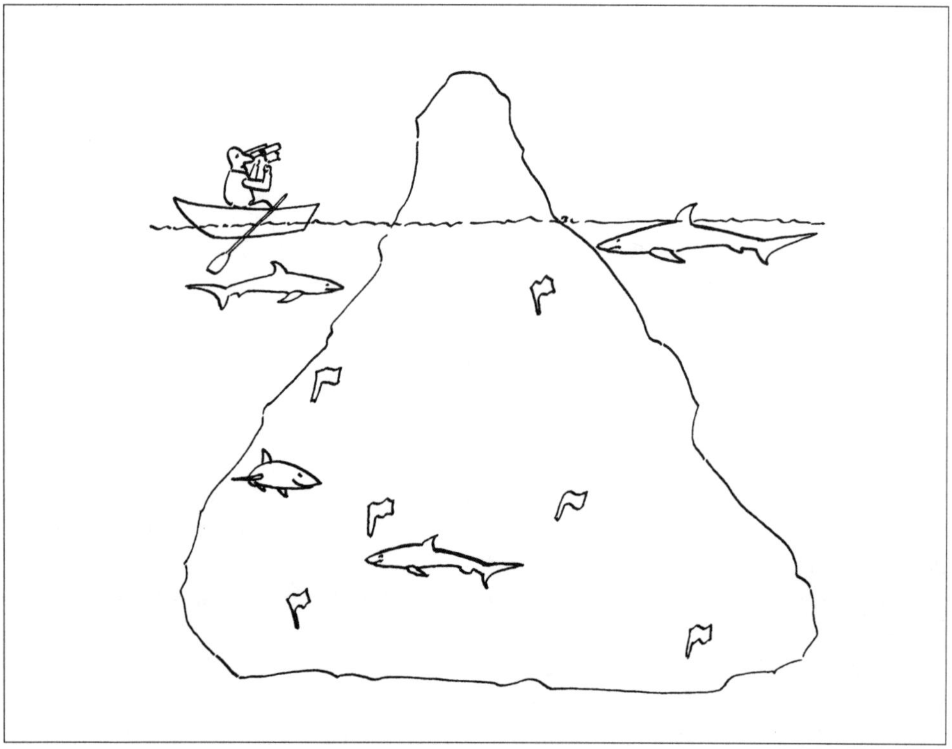

nicht gemacht hat. Und er weiß nicht einmal, *was er nicht wußte*! Das Wichtigste in einem komplexen Verkaufsvorgang heißt STOP AND THINK! Identifizieren Sie Ihre derzeitigen roten Flaggen und nutzen Sie Ihre derzeitigen Stärken aus, um diese zu beseitigen. Ein auf diese Art erstellter Aktionsplan führt Sie ganz bestimmt auf einen zielsicheren Weg. Da sich einiges im Verlauf eines komplexen Projektes verändert, sind regelmäßige Fortschrittskontrolle, Neubeurteilung der Situation und Überarbeiten des Aktionsplanes notwendig. Die Treffsicherheit einer Akquisitionsstrategie ist erfahrungsgemäß viel höher, wenn diese Schritte gemeinsam durch das Projekt-Team erarbeitet werden."

„Im harten Wettbewerb zweifellos ein unbezahlbarer Vorteil. Wie sicher ist Ihr System?"

Philip Kreindler: „So sicher wie es verstanden und praktiziert wird! Sehen Sie, wir leben heute in einer Welt, in der Produkte und Dienstleistungen immer ähnlicher werden. Ich verwende folgende Stufenleiter, um dies zu veranschaulichen:

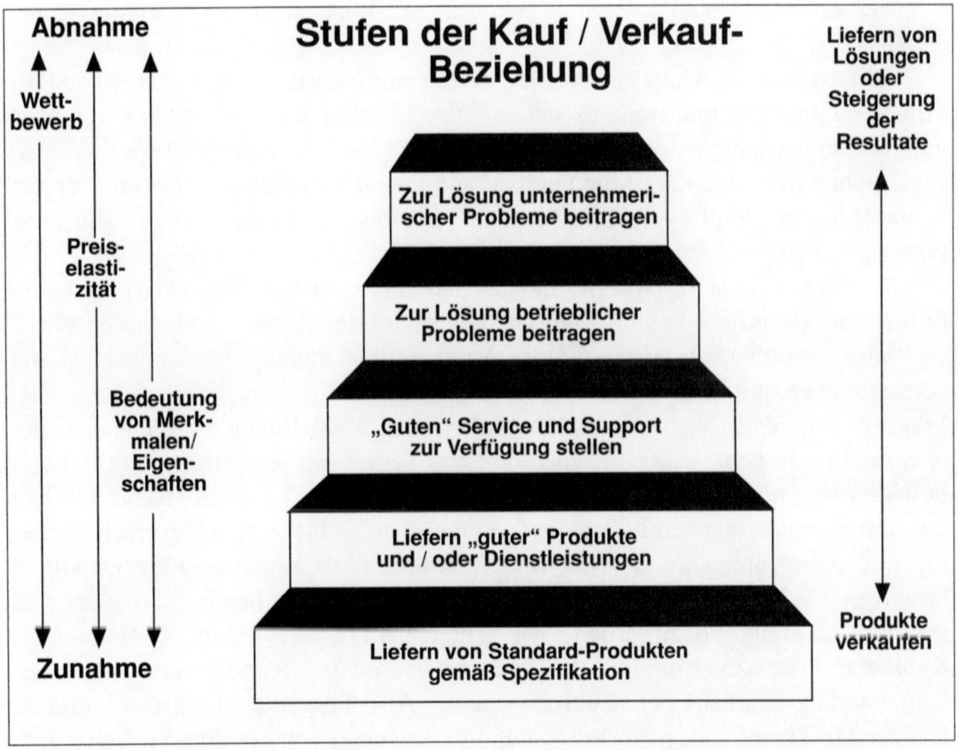

Auf der untersten Stufe unterscheidet sich ein Unternehmen *aus der Sicht des Kunden* kaum von einem anderen mit dem gleichen Produkt oder der gleichen Dienstleistung. Hier werden Standardprodukte geliefert; das einzige, was wirklich eine Rolle spielt, ist der bessere Preis. Auf der nächsthöheren Stufe werden ‚gute (differenzierte) Produkte oder Dienstleistungen‘ angeboten, auf der nächsten Stufe guter *Service und Support* zur Verfügung gestellt. Nun beginnt bereits der Preis erheblich an Gewicht bei der Kaufentscheidung zu verlieren, der Wettbewerb wird kleiner. Steigt ein Unternehmen noch eine Stufe höher, wird es durch sein Produkt oder seine Dienstleistung spürbar *zur Lösung betrieblicher Probleme* beitragen und auf der höchsten Stufe die Lösung unternehmerischer Probleme bewirken; und zwar immer *aus der Sicht Ihres Kunden* gesehen! Es nützt Ihnen also gar nichts, wenn Sie selbst davon überzeugt sind, daß Ihre Lösung die beste ist, die es für den Kunden auf dem Markt gibt (und wer ist davon nicht überzeugt) – wichtig ist, daß Sie die Sicht Ihres Kunden in bezug auf Ihr Unternehmen verändern! Dabei hilft dieses systematische Vorgehen in der Akquisition und Betreuung von Kunden.“

„Werden die Verkaufsvorgänge dadurch erheblich schneller über die Bühne gehen?"

Philip Kreindler: „Ganz sicher sogar. Man kommt auch sehr viel schneller an den Punkt, wo man erkennt, wann es sich nicht mehr lohnt, an einem Akquisitionsvorgang weiterzuarbeiten. Sie können stattdessen die Energie in die interessanteren geschäftlichen Kontakte investieren und daraus gezielt Verkäufe entwickeln. Der Verkaufszyklus schrumpfte gemäß bisherigen Erfahrungen auf weniger als die Hälfte der bisherigen Zeit."

„Nun bieten Sie ja neben dem strategischen Verkaufen auch eine aktive Verkaufshilfe für die Gespräche beim Kunden an, wie wir wissen. Erzählen Sie uns darüber!"

Philip Kreindler: „In unseren Sales Audits und Workshops stellen wir fest, daß der fehlende Kontakt zum Entscheider und zu guten Coaches die häufigsten roten Flaggen sind. Viele Verkäufer und sogar Verkaufsleiter fühlen sich sehr unsicher, wenn es darum geht, beim Entscheider einen Termin zu vereinbaren. Diese Leute befinden sich meistens in der Geschäftsleitung oder im Vorstand. Wenn ich dann den Termin habe, wie bereite ich das Gespräch vor, damit es dem Gesprächspartner und mir einen Nutzen bringt? Was will ich erreichen? Welche roten Flaggen will ich beseitigen? Wie erhalte ich die Informationen, die ich dazu benötige? Welche Fragen muß ich konkret dazu stellen? Wie gehe ich am besten vor, um die Haltung der Kaufbeeinflusser zu ermitteln? Wie kann ich das Gespräch und den gesamten Verkaufsvorgang unter meiner Kontrolle halten? Also Praxis des Gesprächsverlaufs. Das ist das Thema eines Workshops und des zweiten Buches von Miller-Heiman mit dem Titel *Konzeptorientiertes Verkaufen*: Ein strukturiertes und überprüfbares Vorgehen, das Ihre Verkaufsteams befähigt, ihre Kundengespräche *resultatorientiert* vorzubereiten und diese mit den wirklichen Kaufbeeinflussern auch kompetent zu führen. Denn: Der beste Aktionsplan nützt nichts, wenn die Verkäufer nicht imstande sind, ihn erfolgreich umzusetzen. Hier schafft dieser Workshop Abhilfe. Die Nervosität vor einem hochwichtigen Kundentermin weicht zugunsten einer Sicherheit. Der Verkäufer hat das gewünschte Gesprächsergebnis exakt definiert und weiß, welche roten Flaggen er mit diesem Gespräch ausräumen oder aufdecken will. Es ist ein Gesprächsleitfaden für den Umgang auf der Stufe Entscheider. Im Workshop lernen die Teilnehmer diese Schlüsselelemente anhand ihrer eigenen wichtigen Kundentermine kennen."

„Wie lange dauert dieser Workshop?"

Philip Kreindler: „Zwei Tage. Der erste Workshop – Strategisches Verkaufen – und der zweite können zu einem Drei-Tages-Seminar zusammengefaßt werden. Finden sie getrennt voneinander statt, dauern sie zusammen vier Tage. Ein weiterer Workshop befaßt sich damit,*‚Strategien für Schlüsselkunden'* zu entwickeln, und zwar für die nächsten ein bis drei Jahre. Bei diesem Workshop besteht die Besonderheit darin, daß der Kunde unseres Kunden selbst anwesend ist!"

„Unglaublich! Der, an den verkauft werden soll, ist beim Workshop für den Verkäufer selbst dabei?"

Philip Kreindler: „Richtig! Es geht hier ja schließlich auch gar nicht mehr um Fragen des Verkaufs; es geht darum, gemeinsam eine Strategie zu entwickeln, wie der Kunde unseres Kunden über die nächsten Jahre hinweg optimal bedient werden kann. Eine echte Gewinner-Beziehung also im Sinne des strategischen Verkaufens. Die Zeiten, da man froh war, einen Kunden irgendwie zur Unterschrift gedrängt zu haben, sind endgültig passé. Erfolg werden künftig jene Unternehmen und ihre Verkäufer haben, die langfristige, gute Kundenbeziehungen vor kurzfristigen Umsatz stellen. Bei diesem Seminar hilft der Kunde (das Käuferunternehmen) selbst mit, die Verkaufsziele für das Verkaufsteam (das Verkäuferunternehmen) zu definieren, und zwar für die nächsten drei Jahre!"

„Herr Kreindler, zum Abschluß eine ganz wichtige Frage: Was würden Sie einem Entscheider raten, wenn er sich einen Trainer zu irgendeinem Zwecke aussucht?"

Philip Kreindler: „Zunächst würde ich an seiner Stelle darauf achten, ob dieser Trainer tatsächlich etwas über meine Bedürfnisse herausfindet. Führt er entsprechende Vorgespräche, um diese Bedürfnisse zu ermitteln? Und dann: Hat er eine Lösung anzubieten, die diesen Bedürfnissen gerecht wird? Kann er zum Wachstum beitragen oder konkret bei der Lösung eines bestimmten Problemes helfen? Dann würde ich beobachten, ob er das, was er mir anbietet, in seinem eigenen Akquisitionsvorgang selbst praktiziert. Tut er das nicht, ist er für mich absolut unglaubwürdig. Weiterhin würde ich darauf bestehen, daß die gleiche Person, die die Analyse oder das ‚sales audit', die Bedarfsermittlung, durchgeführt hat, auch selbst das Training leitet und die Begleitung nach dem Training persönlich wahrnimmt. Als nächstes würde ich darauf achten, daß auch das Management in den gesamten Prozeß eingebunden ist. Als letztes und wichtigstes Kriterium würde ich darauf bestehen, daß im Seminar auf die *aktuellen* Verkaufsprobleme meines Unternehmens eingegangen wird. Fallbeispiele und weithergeholte Konzepte sind ebenso wenig wert wie hochtrabende Begriffe und Psychoverfahren, die nichts aussagen und nichts bedeuten. Praxis ist gefragt. Hilft das Seminar den Teilnehmern beim konkreten Verkaufsvorgang? Und natürlich muß einem der Trainer sympathisch sein, denn ohne diesen persönlichen Draht läuft ohnehin nichts. Aber fallen Sie andererseits nicht allein auf einen Sympathie-Effekt herein! Das Konzept hinter dem Training muß dazu beitragen, die Leistung Ihrer Verkäufer zu steigern. Nur so lohnt sich die Investition."

„Ein abschließender Rat?"

Philip Kreindler: „Lassen Sie mich zum Abschluß nochmals auf den größten

Schwachpunkt in Unternehmen hinweisen, wenn es um den Vertrieb geht. Die Arbeit, die auf der ersten Trichterebene stattfinden muß, wird zu sehr vernachlässigt. Das ist mit ein Grund, warum wir uns gemeinsam mit unseren Kunden auch Gedanken darüber machen, was die Kunden unternehmen können, um den Trichter immer wieder neu zu füllen. Das Generieren von neuen Interessenten mit besseren Mailings und Follow-Up-Aktionen ist eines unserer Anliegen und genau das, was den Verkaufserfolg und damit den Umsatz nie versiegen läßt.“

Top Training – Zwölf Thesen

Wagen wir ein Resümee. Obwohl es nahezu an Vermessenheit grenzt, nach dem Gesprächen mit diesen zweifellos außergewöhnlichen Fachleuten so etwas wie eine abschließende Zusammenfassung zu versuchen, werden wir dennoch einmal jene Gedanken ordnen, die uns dazu durch den Kopf gingen.

Sie erinnern sich: Die Ausgangsfrage lautete „Was haben erfolgreiche Trainer gemeinsam?" Bzw. „Was zeichnet sie aus, das ihren Erfolg und vor allem den der von ihnen betreuten Unternehmen begründet?" Gerade die letzte Frage eröffnet den Schlüssel zum wahrscheinlich bedeutendsten Erfolgsgeheimnis erfolgreichen Trainings überhaupt.

Lassen Sie uns daher gar nicht lange um den heißen Brei herumphilosophieren und ohne Umschweife beginnen. Die folgenden zwölf Thesen zeigen auf, was nach unserer Ansicht erfolgreiches Training wirklich ausmacht.

1. Top Training orientiert sich exakt am Bedarf des Kunden.

Es ist im Grunde eine Lektion in Sachen Service, die man hier zahlreichen, sich auf dem Markt tummelnden Trainern unterbreiten müßte. Wieviele unter ihnen sind wirklich daran interessiert, daß der exakte Bedarf des Kunden befriedigt wird? Ja, wieviele stellen sich überhaupt die Frage, was braucht der Kunde wirklich? Was bedeutet dies ganz konkret im Hinblick auf modernes Verkaufs-, Vertriebs- und Management-Training? Nennen wir Beispiele. Der Verkaufserfolg in einem Unternehmen hängt zu einem nicht unwesentlichen Teil auch von der Marketing-Strategie ab. Wenn der Trainer nicht imstande ist, zu unterscheiden, ob mangelnder Absatz in einer unzulänglichen oder gar nicht vorhandenen Marketing-Strategie begründet liegt oder ob es die Performance der Verkäufer ist, die zu wünschen übrig läßt, dann ist dieser Trainer offen gestanden sein Geld nicht wert.

Training muß sich daher vor allem darauf ausrichten, nicht nur die Wünsche, sondern den tatsächlichen, realen, objektiven Bedarf des Kundenunternehmens zu ermitteln und durch geeignete Maßnahmen zu befriedigen. So einfach sich das lesen mag, so schwierig ist dies doch offenbar in der Praxis umzusetzen. Wir haben uns daher gefragt, warum man eigentlich so selten Trainer findet, die sich genau am Bedarf des Kunden ausrichten. Möglicherweise liegt eine Antwort darin begründet, daß Trainer bestimmte Richtungen favorisieren, bestimmte Schulen oder psychologische Glaubenslehren; oder auch Erfolgstrainings, mit denen sie selbst einmal erfolgreich waren. Doch wie ein Arzt niemals allen seinen Patienten jene Medizin verschreiben kann, die vielleicht bei ihm selbst einmal nützlich und hilfreich war, genauso kann kein Trainer der Welt von sich beanspruchen, das alleingültige Erfolgsrezept allen Trainings zu vermitteln. Die meisten Trainings sind in dieser Hinsicht möglicherweise zu fixiert auf eine Lösung. Allerdings kann man hier berechtigterweise den Einwand vorbringen, daß gute Trainer Spezialisten sind – eben keine Alleskönner, die von sich beanspruchen, in jeder Hinsicht und in jedem Bereich Training liefern zu können. Wohlgemerkt, auch in diesem Punkt pflichten wir uneingeschränkt bei: Gute, erfolgreiche Trainer spezialisieren sich auf ganz bestimmte Probleme und deren Lösung. Wie kann man diesen scheinbaren Konflikt – Bedarfsermittlung und -befriedigung auf der einen und Spezialisierung auf der anderen Seite – nun auf einen Nenner bringen?

Unserer Ansicht nach liegt der Lösungsansatz darin, daß Trainer, die sich auf bestimmte Lösungen spezialisiert haben, genau diese dort anbieten und verkaufen, wo der Bedarf nach dieser Lösung verlangt. Mit anderen Worten, ein guter Trainer weiß um die Möglichkeiten und Grenzen dessen, was er kann und was er nicht kann, und er wird es Ihnen offen im Verkaufsgespräch mitteilen. Mehrere Trainer schließen sich hier oft zu erfolgreichen Trainer-Teams zusammen, in denen es Spezialisten für eine vielfältige Anzahl von Problemen gibt, so daß von ein und demselben Trainingsunternehmen dennoch sehr bedarfsgerecht trainiert werden kann.

2. Top Training beginnt mit einer Bedarfsanalyse.

Das ist natürlich die logische Schlußfolgerung aus Punkt 1. Keiner der erfolgreichen Trainer verzichtet auf eine Bedarfsanalyse. Sie gehört zu seinem Standard-Repertoire. Doch auch Analysen weisen bestimmte Fallgruben auf. Nennen wir ein Beispiel aus einer anderen Branche, das Ihnen möglicherweise bekannt vorkommt. Auch im Bereich der Finanzdienstleistungen kennen wir den Begriff der Analyse. Dabei geht es vor allem darum, den Bedarf des Kunden an Absicherung und Vermögensanlagen zu ermitteln. Eine Vielzahl dieser sogenannten „Analysen" läuft jedoch unabhängig von dem, was der Kunde sagt, auf ein einziges Produkt hinaus! Damit gerät natürlich jede Analyse zu einer bloßen Farce, zu einem Vorwand, um dem, den man „analysiert", am Ende doch das zu verkaufen, was man in der Tasche unterschriftsreif mit sich führt. Zugegebenermaßen ist dies ein etwas heikler Punkt, und es ist nicht immer genau auszumachen, wo hier die Grenze zwischen kundenorientierter und verkäuferorientierter Anaylse zu ziehen ist. Halten wir dennoch an dieser Stelle so viel fest: Das objektive Ergebnis einer Analyse muß immer am tatsächlichen Bedarf des Kunden ausgerichtet sein, nicht an einem vorbereiteten Paket, das der Trainer bereits im Portefeuille mit sich führt.

Moment, werden Sie jetzt vielleicht einwenden: Wieviele Trainer gibt es denn, die tatsächlich eine Analyse durchführen, nur um dann möglichweise das Produkt eines ganz anderen Trainingsunternehmens zu empfehlen und selbst leer auszugehen, ohne Auftrag in der Tasche? Sie haben natürlich recht. Jeder Trainer jedes Trainingsunternehmen ist bestrebt, seine eigenen Dienstleistungen zu verkaufen, sie zu vermarkten. Dagegen ist auch gar nichts einzuwenden; gute Trainer richten ihre eigenen Akquisitionsbemühungen daher von vornherein an einen selektierten Kreis potentieller Kunden, deren Probleme im Unternehmen zum Dienstleistungspaket des Trainers passen. Interessanterweise führt uns jedoch diese Fragestellung auch zum nächsten, sehr wichtigen Punkt, der zugleich eine weitere interessante Antwort bietet.

3. Top Training ist individuelles Training.

Was meinen wir damit? Top Training richtet sich nicht nur am individuellen Bedarf des Kunden aus, sondern ist zugleich an jedes Individuum gerichtet, das an diesem Training teilnimmt. Es befaßt sich mit den einzelnen Personen und deren konkreten persönlichen Problemen, ohne Pauschallösungen anzubieten. Es bietet Hilfestellung genau dort, wo der einzelne sie braucht. Top Training setzt daher mit seinen Antworten bei grundlegenden menschlichen Bedürfnissen und Problemen an. Und damit sind wir wohl bei einem der wichtigsten Kriterien für Training der Spitzenklasse: Top Training richtet sich immer an ein oder mehrere Grundbedürfnisse des Menschen. Anknüpfend an das, was in einem früheren Interview zitiert, was als die vier Grundbedürfnisse des Menschen genannt wurden: Pleasure, Pride, Profit und Peace. Diese treffen ja auch auf Unternehmer, Verkäufer, Vertriebsmanager zu, auf jene also, die vom Training Hilfe erwarten, Verbesserung erwarten. Auch sie möchten mehr Freude, mehr Stolz in bezug auf ihre Leistung, mehr Gewinn und letztlich mehr innere Ruhe, Zufriedenheit und Sicherheit erreichen. Top Training vermittelt die Befriedigung genau dieser Bedürfnisse. Wie wird das erreicht? Damit sind wir beim nächsten Punkt.

4. Top Training beginnt mit der Lösung der Probleme im zwischenmenschlichen Bereich.

Jetzt sind wir beim zentralen Faktor Kommunikation angelangt, um den sich im Training der Spitzenklasse beinahe alles dreht. Was haben Management und Verkauf gemeinsam? Kommunikation. Was beinhaltet erfolgreiche Zusammenarbeit? Kommunikation. Warum laufen Verkaufsgespräche schief? Weil es an der Kommunikation mangelt. Womit kann man zwischenmenschliche Beziehungen verbessern? Mit Kommunikation. Wie kann man Mitarbeiter dazu motivieren, ein Team zu werden? Durch Kommunikation. Immer und immer wieder dreht sich erfolgreiches Training um den Faktor Kommunikation. Die besten Trainings-Schulen der Welt konzentrieren sich dabei tatsächlich praktisch auf nichts anderes als diesen einen Punkt: Die Verbesserung der zwischenmenschlichen Kommunikation. Es scheint, als ob gerade in der Kommunikation der Schlüssel, ja das Erfolgsgeheimnis schlechthin verborgen liegt!

5. Top Training vermittelt praktische Lösungsansätze statt theoretischer Modelle.

Dieser Punkt hat uns, offen gestanden, selbst am meisten überrascht. Waren wir zu Beginn unserer Recherche noch davon überzeugt, im Verlaufe unserer Nachforschungen auf die besten Denkmodelle zu stoßen, so wurden wir sehr schnell eines besseren belehrt: Denkmodelle sind allenfalls Krücken oder Hilfsmittel; weitaus wichtiger und gefragter sind die praktischen Lösungsansätze, die oft verblüffend einfach sind. Die erfolgreichsten Trainings sind also offenbar jene, die auf einfachen, einleuchtenden und anwendbaren praktischen Prinzipien beruhen; nicht solche, deren Ansatz oft dem Laien kaum verständliche, psychologisch verbrämte Theorien sind. Werden wir noch ein wenig deutlicher. In der heutigen Trainingsliteratur ist von allen Arten bunter Gehirntheorien und Struktur-Modellen der unterschiedlichsten Art die Rede. So interessant wie diese auch scheinen mögen, so unpraktisch erweisen sie sich oft am Ende, wenn es darum geht, im tatsächlichen, gelebten Verkaufsgespräch zu einem positiven Abschluß zu kommen oder unternehmerische Leistung zu steigern. Hier scheitern sie meist kläglich! Überspitzt könnte man an dieser Stelle durchaus einmal die Frage formulieren: Ist es wirklich so wichtig, ob wir wissen, was die rechte oder die linke Gehirnhälfte macht, wenn wir uns im Gespräch mit dem Kunden befinden? Oder welche tiefere psychologische Bedeutung der Stellung seines rechten Armes zukommt? Ist es nicht ungleich praktischer zu wissen, wie man einen verschlossenen Kunden zu einer Antwort bewegt? Oder einen „stinksaueren“ Mitarbeiter dazu bewegt, das kurz vor Ende befindliche Projekt in letzter Minute doch noch abzuschließen? Oder einem uneinsichtigen Vorgesetzten eine wirkliche hervorragende Idee „zu verkaufen“? Offen gestanden, wir waren verblüfft darüber, wie wenig Bedeutung Spitzentrainer den Theorien und wieviel Wichtigkeit sie in ihrem Training und in ihrem Leben der Praxis zuwenden. Im Grunde ist gegen solche Theorien und Denkmodelle ja nicht einmal etwas einzuwenden, hätten sie nicht einen gravierenden Nachteil: Viele Verkäufer, Mitarbeiter und Führungskräfte werden dadurch auf einen vollkommen falschen Pfad gelenkt! Ihre Aufmerksamkeit wird dadurch auf Dinge gerichtet, die für ihren täglichen Gebrauch absolut unwichtig und unpraktisch sind. Sie introvertieren, verlieren dadurch einen Teil ihrer Kommunikationsbereitschaft. Statt die Frage zu beantworten: „Wie komme ich jetzt mit meinem Kunden zurecht?“, wird versucht, aus Gehirnmodellen und Strukturtheorien die richtige Antwort zu prophezeien. Was wäre denn, überspitzt gefragt, wenn wir eines Tages entdecken würden, daß das Gehirn ganz anders funktioniert? Wie dem auch sei: Entscheidend bei all dem ist – Der Verkäufer des Wettbewerbers schnappt Ihren Vertriebsleuten am Ende die Wurst vor der Nase weg, weil er gar keine Zeit hat, sich um irgendwelche Theorien zu kümmern!

Mit anderen Worten, in zahlreichen Fällen fehlte der praktische Lösungsansatz. Erfolgreiches Training vermittelt praktische, anwendbare Lösungen, mit denen jeder auf einfache Weise umgehen kann.

6. Top Training macht Menschen besser.

So selbstverständlich dies für die einen ist, so überheblich klingt es für die anderen. Training, wenn es erfolgreich ist, verbessert die Leistungsfähigkeit, Leistungsbereitschaft und meßbaren Leistungen von Mitarbeitern. Wenn Training nicht dazu führt, daß Mitarbeiter mit größerer Sicherheit und einem deutlich höheren Maß an Begeisterung an die Arbeit gehen, ist mit dem Training etwas falsch! Zugegeben: Manchmal liegt es auch am Mitarbeiter; möglicherweise ist er auf dem falschen Posten, ist unglücklich über seine Position, ist mit sich selbst nicht ganz ins reine gekommen. Dann sollte er in Richtung Persönlichkeit die geeigneten Schritte unternehmen, vielleicht den Beruf wechseln, aufhören, sich etwas vorzumachen. Gutes Training wird ihn jedoch auch auf diesen Weg führen; Spitzen-Trainer erkennen dieses Problem und machen ihn darauf aufmerksam; bieten oft Hilfestellung in die richtige Richtung. Insofern kann man also durchaus das Resümee wagen: Top Training macht Menschen erfolgreich.

7. Top Training führt zu meßbaren Ergebnissen.

Spitzentraining führt zu nachweisbaren, erfaßbaren, umsatzmäßigen oder betriebswirtschaftlichen Verbesserungen. Zweifellos ist dies einer der heikelsten Punkte überhaupt. Hier ist es ein klein wenig wie in der Werbung. Wenn Sie einem vielleicht weniger professionellen Werber den Vorwurf machen, daß Sie keine reale Verbesserung des Umsatzes durch seine neueste Kampagne erkennen, dann werden Sie einige interessante Rechtfertigungen zu hören bekommen! Etwa in der Art, daß Ergebnisse in der Werbung nur über Jahre hinweg meßbar seien oder daß es überhaupt unmöglich sei festzustellen, welche Maßnahme welche Wirkung zeigte. Diese Behauptung ist schlichtweg falsch! Maßnahmen müssen meßbare Ergebnisse zeitigen! Lassen Sie sich in diesem Punkt auf gar nichts anderes ein; bestehen Sie auf konkrete Ergebnisse, die sich nach einem bestimmten Zeitraum zeigen müssen. Spitzentrainer werden übrigens damit nicht nur kein Problem haben; sie werden es oft von sich aus anbieten, möglicherweise sogar Hilfestellung leisten, anhand welcher Kriterien die Fortschritte meßbar gemacht werden können. Sei dies nur der Umsatz, die Abschlußquote, sei es die Anzahl der stattgefundenen Kundengespräche, der am Telefon vereinbarten Termine, die Anzahl der abgeschlossenen Produktionszyklen pro Zeiteinheit, oder auch nur die Anzahl der zufriedenen Mitarbeiter im Unternehmen. An irgendetwas kann man den Erfolg des Trainings, wenn er vorhanden ist, immer messen. Umgekehrt ist es durchaus auch möglich, Mißerfolge zu registrieren: Wenn die Leistungen nach einem Training zurückgehen oder nach einem kurzen Höhenflug umso steiler wieder abstürzen, dann liegt der Rückschluß nahe, daß dieses Training den falschen Ansatzpunkt hatte.

8. Top Training vermittelt mehr Selbstbestimmtheit.

Damit sind wir einmal mehr bei einem interessanten Thema. Hier lautet eigentlich die entscheidende Frage, die sich manch ein Unternehmer, ein Vertriebsleiter, eine Führungskraft stellen sollte: Möchte ich überhaupt Mitarbeiter, die eigenständig denken, handeln und entscheiden – oder sind mir solche lieber, die stets und prompt das tun, was ich sage? Die Entscheidung darüber können wir Ihnen natürlich nicht abnehmen; Sie werden jedoch vielleicht beobachten, daß erfolgreiches Training nicht in Richtung auf hypnotisierte Kaninchen oder programmierte Mitarbeiter hinarbeitet. Umgekehrt wissen wir auch, daß solche Trainings angeboten werden, daß versucht wird, mittels Hypnosetechniken bestimmte Verhaltens- und Reaktionsmuster zu programmieren, ähnlich wie in den Pavlovschen Hundeexperimenten zu Beginn dieses Jahrhunderts. Aber es gilt heute eigentlich als gesicherte Erkenntnis, daß Menschen weder Hunde noch Roboter sind, wie es einige Psychologen oder Psychiater vielleicht gerne hätten, sondern vernunftbegabte Wesen. Die Erfahrung zeigt, daß Methoden der Hypnose langfristig unwirksam, ja schädlich sind. Erfinder dieser Methoden sehen im Menschen möglicherweise tatsächlich nichts anderes als Tiere, Maschinen oder Roboter; eine in unseren Augen überholte Theorie, die in Kreisen vieler erfolgreicher Manager längst verpönt ist, und das nicht allein aus moralischen, sondern auch aus sehr praktischen Überlegungen heraus. Ziehen wir daher das Fazit: Top Training erhöht die Verantwortung, die Leistungsbereitschaft, den inneren Antrieb und die Fähigkeit zu besserer Leistung, ohne sich solch fragwürdiger Techniken zu bedienen.

9. Top-Trainer überzeugen durch einen überzeugenden Verkaufsprozeß.

Zugegeben, über diesen Punkt läßt sich streiten. Es gibt auch unter Trainern gute und weniger gute Verkäufer. Nicht jedes Training ist Verkaufstraining. Aber wir haben keinen einzigen Spitzentrainer kennengelernt, der nicht selbst ein erfolgreicher, erfahrener und guter Verkäufer ist, und der dies nicht auch selbst immer wieder in seinem Verkaufsgespräch unter Beweis zu stellen vermag. Wenn Sie also die Stichhaltigkeit dessen, was der Trainer in seinem Verkaufstraining vermittelt, auf einfache Art und Weise überprüfen wollen, dann überprüfen Sie seinen eigenen Verkaufsprozeß: Überzeugt er Sie auf leichte, ehrliche Art und Weise, ohne daß Sie sich zu einer Entscheidung gedrängt fühlen? Dann können Sie davon ausgehen, daß er mit Methoden arbeitet, mit denen auch Ihre Verkäufer erfolgreich sein werden, an denen sie ihren Spaß haben werden.

10. Top Training begleitet den Trainierten bei der Umsetzung in die Praxis.

Training on the job wird immer bedeutsamer. Die individuelle Begleitung des Trainierten in seinem täglichen Arbeitsprozeß, bei der täglichen Lösung, bis hin zu einem Punkt, wo er mit den erlernten Werkzeugen selbständig umgeht, wird immer wichtiger. Mehr und mehr Trainer bieten dies an; es ist zugleich ein Gradmesser des Erfolgs.

11. Top Training verstärkt das, was bereits erfolgreich ist.

Wir leben in einer sich rapide ändernden Welt, das ist richtig. Manchmal vergißt man dabei, daß nicht alles, was gestern gut war, heute automatisch vom rapiden Lauf der Zeit überholt ist. Es ist zweifellos richtig, daß wir uns auf sich verändernde Märkte mit neuen Strategien einstellen müssen. Darüber darf man jedoch nicht vergessen, womit wir gestern erfolgreich waren. Oft gelten die gleichen „Erfolgsformeln" auch für heute und morgen. Man könnte also diese These durchaus so zusammenfassen: Top Training verstärkt das, was erfolgreich ist und zeigt neue Wege da, wo der Erfolg, wo die Ergebnisse nicht befriedigend sind.

Erfolgreiches Training bedarf also eigentlich sehr viel seltener irgendwelcher neuen, fundamentalen Theorien, als es oft den Anschein hat. Dabei wird um neu entdeckte Theorien oft viel Aufhebens gemacht; nicht selten entpuppt sich das neueste Gedankengebäude dann als ein „alter Hut" in neuer Verpackung. Top Training verwendet meist altbewährte, praxiserprobte Erfolgsformeln und VerfahrenTop Training und wird oft von Menschen angewendet, die selbst damit in der Praxis bereits erfolgreich waren. Grämen Sie sich also nicht, wenn Sie die neuesten Theorien nicht kennen, oft erweisen sie sich bei näherem Betrachten als längst bekannt. Zugegeben, es gibt neue Entdeckungen, wir sind weitergekommen, aber so schnell wie man Ihnen manchmal weismachen möchte, geht es nun auch wieder nicht voran.

Doch kommen wir zum Schluß. Wir, die Autoren, haben uns erlaubt, einen Kodex vorzuschlagen, der als Leitlinie dienen mag, an dem sich Trainer und Trainierte orientieren können. Er hat zu tun mit dem vielleicht wichtigsten Element modernen Trainings überhaupt, das wir als letzten Punkt anführen möchten:

12. Top Training verfolgt ethische Ziele.

Im einzelnen könnte man dies wie folgt spezifizieren:

ETHIKKODEX FÜR TRAINER

§ 1
Trainieren Sie mit dem Ziel, daß das von Ihnen betreute Unternehmen größere Erfolge im Markt erzielt.

§ 2
Trainieren Sie mit dem Ziel, daß Freude, Optimismus und positive Einstellung verbessert werden.

§ 3
Trainieren Sie mit dem Ziel, daß die Teilnehmer sich persönlich verbessern.

§ 4
Trainieren Sie mit dem Ziel, daß die Kommunikation und die zwischenmenschlichen Beziehungen aller Beteiligten permanent verbessert werden.

§ 5
Trainieren Sie mit dem Ziel, daß die in jedem Menschen verborgenen Ressourcen aktiviert und besser genutzt werden.

§ 6
Trainieren Sie das, was aufgrund Ihrer eigenen Beobachtung zum Erreichen besserer Ergebnisse gebraucht wird.

§ 7
Vertreten Sie Ihre Meinung über das, was verbessert werden sollte, und machen Sie darin keine Kompromisse.

§ 8
Trainieren und schulen Sie nur Trainingsinhalte, die Sie selbst gut beherrschen und die in der Praxis getestet wurden.

§ 9
Trainieren und schulen Sie nur solche Trainingsinhalte, die sich nutzbringend anwenden lassen.

§ 10

Trainieren und schulen Sie nur solche Trainingsinhalte, von denen Sie wissen, daß Ihr Kunde sie in seinem Arbeitsbereich und zur Lösung seiner Probleme erfolgreich einsetzen kann.

§ 11

Trainieren Sie praxisnah und stellen Sie sicher, daß die Trainingsteilnehmer das Gelernte auch in der Praxis anwenden.

§ 12

Trainieren Sie immer bis zu einem guten Ergebnis, gleichgültig wie lange es dauert.

§ 13

Trainieren und schulen Sie nur Firmen und Mitarbeiter, die ihr Geschäft nach ethischen Prinzipien betreiben.

§ 14

Nehmen Sie Abstand von zweifelhaften Methoden und Theorien, deren Ziel es nicht ist, wirklich zu helfen.

§ 15

Trainieren Sie immer in dem Bewußtsein, daß Sie Verantwortung für Menschen, Unternehmen und Arbeitsplätze tragen.

Top Training

Adressenverzeichnis

Advanced Management
H. Benneck & Partner
Am Röttchen 32
4000 Düsseldorf 30
Telefon: (02 11) 41 10 46
Telefax: (02 11) 4 79 19 13

Business Success
Gerard Peissl
Obere Donaustraße 59
A-1020 Wien
Telefon: (02 22) 2 16 52 50 / 2 16 04 49-51
Telefax: (02 22) 2 14 60 45

Prof. Renate Doering
Windberger Allee 29
4050 Mönchengladbach
Telefon: (0 21 61) 8 81 70

Excellence Seminare
Winfried Volz
Schützenstraße 4
6200 Wiesbaden
Telefon: (06 11) 40 30 31
Telefax: (06 11) 40 30 34

Institut für Persönlichkeitsbildung
und Personalentwicklung
Holger Münter
Alexanderstraße 5
5112 Baesweiler
Telefon: (0 24 01) 73 75
Telefax: (0 24 01) 8 87 73

Infoteam AG
Philip Kreindler
Geissbergstraße 2
CH-8302 Kloten
Telefon: (0041-1) 8 14 27 76
Telefax: (0041-1) 8 14 22 45

Dr. Heinz Joachim Bless
Mörsenbroicher Weg 151
4000 Düsseldorf
Telefon: (02 11) 62 38 17

AMK
Akademie für Management
und Kommunikation GmbH
Hohenaspen 20
6914 Rauenberg
Telefon: (0 62 22) 95 00
Telefax: (0 62 22) 95 01 00

APM Unternehmensberatung
Hans Peter Zimmermann
Aeschweg 30
CH-3302 Moosseedorf-Bern
Telefon: (00 41-31) 8 59 07 95
Telefax: (00 41-31) 8 59 34 29

Martina und Klaus J. Fink
Im Musfeld 7
5340 Bad Honnef 7
Telefon: (0 22 24) 8 94 31
Telefax: (0 22 24) 8 95 20

Wohltorfer Trainer Team GmbH
Ernst-Richard Peters-Kiehn
Kiehns Hof 1
2055 Wohltorf
Telefon: (0 41 04) 13 80
Telefax: (0 41 04) 72 75

Elke Conradi
Kapellenstraße 6
6277 Bad Camberg
Telefon: (0 64 34) 70 00
Telefax: (0 64 34) 16 24